Publishroom Factory
www.publishroom.com

ISBN : 979-10-236-1947-8

STEPH MALTUSO

DEMAIN, L'ÉQUILIBRE

Dans un monde autocratique post pandémie du
COVID et désastre climatique et écologique

Roman cynique, polémique, militant… quoique ?

Steph Maltuso
On vous l'avait pourtant dit et répété depuis tellement
de temps…

Thomas MALTHUS (1766-1834)

« La population croît suivant une progression géométrique, tandis que les subsistances croissent suivant une progression arithmétique… »

GERONIMO (1829-1909)

« Quand le dernier arbre aura été abattu, quand la dernière rivière aura été empoisonnée, quand le dernier poisson aura été péché, alors on saura que l'argent ne se mange pas. »

Claude BRUNETTE (1954)

« En général, les gens croient que le suicide n'est pas acceptable. Cependant, à chaque jour que nous détruisons un peu plus notre environnement, nous nous engageons un peu plus sur la voie du suicide collectif. »

Haroun TAZIEFF (1979) émission télévisée « les dossiers de l'écran »

« … Concernant la fonte des glaces, ce qui peut le faire c'est la pollution industrielle qui dégage des quantités de produits chimiques de toutes natures dont une énorme quantité de gaz carbonique. Cette quantité de gaz carbonique se propage dans l'atmosphère et risque de faire de cette dernière une espèce de serre… »

GIEC. Rapport (2001)

Selon ce rapport, les années 1990 auront été la décennie la plus chaude sur la période 1860-2000. Les changements concernant le niveau de la mer, la couverture neigeuse, la superficie des glaces et les précipitations sont révélateurs d'un réchauffement du climat. Une responsabilité humaine à ce réchauffement est davantage soulignée que dans les précédents rapports. Le rapport prévoit une augmentation de température entre 1,4 °C et 5,8 °C entre 1990 et 2100 et estime que le rythme du réchauffement est sans précédent depuis les dix derniers millénaires.

Aymeric CARON, journaliste ; auteur de l'Antispéciste (2016), édition Don Quichotte
« L'antispécisme milite pour l'intégration de tous les êtres vivants sensibles dans une même famille de considération morale. Vu sous un autre angle, cela signifie que l'antispécisme revendique l'appartenance de l'espèce humaine à une communauté beaucoup plus large qu'elle-même, celle des animaux... »

Nicolas HULOT, discours (18 mai 2018)
« Chers amis, Mesdames et Messieurs, depuis de nombreuses années maintenant, la nature nous lance un SOS, un appel à l'aide. La biodiversité se meurt en silence. Le silence des oiseaux qui disparaissent de nos villes et de nos campagnes. Le silence des abeilles et de tous les insectes décimés par millions par les pesticides. Le silence des derniers rhinocéros du Kenya. Le silence de toutes les espèces que nos enfants ne verront jamais ailleurs que sur le papier glacé des livres d'histoires. Nous assistons en spectateur à la 6ème extinction de masse de la biodiversité. Notre planète est entrée dans une nouvelle ère, celle de l'anthropocène. L'humanité est devenue une force évolutive, une arme de destruction massive du vivant, auquel elle oublie même son appartenance... »

Site BIOSPHÈRE (2021) extrait

« Empreinte écologique : mesure de la pression des activités humaines sur l'écosystème exprimée en « unités de surface ». Chaque unité correspond au nombre d'hectares de terre biologiquement productive nécessaire pour entretenir un certain niveau de vie des humains et en absorber les déchets. Selon cet indicateur, un critère de forte durabilité serait que chaque génération hérite d'un stock de capital naturel par individu qui ne serait pas plus petit que celui de la génération d'avant. Mais si l'ensemble de la population mondiale accédait au niveau de vie actuel des Français, la satisfaction des besoins humains nécessiterait au moins trois planètes et le capital naturel diminuerait. L'empreinte écologique de la classe globale est trop forte… »

Bien plus tard : les deux premiers articles de la constitution de l'ÉQUILIBRE seront :

Article 1 : l'homme appartient à son environnement au même titre que les animaux et végétaux, il n'est pas au-dessus des autres espèces.

Article 2 : l'homme fait partie d'un ensemble qu'il doit préserver.

Comment en sommes-nous arrivés là...

2015-2050 : les accords de Paris signés en 2015 comme le sommet sur le climat organisé par le président Biden en 2021, deux retentissants nouveaux échecs. Les engagements, peu ambitieux, ne seront jamais tenus, malgré des opinions publiques qui, elles, évoluent...

2019-2030 : la COVID 19 et ses nombreux mutants mettent à genoux l'économie mondiale, alors que les laboratoires s'enrichissent par la mise au point de nouveaux vaccins inopérants pour les souches suivantes.

2025 : scandale planétaire. Pour régler le problème de l'immigration, plusieurs pays occidentaux ont décidé, malgré les plaintes de l'ONU et de nombreuses ONG, de créer des camps de transit obligatoire à l'extérieur de leurs frontières. Tout demandeur d'asile a obligation de passer par ces zones, situées essentiellement en Afrique du Nord. Tout migrant sans droit d'asile ou carte de séjour valide, est envoyé sans aucun recours possible dans une des trente zones dites « blanches », en attendant que les autorités statuent sur leur sort. Les pays qui ont accepté de céder une partie de leur terre sont très grassement rémunérés, les occidentaux pensent ainsi régler le problème, face à leur opinion publique excédée.

2025-2026 : années de sécheresse record en Asie. On meurt à nouveau de faim en Inde. Des millions de paysans ruinés rejoignent les villes déjà surpeuplées.

2026 : une tornade de catégorie 6 dévaste les faubourgs de Venise : cinquante morts, les dégâts sont gigantesques.

2026 : effet prévisible. Suite à l'intervention massive des banques centrales depuis des dizaines années, le monde financier croule sous la masse monétaire. Les nombreuses bulles spéculatives explosent en cette année 2026. Associé à la crise du COVID, s'ensuit la pire récession économique que le monde n'ait jamais connue.

2026 : les plastiques à usage unique sont enfin totalement interdits, la quasi-totalité des pays du monde ratifient cet accord. Il était temps, la Méditerranée est déjà totalement asphyxiée.

2027 : l'État Islamique, dit *Daech,* fait exploser la centrale nucléaire de Golfech en France et assassine le premier ministre israélien. Simple chant du cygne pour cette mouvance extrémiste qui disparait rapidement après ces deux derniers faits d'armes retentissants.

2027 : suite à des manifestations « explosives » de sa population, lassée par la pollution grandissante, la Chine décide l'arrêt de l'exportation des *terres rares,* dont l'extraction est une véritable catastrophe écologique. Certains dirigeants de pays pauvres, peu scrupuleux, accepteront de dévaster leurs terres et fourniront le reste du monde en métaux et minéraux.

2028 : France, immense scandale : un parti d'extrême droite était financé par le Kremlin afin de combattre de l'intérieur les démocraties occidentales. Un changement politique radical au sein de la Russie a permis de révéler cette terrible information. La présidente de ce parti et son mentor seront condamnés à dix ans de prison ferme.

2028 : pour lutter contre l'ubérisation de la société avec la mise à mal de tous les systèmes fiscaux et sociaux, une loi universelle internationale proclame la fiscalisation intégrale dans le lieu de production, de vente ou de prestation. De plus, les DATA ont interdiction d'utiliser les données personnelles. Le modèle économique de nombreuses sociétés du Web doit être totalement revu.

2028 : en Hongrie, un parti national-socialiste pro- nazi, le Fajelmétet Normàlis, inconnu cinq ans auparavant, prend le pouvoir par le jeu des alliances avec le Parti Fidesz. La sortie de l'Europe est promulguée deux ans plus tard. Les institutions sont mises à mal, la dictature remplace la démocratie. Effondrement de l'économie, la Hongrie rejoint le club peu enviable des pays les plus pauvres au monde. Un soulèvement populaire fera près de vingt mille morts et rétablira la démocratie. De fait, les mouvements populistes, nombreux en Europe à cette époque, perdront toute influence. Plus personne ne pourra dire : « on ne les a jamais essayés ! »

2029 : après la énième crise financière, les États décident de réguler strictement la bourse et ses instruments financiers. La spéculation des matières premières est interdite ainsi que la vente de produits dérivés complexes. Le trading à haute fréquence par algorithme est stoppé par la mise en place d'une taxe sur les transactions financières, obligeant les gérants à conserver un certain temps les différentes lignes de leur portefeuille.

2030 : les douaniers Australiens tirent à balles réelles et tuent vingt réfugiés Indonésiens qui tentaient de forcer un barrage.

2030 : pour lutter contre les espèces dites *invasives*, la libre exportation de végétaux ou d'animaux est interdite. Dans quasiment tous les pays du monde, sont créées des brigades de l'écologie, réclamées à corps et à cris depuis de nombreuses années par Greenpeace et d'autres associations écologiques.

2030 : décision ratifiée par 112 pays, la biodiversité est décrétée bien public mondial, sa gestion ne peut donc relever de la seule souveraineté des États. En contrepartie, les pays protégeant la biodiversité bénéficieront de subventions conséquentes sous la direction de la BPM, organisme créé sous l'égide de l'ONU.

2030 : Apple invente le premier téléphone cellulaire directement relié aux neurones temporaux. Malgré l'esthétisme douteux et des effets secondaires importants, les candidats volontaires à cette nouvelle technologie sont nombreux. L'expression : « avoir le téléphone greffé à l'oreille », prend tout son sens.

2031 : coup de tonnerre : un chercheur prétend avoir trouvé le gène du vieillissement et la façon de le contrer. Il s'avérera que, si en laboratoire l'expérimentation au niveau cellulaire fonctionne, les essais sur les animaux terrifieront les observateurs. Le projet est abandonné.

2031 : après un nième carnage dans une petite ville du Texas - un enfant de dix ans tuant cinq de ses camarades et un professeur avec l'arme qu'il avait subtilisée à son père - la constitution des États-Unis est modifiée, le port d'arme sera limité. Trois États refusant la loi fédérale menacent de faire sécession. La troupe les fera revenir dans le droit chemin.

2031 : le manque de pollinisateurs fait perdre des milliards de dollars aux économies mondiales. De nombreux pesticides et fertilisants sont interdits, mais les terres seront polluées pour des décennies. Un industriel Français lance sur le marché un mini drone -pollinisateur qui suppléera à l'absence d'insectes. Malheureusement, la nature ne bénéficiera pas, elle, de cette nouvelle technologie...

2032 : l'année des tornades et des cyclones. Les États-Unis sont particulièrement touchés avec deux mille tornades d'intensité supérieure ou égale à EF1 enregistrées. La ville de Fort Smith en Arkansas est totalement rayée de la carte par une tornade EF5 : douze mille morts. Le Bangladesh subit différents cataclysmes météorologiques et perd un million d'habitants.

2035 : après l'Écosse et la Catalogne, c'est le Sud Mali qui fait sécession. S'en suivra une guerre d'indépendance qui fera soixante-dix mille morts. De son côté, la Catalogne reviendra au bout de 6 ans dans le giron espagnol.

2035 : les armées et les polices sont à présent équipées de robots et drones, capables de réaliser leurs missions sans intervention humaine. La reconnaissance faciale, les récepteurs olfactifs ou l'analyse aérienne des codes génétiques par la méthode dite du *balayage chimique*, inquiètent les médias et des hommes politiques attachés à la démocratie et la liberté.

2036 : d'après une étude suédoise, l'épidémie de malformations cérébrales du fœtus humain qui touche les pays de l'OCDE et la Chine, serait due à l'exposition au champ électromagnétique produit par les antennes de la 6 G. Scandale international, le Herald Tribune prouve que les opérateurs téléphoniques savaient…

2042 : l'Allemagne reste le dernier pays au monde à promulguer une politique nataliste volontariste. Elle l'arrêtera quelques années plus tard.

2045 : un chercheur Sud-Africain crée le « Baotou », une substance produisant de l'énergie à partir des photons ou des calories contenues dans l'eau et dans l'air, tout en ayant la propriété de pouvoir la stocker. Le monde pense avoir réglé ses problèmes énergétiques et espère ainsi lutter contre le réchauffement climatique. L'inertie est trop importante, le permafrost poursuit sa fonte et libère des millions de tonnes de gaz à effet de serre. La banquise, couverte de suie et de poussière, ne refoule plus les rayons solaires, et accélère elle aussi le réchauffement climatique.

2045 : à la conférence sur la biodiversité de Gitega, Burundi, une mesure phare : chaque pays a obligation de mettre dix pour cent de son territoire en réserve protégée, dont deux pour cent, totalement interdite à l'homme.

2045 : 25 % du PIB mondial est réalisé à présent par le travail de robots dits « free-autonomous », capables de prises de décision et en toute autonomie, de réaliser leurs missions. Ils possèdent de surcroît la faculté de s'auto- réparer.

2046 : le Parti Écologiste International est créé. Dès 2048, le PEI gagne des élections dans de nombreuses villes du monde et même celles du puissant État de Floride aux USA.

2046 : le Royaume-Uni devient le douzième producteur mondial vinicole.

2047 : la viande de plusieurs animaux, dont les bovins, est lourdement taxée pour en limiter l'élevage. L'apport en protéine sera largement compensé par la culture des insectes et la fabrication de viande in vitro, qui gagne chaque année des parts de marché.

2047 : grâce à l'énergie à faible coût produite par le Baotou, fermeture de nombreuses centrales au gaz et nucléaires, celles au charbon ont été interdites en 2035. Les barrages hydroélectriques ont obligation de mettre leurs turbines hors service 4 mois dans l'année. L'ambition est de réinitier le cycle naturel, les alluvions et matériaux transportés par les fleuves devant permettre le ré ensablement des côtes.

2048 : scandale sanitaire sans précédent. Après celui des ondes électromagnétiques de la 6 G, après celui des OGM qui ont perverti le génome de nombreuses espèces animales et végétales provoquant cancers et maladies génétiques, les nanoéléments s'avèrent être un nouveau poison pour toutes les espèces vivantes. Ils sont eux aussi interdits. Présents partout, ils feront néanmoins des dégâts pendant des dizaines d'années.

2048-2049 : les années-volcans. Le stratovolcan du Mont Rainier aux USA entre en éruption, un énorme lahar engloutit les villes de Orting et Puyallup et en partie Tacoma. 36 000 morts. Par ailleurs, réveil du volcan du Puy de Lassolas, en Auvergne. Pas de victime ni dégât.

2049 : robots, free-autonomous, drones, objets connectés prennent une place de plus en plus importante dans la vie des humains. La durée légale internationale du temps de travail est réduite en moyenne à 30 h, les vicissitudes de la vie quotidienne deviennent quasiment inexistantes. Les hommes, de plus en plus sédentaires, l'obésité devient cause nationale dans de nombreux pays. Une véritable épidémie de décès par suicide marque cette année 2049.

2050 : prolifération de la population mondiale, dix milliards d'habitants, et plus particulièrement en Afrique, avec deux milliards et demie, concentrés dans les zones les moins affectées par la désertification, omniprésente à présent. L'essor économique est extraordinaire, la disparition des espèces végétales et animales l'est tout autant. Après les ours blancs, les bélugas, les guépards, les tigres de Sibérie, les rhinocéros blancs, les gorilles des montagnes, les chimpanzés disparaissent officiellement de la nature cette année-là.

2050 : les réfugiés climatiques deviennent de plus en plus nombreux. On estime que d'ici la fin du siècle, un milliard et demi d'individus devront changer de pays voire de continent.

2050 : La production annuelle de soja au Brésil dépasse la barre symbolique des 200 millions de tonnes. Il ne reste que 18 % de la forêt primaire amazonienne...

2052 : cent états votent la loi Natura : tuer un animal volontairement ou détruire un végétal faisant partie d'une espèce protégée devient passible de la réclusion à perpétuité, et même de la peine de mort dans les pays ne l'ayant toujours pas abrogée. Par extension, la possession d'objets en ivoire, d'onguent ou de toute partie d'un animal protégé, engendre les mêmes peines. La population d'éléphants et de rhinocéros croît à nouveau. Trop tard pour d'autres.

2055 : une mission spatiale américaine a ramené avec elle une bactérie martienne. Suite à un incident, elle s'est répandue sur Terre, provoquant la mort d'environ cent cinquante millions d'humains. Il s'est avéré par la suite qu'il s'agissait d'une bactérie humaine amenée sur Mars lors d'une précédente expédition et qui avait muté du fait des radiations.

2056 : le Chili, l'Espagne et l'Algérie, deviennent les trois premiers pays au monde gouvernés par le Parti Écologiste International. Les habitants abandonnent la notion de propriété et de possession, comme ils abandonnent aussi les outils technologiques, les armes, les objets connectés superflus, l'égoïsme et le repli sur soi, au profit de l'art, de la communication et de l'entraide. Un programme informatique complexe appelé « *Équilibra* » est mis au point pour les aider à gérer leur pays en respectant cette politique volontariste.

2060 : c'est l'année du point d'orgue des guerres dites *climatiques*. Lassés d'être rejetés voire abattus, les réfugiés climatiques tentent de forcer le passage par les armes, aidés en cela par les passeurs de plus en plus puissants. Les révoltes dans les camps de réfugiés font trois cent mille morts. Les extrémismes religieux, politiques ou ethniques amplifient le phénomène. Partout dans le monde des zones de guérillas voient le jour. L'Europe et les États-Unis sont relativement protégés mais ont dû construire pour cela de véritables camps retranchés derrière des murs puissants et l'armée, dont on a changé la mission première.

2063 : le suicide devient la première cause de mortalité dans les pays dits *développés*. Une mission d'enquête internationale est envoyée dans les douze pays à dictature écologiste *PEI*, pour en comprendre la quasi-absence de ce phénomène. Une vie simple voire ascétique, l'égalitarisme, la communication, l'échange, l'art, l'absence de stress et de besoins. Vivre sous la dictature de l'Équilibra rendrait heureux, sera la conclusion de cette enquête.

2063 : chaque nouvelle technologie crée son lot de problèmes. Les scandales sanitaires liés à la pollution atmosphérique et de l'eau, sont de plus en plus nombreux. Les pays plus respectueux de l'environnement et cherchant à sortir de la logique consumériste, supportent de moins en moins bien les pollueurs car les frontières n'arrêtent ni les particules, ni les fumées toxiques, ni la bêtise…

2075 : le Sud de la Floride, le delta du Mississippi, Bangkok en Thaïlande, les Maldives, Venise, une grande partie de Tokyo, les Pays-Bas, Shanghai,... ont quasiment disparu sous les flots, dépassant très largement les prévisions les plus pessimistes des experts.

Le GIEC avait pourtant tiré la sonnette d'alarme dès 1990.

Quatre-vingts pour cent des espèces végétales et animales ont disparu ou sont en quasi-disparition sur terre.

2080 : onze milliards et demi d'habitants, la Terre s'est échauffée de 8 degrés depuis le début du siècle. Destruction des zones naturelles, disparition des forêts primaires, désertification, déchaînement de la Nature, famines à répétition, révoltes, guérillas, émeutes... La Terre n'est que haine et guerres. Pour tenter de rétablir la situation, de nombreux pays, totalement dépassés et paniqués, décrètent l'état d'urgence, et mettent à leur tête les dirigeants les plus virulents du PEI (Parti Écologiste International).

2084 : la dictature de l'Écologie est décrétée, des mesures draconiennes sont prises dont :
- contrôle des naissances avec limitation à un enfant par couple
- mise au ban de toutes les technologies utilisant des métaux ou matériaux rares mise en place de réserves naturelles interdites à toute présence humaine sur vingt pour cent des territoires.

Les États-Unis et le Mexique sont les deux seuls États à refuser la ratification de cet accord international, malgré une opinion publique très partagée. Les négociations commencent.

2090 : les avancées sont spectaculaires dans de nombreux pays. « L'humain redevient humain », s'enthousiasment les dirigeants mondiaux. En effet, les hommes retrouvent la communication, le rire et le goût des belles choses. Le Mexique a rejoint le camp des news *écolos*, les USA font de la résistance...

La dictature de l'écologie, suite aux recommandations du programme Équilibra, décide de mettre les USA au ban des nations. Un blocus économique est décrété en cette fin d'année.

2091 : les Américains plieront ou disparaîtront. Quelques escarmouches plus qu'une véritable guerre, puisque le chacun pour soi domine nécessairement.

2093 : les Ricains renoncent à leur attitude et rejoignent l'Équilibre. Ils en deviendront rapidement les leaders les plus actifs grâce à une opinion publique toujours aussi volontariste lorsqu'elle est convaincue.

2095 : la population mondiale se stabilise voire diminue légèrement. La possession d'animal de compagnie est interdite, et quelques décennies plus tard, l'interdiction formelle de tout animal en captivité est votée dans l'enthousiasme général.

2096 : première victoire de la France depuis 1977 au concours de l'Eurovision de la chanson.

Les personnages par ordre d'importance :

Khaur : Traqueur de l'Équilibre dans la zone d'habitage Alternatiba. Héros de cette épopée, qui devient rapidement « Je ». Le lecteur devient, de fait, le Traqueur Khaur.

Tikki : Pisteur Mbuti d'Alternatiba, ami de Khaur. Ancien Traqueur destitué

Akka : Pisteur Mbuti d'Alternatiba, ami de Khaur ; il compose avec Khaur et Tikki, l'équipe de Traqueurs d'Alternatiba. Il est l'homme au sourire constamment aux lèvres.

Sogno : femme imaginaire (ou pas) qui hante les nuits de Khaur

Inquisitio : Vérificateur de l'Équilibre de la zone d'Alternatiba

Jomuir : Guide d'Alternatiba

Chiourme : Garde féminin de la Maison du Gouvernement. Fera partie de l'équipe d'enquête.

Mésoc : Saltimbanque du Sanctuaire

Maingelé : Supraguérisseur de la Maison du Gouvernement d'Haeckelie

Hornica : Supraviseur de l'OME. Gouverneur d'Haeckelie

Suthra ; Supravérificatrice de l'Équilibre au Sanctuaire. Responsable de l'équipe d'enquête de la Maison du Gouvernement. Gouverneur d'Haeckelie

Stowhen : héros légendaire, premier Traqueur de l'Haeckelie

Nion : Compagnon du Sanctuaire, fera partie de l'équipe d'enquêteurs

Perblaize : Guérisseur-Hypnotiseur d'Alternatiba

Toluh : Traqueur ayant dirigé l'embuscade contre Khaur

Sua : un des Pisteurs ayant participé à l'embuscade contre Khaur

Bila : un des Pisteurs ayant participé à l'embuscade contre Khaur

Snah : Supraviseur de l'OME. Gouvernement d'Haeckelie

Wanriga : une des cinq Tabellions du Sanctuaire. Gouvement d'Haeckelie

Barricom : un des trois Oracles de l'Équilibre. Gouvernement d'Haeckelie

Fom (Fombeco) : Traqueur de Nitiobrige. A mis au point une méthode de camouflage.

Saka : jeune fille connue dans la jeunesse de Khaur

Luce : membre du Gouvernement disparue

Risveglio : membre du Gouvernement disparu

Vop : jeune Ricain de Vièla

Amongöth : Ricain au Sanctuaire

Bartheinz : Ricain au Sanctuaire

Pour les autres, ils passent si vite...

I) LA TRAQUE

Depuis longtemps le crépuscule avait enténébré la scène. Nous devinons, plus que nous voyons, une forme recroquevillée contre le tronc d'un arbre mort. La lune a fait son nid entre les branches fantomatiques. L'astre sera l'unique témoin de la tragédie. En arrière-plan, se fondant dans le ciel, les flots scintillent de mille feux. Je n'avais jamais vu la mer... Le bruit régulier des vagues qui se cassent sur la plage, et plus encore, celui du ressac aspirant les petits galets qui s'entrechoquent, restent captivant malgré la tension.

Nous avons couru et transpiré toute la journée, plusieurs dizaines de kilomètres parcourus, nous rapprochant dangereusement de la zone interdite, refuge salvateur pour le fuyard. Heureusement, il était à bout de force. Le dénouement est imminent.

La nuit était tombée d'un coup, comme si elle désirait précipiter les choses. Notre approche a été longue, minutieuse, silencieuse. Pas à pas, centimètre après centimètre, nous avons pris subrepticement position, encerclant l'être immonde. Plusieurs fois, toujours aux aguets dans son sommeil, il a relevé la tête, humé l'air... il ressent quelque chose, imperceptible pour celui qui n'a jamais été pourchassé. Mais la fatigue est là, ses réflexes et son instinct de survie émoussés par ses nuits courtes et les longues journées éprouvantes, sans jamais pouvoir réellement récupérer. Après chaque alerte, sa tête a dodeliné, la respiration régulière a repris.

À présent, à quinze mètres de la cible, chacun sûr de son rôle. Au signal, deux sifflements caractéristiques, deux chocs puissants, des cris vainqueurs, de la joie, du soulagement, on s'enlace, on danse, on chante, comme des enfants exubérants… la bête est enfin terrassée.

Épilogue heureux d'une Traque de plusieurs jours.

Une flèche plantée dans le thorax, l'autre a traversé son cou et s'est fichée profondément dans le tronc de l'arbre. De cette blessure, le sang sort en bouillonnant, et de sa bouche, dégouline une écume de bave rouge. Ses membres supérieurs battent l'air misérablement, les jambes dessinent nerveusement des volutes dans le sol poussiéreux. En vain, il restera épinglé sur son étaloir[1]. Ces mouvements désordonnés déclenchent en nous, gestes vainqueurs et éclats de rire incontrôlables.

Les yeux encore ouverts, le supplicié regarde tristement la danse macabre qui fête sa mort imminente : « Il ne pensait pas qu'on puisse autant s'amuser autour d'une tombe. »[2]

Trois jeunes adolescents gringalets… Il aurait pu, il aurait dû leur tendre un piège et s'en débarrasser. Ses forces déclinent. Il n'a pas mal, juste un poids au niveau de la poitrine. Il respire difficilement, le sang remplit rapidement ses poumons, la vie le quitte inexorablement. Il sait qu'il ne doit pas s'endormir mais ses yeux sont lourds, trop lourds ; il a froid, très froid. Une pensée fugace pour la vallée, sa vallée

---

1 Planche sur laquelle on étale les ailes du papillon pendant quelques jours avant de les repiquer dans une boîte à collection.
2 Merci Francis. La corrida.

chérie dans laquelle il vivait ; une interrogation : « Y a-t-il quelque chose après... ? » Las ! Il est mort.

Quelques jours auparavant...

Khaur est sur la piste depuis six jours, le soleil haut, une chaleur impitoyable, pas un nuage, pas une ombre, dans cette savane jaunie par des mois de sécheresse.

Cela fait des décennies que les trop rares orages, des mois d'août à novembre, d'une violence inouïe, ne compensent pas la saison des pluies, absente cette année encore. À l'horizon, quelques arbres secs pétrifiés toujours dressés, squelettes d'une nature en déperdition.

Le drone a perdu la trace du prédateur dans des collines arides et usantes. Étonnamment, au fond de certaines ravines caillouteuses, on a parfois la chance de trouver quelques ceps de vigne, misérablement tordus, s'accrochant par miracle à la vie. Secs et acides, les grains de raisin sont néanmoins une délectation tant les rations alimentaires habituelles sont détestables.

Pourquoi, après avoir d'abord réalisé un long chemin sinueux ainsi que de larges détours dans une plaine sans abri, sans âme, sans vie, avec comme seule évidence, la direction sud-ouest, le prédateur a-t-il tout d'un coup bifurqué nord-ouest, et son relief plus marqué ? Tentative désespérée d'échapper à la Traque, ou la recherche d'un point d'eau ou de nourriture...

Khaur lève les yeux vers ce ciel dont il connaît l'encore fragilité de la couche d'ozone qui protège néanmoins la vie sur terre de terribles rayons nocifs. Une surprenante irisation bleuâtre trouble sa vision, la chaleur probablement. Malgré ses lunettes, malgré ses vêtements- coutou, véritable seconde peau thermo- régulée, malgré son équipement de récupération et de traitement de la sueur et des fluides, Khaur souffre le martyre. Néanmoins il aime sa mission… il l'aime et surtout, il est convaincu de son importance. Grâce à lui, l'Équilibre est respecté.

Il souffre, mais que devraient alors dire les deux Pisteurs *pygmées* qui l'accompagnent. Chacun d'eux porte une sacoche-ceinture bien garnie, un chapeau ingénieusement réalisé avec des touffes d'herbe sèche qui tombent jusqu'aux hanches ; aux pieds, les fameuses « samaras » à la semelle en alfa, et seule concession au *progrès*, leurs lunettes de soleil et de vieux pantalons- coucou, récupérés probablement sur un marché-troc ou lors d'une précédente mission.

Cela fait bien longtemps qu'ils ont perdu leur fonction de régulateur thermique, ne peut s'empêcher de penser Khaur en souriant.

Avec leurs arcs et flèches, semblables à des plumeaux au-dessus de leur tête, ses acolytes ressemblent à deux bouquets d'herbe de la Pampa sur pied. Khaur ne peut s'empêcher de rire à la vision de ce spectacle. Il avait déjà vu cette plante, se souvient-il, au jardin botanique du Sanctuaire et n'avait d'ailleurs jamais croisé cette si particulière herbacée dans la nature. Les garants de l'Équilibre avaient décidé depuis fort longtemps de la classer espèce nuisible , au même titre d'ailleurs que de nombreuses autres *invasives*.

Il aime profondément ses *pygmées*, même si ce terme déclenche chez eux une colère disproportionnée... « Nous sommes Mbutis !! » crachent-ils chaque fois avec véhémence.

Certes, ils sont un peu plus noirs et vraiment plus petits que la moyenne, mais de là à se prétendre de lignée directe à ce vieux peuple des forêts... Surtout que l'on raconte que le terme « *pygmée* » fut employé pour la première fois par un joyeux luron, au moment de la mise en place des brigades de l'Équilibre, les comparant là, aux fameux rabatteurs des chasses africaines du 19ème et du début du 20ème siècle. Mais en y songeant, il est vrai que nombre de nouveaux pisteurs possèdent ces mêmes caractéristiques génétiques, pourtant par ailleurs exceptionnelles dans notre communauté.

Tikki et Akka ne payent pas de mine, pourtant Khaur est persuadé que les deux Mbutis et lui-même, constituent la meilleure brigade d'Haeckelie.

Tikki, l'a beaucoup aidé à ses débuts... Il connaissait toutes les ficelles d'une activité longtemps pratiquée. Comment survivre dans la savane, éliminer les prédateurs tout en évitant les griffes des fauves, les morsures de serpent ou la chaleur, trouver les rares points d'eau ; mais aussi savoir rédiger un compte rendu acceptable aux yeux du redoutable Vérificateur du Maintien de l'Équilibre. Tikki avait d'ailleurs été rétrogradé « simple Pisteur » après avoir été épinglé alors qu'il dégustait un *savoureux* lézard vert.

Le jugement, étonnamment clément, avait pris en compte ses états de service élogieux avec un nombre important de prédateurs éliminés, mais aussi l'excuse d'un delirium lié au manque de nourriture et d'eau. Pour son crime, il risquait Pitance. Pourtant, jamais Tikki n'évoque cette douloureuse expérience.

Khaur, malgré la souffrance liée aux conditions, apprécie ce paysage désolé d'une nature âpre et exigeante. Errer de longues journées, quasiment seul du fait du nécessaire silence, permet à son cerveau de vagabonder et, fouillant ses souvenirs, de tenter de retrouver le visage de la femme qui hante ses nuits depuis quelque temps. Mais s'il en ressent le besoin, ses efforts restent vains. Sogno, avec ses longs cheveux noirs, ne dévoile toujours pas ses traits en dehors de ses rêves...

Jomuir[1], la Guide, lui a intimé l'ordre d'évacuer l'image de cette femme. « Les rêves n'ont pas leur place, seul l'Équilibre compte », lui a-t-elle à nouveau asséné en lui remettant le recueil qui l'accompagne lors de cette nouvelle mission. De peur de lui déplaire voire d'être démis de ses fonctions, Khaur lui ment depuis plusieurs séances, ce qui lui procure un mal à l'aise certain. Serait-il insuffisamment pur ? Il est pourtant intimement persuadé que l'Équilibre est la seule voie envisageable.

Chaque pas soulève une poussière fine ; la moindre brise, loin de rafraîchir, dessèche encore plus l'atmosphère. Hormis les arbres, morts encore miraculeusement debout, subsistent quelques acacias, des touffes d'herbe jaune éparses, du pennisetum - autrefois appelé « *herbe à éléphant* », lui souffle son neuro- transmetteur - et parfois un « balanites aegyptacia » sur lequel nous cueillons quelques fruits à sucer. Cette nature dégage une beauté à l'état brut.

Le silence parfois troublé par le rugissement lointain d'un lion. Khaur serre alors son bâton électrique, seul recours

---

1 Jomuir : Nom probablement issu de contraction John Muir, un des premiers écologistes 1935

contre les fauves affamés. Les herbivores ont dans leur grande majorité quitté la contrée, toujours plus au nord.

À une cinquantaine de mètres, les deux Pisteurs, pourtant démunis d'arme -repoussoir, poursuivent leur quête du moindre indice, sans marquer la plus petite des réactions au danger potentiel. Ils font entièrement confiance à leur chef d'équipe. Sous cette canicule, leurs silhouettes évanescentes ressemblent à deux fantômes impalpables et désarticulés, flottant au-dessus de la poussière.

Tout d'un coup, Akka s'immobilise, se redresse prestement et, utilisant le langage sifflé *aasien* de l'ancienne Pyrène, appris durant les stages de survie, me somme de le rejoindre. Malheureusement, seuls les Traqueurs sont appareillés de neuro-transmetteur permettant la communication par ondes télépathiques. Une bosse de forme rectangulaire sur mon tympan gauche atteste de ma propre implantation. Tikki arbore au même endroit, une large et vilaine cicatrice blanchâtre... Le Vérificateur lui a fait comprendre ne pas avoir apprécié son lézard- carnassier- écart lors de l'intervention nécessaire pour lui retirer son neuro- transmetteur. Il lui a été quasiment arraché sans anesthésie. L'hypnotiseur-herboriste n'était apparemment pas disponible ce jour -là. On raconte que les cris de douleur de mon ami s'entendaient à des kilomètres à la ronde. Après s'être enfin évanoui, le malheureux est resté inconscient plusieurs heures. De sa large blessure, s'échappait un faisceau de micros-filaments qui reliaient précédemment ses neurones au capteur. Il aurait pu, il aurait dû conserver de très graves séquelles de cette *expérience*.

Où est passé Akka ? Disparu…

Aucune réponse à mes appels. Une poussée d'adréna-line, sueurs froides, mon bâton électrique à la main, je[1] me précipite. Un lion ? Stress, inquiétude, tout mon être sur le qui-vive… Un éclat de rire sur ma gauche ! L'imbécile s'était glissé dans une immense termitière abandonnée, partielle-ment effondrée sur elle-même.

« Je t'ai bien eu, Khaur, t'as eu peur eh eh t'as eu peur !!?? » pouffe-t-il en s'approchant… Salto arrière, yeux tout d'un coup exorbités, Akka se retrouve le nez dans la poussière. « *Aie aie aie aie, hi hi hi hi* ». Entre la douleur de la petite décharge de mon bâton électrique, et la surprise d'être pris à son propre jeu, il éclate d'un rire franc et contagieux, ponctué de hoquets désopilants. Son fou rire communicatif me gagne, et évidemment, Akka explose de plus belle… Mon ventre tout en spasmes, devient vite douloureux, je me laisse tomber dans ses bras, la crise s'amplifie encore et encore… Nous nous esclaffons, gémissons, nous tordons de rire durant de longues minutes, incapables de nous regarder sans pouffer à nouveau… Impossible de nous relever, juste le besoin de nous laisser aller après *tous ces jours de tension et de souffrance.*

Et ce n'est sûrement pas l'arrivée de Tikki qui arrange les choses… son gros nez aux narines immenses, ses yeux paniqués, cette cicatrice temporale exagérément blanche aujourd'hui, les longues herbes de son chapeau collées aux joues par la crasse et la sueur, et son arc qui semble une antenne au-dessus du monstre, relancent l'hilarité. Bientôt, les *terribles chasseurs* deviennent un tas bruyant de bras, de

---

1 Oui, cher lecteur, Khaur c'est à présent toi ! D'où le jeu euh le « je ». Aussi, avant de t'endormir, si tu ne veux pas qu'il prenne possession de tes songes, pense à déclamer trois fois : « Khaur, sors de mon corps ! »

jambes, de torses et de têtes, inextricablement mêlés, dans une explosion de rires et de gloussements…

Un rugissement plus proche que le précédent. Je me redresse prestement, Tikki, déjà sur ses pieds, me fixe, les yeux chargés de lourds reproches… Je n'arrive néanmoins pas à réprimer un sourire en constatant l'état de son couvre-chef après notre mêlée.

J'ai mis la sécurité du groupe en péril, je dois me reprendre :

« J'espère que tu ne nous as pas fait venir jusqu'ici juste pour t'amuser ? » grogné-je, plus méchamment que souhaité réellement.

Akka, sentant la tension, réduit son sourire béat d'environ… deux millimètres ! Malgré ses talents de pisteur, je suis persuadé qu'il est fondamentalement idiot.

« Suis-moi Maîtreeeeeeeeeeee », répond-il, espiègle et taquin… Il n'est finalement peut-être pas aussi stupide qu'il en a l'air.

Derrière la termitière, des viscères verdâtres, couverts d'une nuée de mouches, et la tête aux cornes caractéristiques d'une gazelle de Thomson.

Ce n'est visiblement pas l'œuvre d'un fauve ou d'une hyène… « Tikki, au travail ! » aboyé-je, cherchant à asseoir mon autorité vacillante, alors que le Pisteur, déjà agenouillé, inspecte, hume les boyaux et termine par la tête de la victime. Les yeux de la gazelle, étonnamment vivants, semblent nous reprocher notre retard.

« C'est le travail du prédateur, il a éviscéré et étêté notre Cousine de la savane avant d'emporter le reste du corps. Cinq heures d'avance environ. S'il s'arrêtait au prochain point d'eau pour se reposer, nous pourrions le rattraper là-bas… Nous y serons dans deux ou trois heures. » annonce un Tikki aux yeux haineux et aux lèvres serrées par la rage.

La fatigue liée à notre longue traque a disparu, notre équipe plus soudée que jamais. Avec la pointe de mon couteau, je grave un « E » sur une des cornes de l'animal, comme nous l'ordonne la règle *a ordo vivendi*[1].

« Tu étais Équilibre et tu redeviendras Équilibre », énoncé-je, tout en jetant une poignée de sable poussiéreux sur le reste de la dépouille de notre *Cousine*. Les deux Pisteurs en font de même. On va débarrasser le pays de ce prédateur qui laisse sur son chemin, cadavre après cadavre.

« Formation en triangle, quarante mètres l'un de l'autre, arcs bandés, Akka, tu prends la tête ! » Aucune jérémiade à mes ordres, même s'ils savent qu'il n'est pas aisé de marcher dans de telles conditions. À perte de vue un décor minéral, il est certain que le prédateur n'est plus dans les environs depuis fort longtemps, pourtant je dois affirmer mon autorité et démontrer ma reprise en main de l'équipe.

Une vingtaine de kilos de viande à transporter, le prédateur laisse à présent des traces plus évidentes, avec parfois dans la poussière, ce que Tikki nomme : « *larme de lune* »…, d'étranges boulettes à paillettes métalliques multicolores qui partent en poussière entre les doigts.

La bête a filé droit vers l'est, a priori en direction du point d'eau, comme prévu par Tikki. Je lève la formation en triangle, un seul arc prêt à l'action suffira à protéger le groupe.

---

1 ordre de la vie

Le soleil commence lentement à décliner, la chaleur reste inouïe. Pourtant, mes *pygmées* ne semblent pas transpirer et ne boivent qu'avec parcimonie dans leurs outres remplies lors du dernier bivouac. Avec mon équipement, je suis bien mieux loti qu'eux. Heureusement, bientôt de l'eau à profusion...

Akka, le sourire encore et toujours accroché aux lèvres, mène le groupe à présent, désignant de temps en temps, d'une main dédaigneuse, les quelques indices, évidents à ses yeux, laissés par le prédateur. À travers ce relief collinaire, entrecoupé çà et là, d'anciens cours d'eau asséchés, nous menons un train d'enfer.

En approchant du fond d'une combe, la végétation apparaît tout d'un coup à nos yeux : des arbres miséreux et quelques buissons plus ou moins épais. Ce paysage à peine plus généreux s'accompagne de quelques cris, et de bruits de courses d'animaux. Bientôt le point d'eau est là, devant nous. Dans la poussière et la boue, mêlées aux nombreuses traces de sabots, celles du prédateur indiquent, à notre grande déception, un départ depuis plusieurs heures déjà.

« Allez remplir les outres, je vous couvre ! »

En même temps, je sors mon bâton électrique. Les abords des points d'eau sont en parallèle oasis et zone à risque.

Pas d'herbivore en vue... très surprenant. Tikki et Akka sentent intuitivement le danger. Ils ôtent leur chapeau, se délestent de leurs armes afin d'éviter tout accident avec une *Cousine*. Ils hument l'air tout en avançant précautionneusement, cherchant des yeux d'où pourrait venir la mort. Et Akka sourit encore...

À peine trente mètres parcourus par mes amis, deux furies, jusque-là à l'affût derrière un entrelacement d'herbes hautes, se lancent vers leurs proies. Des lionnes, affamées...

Immédiatement réagir ! Les Pisteurs connaissent leur seule chance de survie : crier, et mimer une contre-attaque. Tel un dément, j'arrive à leur hauteur tout en hurlant aussi, les fauves ne sont plus qu'à une vingtaine de mètres. Déboussolée, la plus jeune lionne s'arrête, l'autre poursuit sa course. Le premier arc électrique, puissance maxi, télécommandé par mon neuro- transmetteur, zèbre l'air. Touché à l'épaule, déstabilisé, l'animal trébuche, se relève avec agilité mais moins solide sur ses pattes, rugit, et, tel le bateau ivre, reprend de façon désordonnée sa course, toujours puissante néanmoins. À deux mètres, il perd à nouveau l'équilibre, lance sa patte vers un Akka tétanisé, le sourire pourtant figé aux lèvres. La seconde décharge s'abat sur le museau du félin. La peur change de camp. Désorientées, les deux lionnes courent se réfugier à quelques dizaines de mètres. De la faim ou de la crainte, laquelle l'emportera ? De là peuvent dépendre nos vies...

« Remplissez vite les outres, mon bâton électrique n'a plus assez d'énergie pour répondre à une nouvelle attaque. »

Faisant face aux fauves, réserve d'eau faite, nous nous éloignons en reculant pas à pas d'abord, puis, après avoir récupéré armes et chapeaux, en trottinant droit devant nous sur quelques hectomètres, malgré la chaleur accablante. Nous trouvons refuge sur un promontoire qui nous permettra de surveiller les environs. Les tremblements de peur qui secouent mon corps, s'estompent peu à peu. Tikki est livide, et Akka, s'il sourit encore, est étrange. Son pantalon - coucou, largement déchiré se teint inexorablement en rouge, le haut de sa cuisse saigne abondamment. Le coup de patte de la lionne...

Des feuilles de Jatropha Curcas, sorties de ma sacoche -ceinture, sont appliquées sur la blessure. Bientôt le sang s'arrête de couler. Ce n'est finalement pas aussi vilain que je ne le craignais. « Même les lions ne veulent pas de vous, les pygmées ! Ironique, certes, mais surtout soulagé.

— Nous sommes des Mbutis ! » répondent-ils dans une belle harmonie. Nous explosons de rire. Le stress. Nous avons échappé de peu à la mort.

La formation de premiers secours qui clôture les longs stages de Traqueur va nous servir. Je sors une aiguille et du fil.

« Akka, il faut que je recouse la plaie.

— Toi, tu as décidé de me faire payer cher la blague de l'après -midi », ne peut s'empêcher de plaisanter le futur supplicié, le sourire inexorablement aux lèvres.

Outre le fait que je ne suis pas forcément doué pour la couture, je dois bien avouer que je ne me sens pas très fier lorsque j'enfonce dans la chair l'aiguille chauffée à blanc préalablement.

« C'était plus facile avec les poupées d'entraînement, elles ont le cuir moins dur que ta couenne.

— Quand tu auras fini de recoudre ma jambe, pourras-tu t'occuper de mon pantalon ? J'y tiens beaucoup ! Quoique... lorsque je vois ton travail pour refermer ma plaie, je pense que je le ferai moi-même. » plaisante-t-il, mais son sourire légendaire est cette fois quelque peu figé par la douleur.

« C'est rassurant, la folie a ses limites. » Je ne peux m'empêcher de m'amuser de cette pensée pourtant peu empathique.

Tikki mâche depuis plusieurs minutes une décoction de plusieurs plantes médicinales dont du *samtarde*. Mon œuvre artistique terminée, la pâtée peu ragoûtante est étalée consciencieusement sur la blessure. « Antibiotique Mbutis, déclare Tikki, fier de lui.

– Nous bivouaquerons ici. Buvez avec parcimonie, le prochain point d'eau est à plus de deux jours de marche. »

Les rations sèches et insipides à base de protéines végétales et de galettes sont avalées sans plaisir, une poignée de graines de tournesol complètent le *festin*. Heureusement quelques restes de baies, racines et graminées, ramassées ça- et- là, améliorent l'ordinaire. Je me délecte, directement au goulot de l'outre, de quelques petites gorgées d'eau, tiédasse, certes, mais tellement plus agréable que le liquide écœurant élaboré par le récupérateur de fluides de ma combinaison.

Après cette rude journée, eau et aliments nous redonnent rapidement des forces, et le repos soulage les muscles endoloris. Le digo[1], mélange de tabac et de chanvre, fourni par le Guide à chaque mission, passe de main en main, l'euphorie gagne le groupe. L'optimisme de la jeunesse a pris le pas sur le doute et la peur. Les jacasseries fusent, nos pitreries nous rendent hilares, l'ombre de la mort a quitté nos têtes. Les deux Pisteurs entament un étrange chant, tantôt polyphonique, riche et complexe, tantôt mêlé à des variations fascinantes de yodel, d'ostinato et même du *hoquet*. De leurs mains, ils frappent tout objet à portée, et les sons générés s'orchestrent d'eux-mêmes en une harmonie étonnante et libre. Dans le regard de mes compagnons, une émotion certaine…

En ce qui concerne l'origine de ces chants, je n'ai jamais eu de réponse précise de leur part. J'essaie de les accompagner

---

1 nom originel du tabac

en soufflant maladroitement dans un pipeau en bois dont je ne me sépare jamais.

Bientôt la tête d'Akka dodeline, il transpire légèrement, ses lèvres retroussées dans un sourire figé. Le crépuscule va bientôt nous transporter de la lumière à l'ombre, la chaleur reste intense mais dans quelques heures, la fraîcheur sera vivifiante. Akka s'est endormi. Il grogne de temps en temps dans un sommeil agité par quelques cauchemars, probablement liés à la fièvre montante. De son visage, on ne voit plus que ses dents, luisantes dans la pénombre.

« Tikki, laissons-le récupérer, et allumons un feu, cela éloignera les Cousins- lions cette nuit. » Mon bâton électrique n'est pas encore totalement réarmé malgré le chargeur solaire et calorique de ma combinaison. J'espère simplement que le prédateur n'apercevra pas les flammes. Le sol est jonché de branches et de bois mort, comme pétrifiés là par une force invisible, vestige d'un maquis arboré disparu depuis longtemps.

« Mais Khaur, le Vérificateur ?...

— J'assume. Si nous n'allumons pas de feu, la proximité des fauves, nous obligera à veiller à deux toute la nuit. Demain, la Traque serait alors plus difficile encore, sans force, le prédateur pourrait nous échapper. Repose-toi, je prends le premier tour de garde. »

Tikki, s'installe à même le sol, sa sacoche-ceinture lui servant d'oreiller. Il ne tarde pas à s'endormir... Son ronflement un peu sifflant, qui semble parfois monter haut, très haut dans la gamme, m'amuse. Un « si » ou un « la » ?

Mon moment préféré. Le silence à peine perturbé par quelques rugissements lointains et les stridulations monotones de nombreux insectes. Les étoiles, dans un ciel noir profond, semblent dessiner mille cartes, mille personnages, des animaux ou différents paysages ; de temps en temps, une lueur fugace... et comme de nombreux humains depuis la nuit des temps, mon vœu s'envole. La lune, visage blafard et plat, tente, en vain, de conquérir la suprématie dans ce tableau qui, de tout temps, a fait tant briller tant d'yeux. J'aimerais avoir un don pour la peinture, j'aimerais dompter la poésie, j'aimerais posséder l'art de savoir conter, et alors je sublimerais plus encore ce spectacle.

Je récupère dans ma sacoche le nouveau recueil de la Connaissance, confié par le Vérificateur, comme à chaque mission, pour m'imprégner de la parole du Guide et poursuivre mon apprentissage. Un jour, je serai probablement Guide. À moins que l'Équilibre n'ait besoin de ma vie avant...

À notre retour, afin de pouvoir prétendre recevoir un nouveau recueil, donc une nouvelle tâche, le Vérificateur analysera ma compréhension des textes et du chemin qui mène à l'Équilibre. Il me reproche souvent d'être plus intéressé par les missions que par les écritures, alors que ces dernières devraient représenter à mes yeux, la récompense suprême.

Au coin du feu protecteur, je lis à haute voix, comme d'habitude :« *Guide, parle-nous de la Mort.*

Mourir, qu'est-ce d'autre que se tenir nu sous le vent et se dissoudre dans le soleil ?

Et qu'est-ce que cesser de respirer, sinon libérer son souffle des courants qui l'agitent pour lui permettre de s'élever, se dilater, et, délivré de toute contrainte, rechercher à retrouver l'Équilibre ? »[1]

Mes pensées vagabondent bien loin - mais pas tant que ça finalement - du texte dansant devant mes yeux, suivant en cela le rythme salsa des flammes. Même si j'ai réagi comme il le fallait, j'ai eu peur de mourir cet après-midi, je n'aurais pas dû… L'Équilibre veille en la bonne marche de la terre, et s'il avait fallu que je finisse dans l'estomac d'une

Cousine-lionne, cela aurait été dans l'ordre des choses car « je suis Équilibre, je retournerai à l'Équilibre. »

Une nouvelle page prise au hasard…

« L'écologie humaine dans sa finalité,
Rêve d'un monde meilleur, utopiste il est vrai,
Gouverné par des sages, des sages éclairés,
Abandonnant l'usage de nos fausses priorités,
Pour que les espèces vivent dans leur totalité.
L'équilibre reste fragile, notre devoir est de lutter
Pour que nos congénères dans leur égocentrisme,
Prennent conscience d'une réalité : la précarité.
L'eau, l'air, l'énergie sont des biens à usage limité,
Faisons en sorte par une action commune de les préserver. »[2]

Une annotation en fin de page précise qu'il s'agit d'un poème du *Temps d'Avant*.

« Temps de l'abondance, temps des excès, des gaspillages, de l'égoïsme aveugle et fou », s'énerve Jomuir, le Guide, sans

---

1 Librement inspiré de Khalil Gibran « Le prophète » édition folio classique
2 Henri Lajubertie « Poème sur l'écologie humaine ».

jamais s'expliquer, lorsqu'il évoque fortuitement ce fameux *Temps d'Avant*.

Penché sur mon texte, après plusieurs lectures, je ne comprends pas tout, voire pas grand-chose. Certains mots et concepts me semblent tellement surannés, hermétiques et surréalistes. Qu'est-ce que l'*écologie* ? Les anciens ne connaissaient certes pas l'Équilibre, mais j'imagine que leurs sages guidaient le monde… Et que de mystères dans cette phrase : « *… pour que les espèces vivent dans la totalité.* » Hormis les attaques des prédateurs, qui pourraient les empêcher de le faire ? … « *équilibre fragile* », « *précarité* », « *usage limité* », « *préserver* »… me voilà bien dépassé. C'est la première fois que je suis confronté à un poème aussi sibyllin. Je verrai ça demain avec Tikki, même si je sais qu'il s'est lui-même arrêté au recueil six. (A priori, c'est avec soulagement qu'il a intégré le corps des Pisteurs et quitté le chemin de la Connaissance qu'impose le statut.) J'en suis personnellement à ma 13e mission en tant que Traqueur.

Mais possèdera - t-il demain les clés de la compréhension que je ne détiens pas moi ce soir ? Inapte à la réflexion, je referme le recueil. Suis-je tout simplement capable d'évoluer dans la hiérarchie ? Ai-je vraiment envie de quitter les missions ? Mes vieux démons…

Quelques pas autour du bivouac, la température a beaucoup baissé, tout est devenu apaisement et douceur. Les corps se reposent, tout est calme et volupté. Étonnamment, même les Cousins- lions et autres animaux carnassiers de la nuit semblent respecter cette nouvelle atmosphère. Suspect… ils devraient être en toute logique en chasse. Quelque herbivore a déjà dû succomber ce soir.

Dès demain, brûlure du soleil, poussière, fatigue liée à une marche âpre, et danger permanent, redeviendront notre lot quotidien. En résumé, un nouveau jour de bonheur.

Passage de relais à un Tikki, immédiatement sur pied. À lui de veiller sur notre sécurité à présent. Il s'approche d'un Akka au sommeil agité, s'agenouille à ses côtés, puis pose ses lèvres avec une tendresse quasi maternelle, sur le front de son ami. « La fièvre est montée », me glisse-t-il.

Il débarrasse la blessure de l'ancienne décoction, grimace devant l'estafilade à présent boursouflée et rouge violacé. Il prépare à nouveau la fameuse pâtée antibiotique, et l'applique avec une immense délicatesse. « Cela devrait aller », dit-il, autant pour me rassurer que pour se rassurer lui-même.

Ce serait un choc de perdre Akka. De plus, les Pisteurs allant par paire, deux autres seraient nommés pour reconstituer ma brigade, Tikki me quitterait aussi. Les équipes n'ont habituellement pas la même longévité que la nôtre, le taux de perte est conséquent… Déjà deux ans que nous traquons ensemble avec une réussite à faire pâlir de jalousie toutes les autres brigades. Mais grâce à l'Équilibre, ce type de sentiment ne peut exister. Convoitise et orgueil ont été bannis, comme nombre des maux du Temps d'Avant.

« Oui, cela ira mieux demain car la mission doit reprendre. Réveille-moi dans deux heures ! »

Mon optimisme reprend vite le dessus. Aussitôt les yeux clos, je savoure le moment, Sogno devrait venir me rejoindre… Mais qui est-elle ? Pourquoi ne puis-je me souvenir de son visage au réveil même si je sens, même si je sais, qu'elle est belle, très belle même ?!

J'ai déjà oublié les exigences du Vérificateur : « *un rêve interdit...* »

Après la rudesse de la journée, mon cerveau se love dans une ouate douce voire tendre. Je m'enfonce avec bonheur dans un sommeil réparateur. Très rapidement, une pensée sonde mon esprit, comme de légers coups donnés à la porte d'entrée de mon âme. Je t'attendais Sogno, je t'accueille avec délectation et savoure déjà nos retrouvailles...

Le bruit d'une cascade au loin, le léger chuintement d'un ruisseau à nos pieds, une herbe verte et grasse, il fait doux, tu es à mes côtés. Main dans la main, nos doigts jouent la partition du bonheur. Tant de mots, tant de chaleur et tant d'amour exprimés par le biais de légères contractions de nos phalanges et nos caresses insistantes. Jeux de mains, jeux de béguin[1].

À nouveau, je te retrouve dans cette clairière ensoleillée, cernée de bois et de forêts. Ici tout n'est qu'ordre et beauté, calme et volupté[2]... *Je me sens pleinement heureux, sans oser pour l'instant tourner les yeux vers ma compagne, la nuit précédente, c'est à ce moment- là que son monde a disparu.*

« Khaur, regarde-moi ! » La voix de Sogno, suave, sensuelle, envoûtante.

Elle me sourit. Avec ses longs cheveux noirs tombant sur ses épaules nues, ses yeux noisette, profonds et bienveillants, une peau satinée et lisse, ses lèvres charnues, légèrement entrouvertes découvrent des dents d'une blancheur extraordinaire. Son parfum boisé m'enivre. Comment une aussi belle femme peut s'intéresser à moi, humble vermisseau ?

1 L'auteur est espiègle (note de l'éditeur)
2 Et il connaît semble- t- il ses classiques. Merci Baudelaire

*Je lui souris niaisement. Elle se penche sur mon visage et…
dépose un léger baiser sur mes lèvres. Je crois défaillir, mon cœur
s'emballe, mon corps réagit immédiatement, une protubérance
sous mon pantalon en est témoin. Sogno constate l'effet produit,
un léger sourire, mi- ironique, mi- complice.*

Je rougis.

*D'une main, elle caresse lentement ma joue, l'autre, toujours
dans la mienne, poursuit sa longue conversation silencieuse. Un
nouveau baiser. Sa bouche sur la mienne, elle force mes lèvres,
bientôt nos deux langues se mêlent et s'entre- mêlent, se lancent
dans une valse ô combien sensuelle, ô combien vivante et belle.
Bientôt Sogno se redresse « Viens ! » dit- elle.*

*Sonné par tant d'émotion, marionnette soumise, conservant
le goût fruité et frais de sa bouche, je la suivrais jusqu'en enfer
voire un peu plus loin si elle le désirait…*

*C'est la première fois qu'elle m'embrasse avec tant de fougue,
je n'avais connu jusqu'alors que de chastes baisers. Nos doigts
entrecroisés, nous marchons, direction l'aval du ruisseau sauvage,
mes mouvements toujours contraints par l'émotion « sous - cein-
turale[1] ». Joueuse, Sogno jette un coup d'œil rapide vers la bosse
qui m'entrave, et sourit tendrement. Un brin honteux, mais
surtout ému, je reste coi, savourant juste l'instant présent.*

*Bizarrement, je ne porte pas mon pantalon-coutou habituel,
mais un autre totalement différent, réalisé dans une matière
inconnue, légère et douce au toucher, comme une seconde peau…
Même ma propre odeur m'est étrangère. Terminées la vieille sueur
et la crasse de plusieurs jours, chez les Traqueurs les bains sont
rares. Je dégage un parfum fruité, fin et délicat. Rasé de près,
mes mains sont propres, mes ongles coupés courts, même mes*

---

1 Inutile de chercher dans le petit ni le grand Robert, ce mot à peine
inventé. Il m'arrive de semer à tout vent.

cheveux semblent plus aériens, portés par la légère brise de cet éden miraculeux. Plus de proéminence sur ma tempe... Pourquoi m'a-t-on retiré mon neuro- transmetteur ?

Sogno ramasse une fleur bleue qu'elle glisse délicatement dans ses cheveux, juste au- dessus de l'oreille. En d'autres circonstances, je devrais la sanctionner. Mais là, je trouve le geste simplement naturel, et le résultat prodigieusement esthétique. Je l'aime...

Je bégaie : « Tu es belle !»

L'eau court, joyeuse, vivante et si claire... Des traits d'argent la zèbrent de temps en temps. « Des ombles chevaliers », m'annonce Sogno, sans que je ne connaisse la signification de ces mots.

Le bruit de la cascade s'estompe, peu à peu remplacé, à ma grande stupéfaction, par des cris et des rires d'enfants.

Au bas d'une légère dépression, apparaît un petit chalet blotti contre un rocher, et à sa droite, un autre plus grand, plus cossu, puis un troisième, plus grossièrement réalisé. Bientôt une quinzaine de bâtisses devant mes yeux médusés... et des gamins qui courent partout, gesticulant, remuant, tombant, explosant de rire et de joie,... un feu d'artifice de bruits et de mouvements. Le portrait ne manque pas de surprendre. Ces garçonnets et fillettes en short, souvent torse nu ou portant simplement de légères tuniques à bretelles, ne prêtent aucune attention à notre arrivée, leur seule préoccupation, le jeu. Hurlant, tenant haut un bâton, un petit blondinet passe juste à côté de nous, trébuche et tombe lourdement, et comme tous les enfants du monde... se met à pleurer.

Sogno réagit vite, elle le relève et le prend dans ses bras pour le consoler. Des larmes vite essuyées, une bise sur la joue, une petite tape sur les fesses. « C'est rien Yo, allez file ! »

Je regarde avec effroi son épaule gauche, puis avec panique celle de chacun des bambins du groupe passant à proximité, mes yeux roulent dans leur orbite, j'ai du mal à respirer, avec crainte, appréhendant déjà ce que j'allais constater, lentement je me retourne vers Sogno… Horrible ! Elle non plus, nulle trace d'un quelconque tatouage sur son épaule… Je sombre brutalement.

« Khaur, Khaur, réveille- toi ! »

Je sors lentement mais douloureusement de mon sommeil, transpirant abondamment, mon cœur bat la chamade, dans ma bouche un goût amer.

« Que se passe-t-il ? » Ne sachant pas très bien où je me trouve.

– Tu as hurlé de terreur ! Un cauchemar sans doute. Ce n'est d'ailleurs pas le premier. Il faudra en parler au Vérificateur à notre retour. De toute façon, c'est ton tour de garde », poursuit Tikki.

Je me redresse, toujours un peu perturbé.

« Continue à donner régulièrement à boire à Akka, a priori sa fièvre est stabilisée, il dort profondément à présent. »

À peine couché, le sommeil s'empare de Tikki. La fatigue est en nous… Aurons-nous suffisamment récupéré demain matin ?

Je tente, en vain, de me remémorer du mauvais rêve qui a provoqué en moi un tel effroi. Inconsciemment, je sais qu'il y a eu un incident important, même si aux tréfonds de mon âme, mon cœur est tout acquis à Sogno. « On ne peut s'éprendre d'un être imaginaire, m'avait rétorqué le Vérificateur,… et un Traqueur n'a tout simplement pas le droit de tomber amoureux car seul l'Équilibre doit habiter ton esprit, telle est ta quête. »

Comment ce prénom, Sogno, est-il entré dans mon cerveau ? Pourquoi ce souvenir précis, sans pourtant jamais parvenir à mettre un visage dessus ? Je conserve juste une sensation de beauté, d'amour, de pureté, de sérénité et de bonheur.

Akka semble apaisé, un sommeil profond, aucun gémissement. Je n'ose le déranger pour l'instant, je lui donnerai à boire un peu plus tard. Tout est silencieux, hormis les insectes impétueux. Je reprends le jeu favori de mes longues nuits de veille, la paréidolie[1]. Dans la nature, toute chose peut prendre des formes bien particulières, libre à l'homme de les interpréter. J'imagine ainsi des visages, des personnages ou des animaux dans ce ciel aux multiples étoiles lumineuses. Depuis la galaxie, des yeux profonds, peut-être couleur noisette, me fixent.

QUELQUE PART, AILLEURS : « Je l'ai perdu ! Je ne comprends pas ce qu'il s'est passé, il a paru tout d'un coup terrifié et a échappé à mon emprise », annonce- t- elle en se retournant vers le responsable de groupe.

« Nous allons étudier les enregistreurs et nous trouverons. Ne tente plus d'entrer dans ses rêves jusqu'à nouvel ordre ! » impose mentalement le vieil homme, penché sur un étrange écran liquide.

---

1 Paréidolie : une sorte d'illusion d'optique qui consiste à associer un stimulus visuel informe et ambigu à un élément clair et identifiable, souvent une forme humaine ou animale.

Dans la salle austère, trois autres jeunes femmes aux cheveux noirs et aux yeux profonds, couleur noisette...

Sur mon manuscrit, ces quelques mots :

« Lorsque Dieu créa l'homme, il agit selon sa volonté souveraine et réfléchie, comme il le fit pour l'ensemble de ses œuvres. Il le créa à son image. Cette particularité distingue l'homme de toutes les autres créatures de la terre. »

Quel humain pédant, égocentrique et présomptueux, aurait l'outrecuidance de se comparer à un quelconque dieu ? Toute croyance est légitime, dès lors qu'elle respecte l'Équilibre, mais dans ce cas d'espèce...

La suite de ma lecture : « Faisons-les hommes pour qu'ils soient notre image, ceux qui nous ressemblent. Qu'ils dominent sur les poissons de la mer, sur les oiseaux du ciel, sur les bestiaux sur toute la terre et sur tous les reptiles et les insectes... »

Le Vérificateur de l'Équilibre doute-t-il tant de mes convictions pour revenir à des concepts aussi provocateurs qu'une classification de l'importance des espèces ? Défendre ces folles thèses en public pourrait même finir en condamnation à *Pitance*. Ou alors, le chemin de la Connaissance m'impose d'explorer des questions philosophiques auxquelles je ne suis pas encore habitué ? Il est vrai que l'Équilibre a toujours réglé ma vie et mes pensées. Mais peut-il exister une autre voie que celle indiquée ? Quel serait ce dieu démoniaque qui permettrait à un humain de dominer les poissons, les oiseaux, les bestiaux, les reptiles ou même les insectes ? Qu'il soit dieu des vents, des pluies, du soleil ou des astres, dieu de l'air et de l'eau, dieu des êtres vivants, des végétaux ou des minéraux, dieu du tonnerre ou du feu, qu'il soit dieu de la terre prolifique, dieu des récoltes ou des déserts, celui des forêts ou des mers, un dieu ne reste qu'une force participant à l'équilibre de la vie, à l'équilibre du monde, au seul Équilibre connu...

Imaginons juste un instant que tel dieu démoniaque existât. À mon sens, l'homme, supposant être son égal, deviendrait narcissique et irrespectueux, il nuirait alors à l'équilibre du monde. Les quelques Défroqués déviants rencontrés en Haeckelie ainsi que les Ricains évoqués pendant nos formations, en sont des exemples probants. Est-ce là l'analyse attendue par la Guide ?

Les premiers manuscrits étaient nettement moins théoriques et visaient plus à juger mes réactions face à des délits ou en situation de Traque, et il est vrai que ma vision primaire des mots et des idées méritait régulièrement d'être approfondie voire revisitée par l'autre bout de la lorgnette.

« Quand nos jambes seront fatiguées, marchons avec la force qui vit dans notre cœur. Quand notre cœur sera fatigué, avançons cependant avec la force de la foi en l'Équilibre[1] », en fut un bon exemple. Après une nuit entière branché à l'*apprentisseur* et un long échange avec la Guide, je compris mieux la profondeur du texte. Le lendemain, notre conversation éveilla en elle un mystérieux sourire, si rare sur les lèvres de la vieille femme.

Pour la première fois, après avoir été facile dans mes études et le plus jeune Traqueur d'Haeckelie, me voilà confronté à mes limites... Trop fatigué et stressé, voilà l'explication plausible. Le prédateur a un comportement tellement erratique depuis le début de la Traque, avec de surcroît, l'inquiétude

---

1 Librement inspiré de « Le manuscrit retrouvé » de Paulo Coelho.

pour mon ami blessé... Le Vérificateur n'acceptera jamais un échec après tous les dégâts provoqués par la bête immonde.

Après avoir fait boire quelques petites gorgées à Akka, arborant son sourire désopilant, dernier tour de garde de la nuit pour Tikki. Le sommeil est long à venir... Probablement la crainte d'être à nouveau confronté à une frayeur, mais quelle en était la raison ?

Je m'étire longuement... Quel soulagement, après ce dernier somme profond, sans rêve perturbateur, la forme est à nouveau là. Tikki s'affaire déjà. Il change le cataplasme et donne à nouveau un peu d'eau à un Akka tout souriant, bien évidemment... Sa fièvre est, semble-t-il, tombée. Nous picorons un maigre petit-déjeuner dans nos réserves.

À distance, je tente d'interroger le drone, mystérieusement prénommé *Hélios* par le Guide. Toujours le brouillard, plus aucune trace du prédateur ni dans sa base de données, ni dans son radar. C'est déjà arrivé dans le passé, pour cette raison les Pisteurs continuent et continueront d'être formés et entrainés.

« Le soleil va bientôt se lever, il faut partir ! » ordonné-je.
Pâle, mais souriant, Akka tente de se redresser, il chancelle, blanchit un peu plus, et retombe au sol. Nouvelle tentative et nouvel échec. Tel l'animal blessé essayant désespérément d'échapper à la mort, il essaie, et essaie encore de se relever, mais échoue lamentablement. Ses forces faiblissent chaque fois un petit peu plus. Tikki encourage son ami, mais il a déjà le regard triste, il a compris...

Akka n'ose me regarder, de peur de lire dans mes yeux l'inexorable et impitoyable décision. Sa tête dans la poussière, je devine ses larmes. Une poussée des bras, deux pas d'ivrogne, il retombe brutalement, éclatant en sanglots. Son sourire cette fois définitivement perdu.

« Tikki, récupère son arc et ses flèches, sa ceinture-besace et son outre, nous devons y aller ! Nous avons consigne de ramener aussi son pantalon –coucou. » Des ordres cinglants pour éviter d'être plus déstabilisé encore.

Nous n'avons pas le choix, l'Équilibre a décidé qu'Akka arrêterait ici son chemin. La Traque doit continuer, le prédateur, de son côté, augmente son avance. L'un après l'autre, nous prenons Akka dans les bras, un adieu émouvant mais bref. Je sais que l'Équilibre est juste, mais la tristesse bloque ma gorge. Sur ma gauche, Tikki essuie quelques larmes…

Sans nous retourner, dans un silence pesant, la Traque est relancée.

Fatalistes, aucun n'incrimine la Cousine-lionne qui a agi en tant que lionne. De son côté, Akka ne reprochera jamais rien à Khaur, il aurait pris la même décision, ainsi va la vie, ainsi va l'Équilibre des choses.

« Tu es Équilibre, Akka, et tu redeviendras Équilibre », marmonné-je, à la recherche d'une certitude que je n'aurai jamais. Mon choix, pourtant évident d'après mon éducation et ma formation, était-il le meilleur et le plus juste ? Il est anormal que je puisse même me poser la question...

Nos pas, appesantis par la perte de notre ami, son sourire niais nous manque déjà. Après une heure de marche, accablé, Tikki rompt le silence : « C'est dommage, il avait déjà bien récupéré, encore cinq ou six heures de repos et il aurait été sur pieds. »

Ces paroles glacent encore plus mon âme perturbée par ma décision.

« L'Équilibre est la seule voie possible, dis-je avec une froide colère, si Akka avait dû poursuivre sa route avec nous, il aurait été capable de nous suivre, là est la vérité que l'on nous enseigne, tu le sais ! » continué-je avec toute la conviction dont je suis capable à ce moment-là, c'est-à-dire aucune.

« Le prédateur n'a pas baissé de rythme depuis le début de la Traque, à deux il sera plus difficile de le rattraper », interjette -t-il perfidement. Cette vérité- là est moins certaine mais elle touche une conviction déjà bien ébranlée.

Un rugissement lointain, peut- être un Cousin-lion, sur la piste de la proie facile que constituerait notre ami... Je fais brutalement demi-tour, satisfecit et soulagement évident de Tikki. Notre marche peu à peu s'accélère, et c'est d'abord au petit trot, puis au galop que nous faisons le chemin inverse. Malgré la chaleur déjà suffocante, nous avalons les kilomètres, le mamelon, refuge de notre nuit précédente, est même gravi en courant...

Akka n'est plus à l'endroit où nous l'avions abandonné, il a trouvé la force de se traîner à l'ombre d'un tronc d'arbre carbonisé, pétrifié là par la foudre ou par l'un des incendies gigantesques qui ont dénaturé la région, il y a de très nombreuses années. Son sourire éternel, nos rires, nos embrassades, nos pleurs, la fête est dans nos cœurs... Akka boit longuement, Tikki examine sa blessure en bonne voie de guérison, encore violacée mais tellement moins boursouflée.

« Ta couture tient bien », confirme ironiquement le miraculé, me fixant droit dans les yeux, son regard empli de gratitude et de joie. On continue à toucher son visage, ses mains, on fait sauter en l'air son *chapeau,* disposé à l'envers sur le crâne, on joue, on rit… comme le feraient trois adolescents grisés par trop d'alcool ou de digo, irradiés de bonheur du fait de la renaissance d'un ami que l'on avait abandonné là, considéré mort, à peine deux heures auparavant.

Je dois néanmoins valider ma position hiérarchique en justifiant ma décision : « Nous partons dans six heures. Si nous sommes revenus te chercher, c'est que j'ai jugé que la Traque sera plus facile à trois. Prends des forces Akka, nous n'attendrons pas une minute de plus que le temps imparti. »
Ce qui semble évident aujourd'hui, aura plus de mal à convaincre demain… Dans mon futur rapport, comment expliquer mon revirement, sans oublier le feu allumé la nuit dernière ? Le Vérificateur de l'Équilibre pourrait me faire payer cher l'addition.

L'optimisme de l'équipe agit tel un placebo, Akka reprend des couleurs à vue d'œil. La fameuse décoction une nouvelle fois appliquée sur sa blessure, il s'endort comme un bébé. Trois heures d'un sommeil profond plus tard, malgré une température de l'air redevenue caniculaire, un Akka tout souriant, se réveille. Après avoir bu longuement, il accepte une poignée de *digo* des mains de son ami – chaperon : « Mâche ces feuilles cela te donnera des forces ! »
Une heure après, l'homme au *sourire éternel* se lève, semble chercher son équilibre puis s'élance, légèrement titubant, en tonnant à la cantonade : « Bon, on ne va pas passer la journée ici ! » Akka passe devant nous de façon dédaigneuse voire

aristocratique, oubliant là sa piteuse allure avec ses vêtements en lambeaux et ses yeux toujours cernés. Il récupère son arme, ferme sa ceinture et d'un pas décidé, s'éloigne, tête haute, front fier, sans nous attendre, riant à nouveau aux éclats…

Dans l'obligation de courir pour le rattraper, nous avons finalement deux heures d'avance sur le programme annoncé, enfin, mon programme bis. C'est dans l'euphorie que nous reprenons la Traque, chantant à tue-tête notre bonheur :

« Du printemps qui fleurit
À l'hiver qui s'en vient
C'est la chaîne, c'est la chaîne de la vie
Des rochers, à la plante rabougrie,
Du frère, au minuscule cousin
C'est la chaîne, c'est la chaîne de la vie
De la source au torrent
Du fleuve à l'océan
C'est la chaîne, c'est la chaîne de la vie
De la graine au muguet
De l'arbre à la forêt
C'est la chaîne, c'est la chaîne de la vie
N'arrêtez pas la chaîne
Elle doit passer par vous
Chacun ses joies, ses peines
Ensemble, malgré tout. »[1]

Direction Nord-Ouest. Rapidement, l'euphorie laisse place à la tension d'une mission finalement bien délicate. Les ondes de chaleur déforment l'horizon, dans le lointain, les objets ondulent semblant tantôt valser, tantôt se désagréger…

---

1 Librement inspiré de : « La chaîne de la vie » de Salvatore Adamo.

Signe du destin, c'est Akka qui retrouve la piste du prédateur : une nouvelle *larme de lune*.

Après plusieurs kilomètres parcourus, Tikki s'arrête, c'est lui qui *fait les pieds* à présent. « Le prédateur s'est reposé ici », annonce-t-il, désignant les marques assez évidentes d'un corps ayant par son poids tassé le sol sous un arbrisseau rabougri. Le prédateur a brouté des feuilles du Catha edulis[1]. Les indices laissés çà et là, quelques brindilles et rameaux, en sont la preuve évidente. Les deux Pisteurs sont d'accord, cela fait tout au plus huit à dix heures que l'arbuste a été effeuillé.

Fatigué, le prédateur a lui aussi perdu beaucoup de temps. Un nouveau regain d'optimisme, d'autant plus qu'Akka ne semble plus souffrir. Cependant, j'ai fait comprendre à Tikki de ralentir un peu l'allure pendant la période la plus chaude de la journée.

J'ai eu trop peur de le perdre ce matin pour le *griller*[2] définitivement sous le soleil de feu de l'après -midi.

Pendant de longues heures, nous pérégrinons dans des collines plus abruptes, plus élevées, et dans de petits massifs quasi montagneux avec leurs petits canyons creusés dans le calcaire par des torrents oubliés. Le sol devient moins poussiéreux, la nature moins rude, des plaques de végétation, quelques bosquets d'arbrisseaux. L'artiste qui a peint ce paysage a remis du vert dans sa palette... De temps en temps, aux aguets, un petit troupeau de Cousins- gnous, zèbres ou

---

1 Le khat, qat ou kat est un arbuste ou arbrisseau. Il est consommé par les habitants des régions du Yémen et de l'Arabie qui mâchent longuement leurs feuilles pour leur effet stimulant et euphorisant comparable à celui de l'amphétamine.

2 Quel joueur ce Khaur ! Donc toi, puisque tu es Khaur... Élémentaire mon cher lecteur.

gazelles, nous regardent passer. Les félins ne doivent pas être loin.

Un crassier de plusieurs dizaines de mètres de haut, composé d'éboulis, de gravats et de roches multicolores, marqueur évident d'une ancienne carrière, au temps où les hommes dépouillaient le sol dans ces contrées. Le prédateur s'est arrêté là. Un os frais concassé indique qu'il continue à dévorer notre Cousine –antilope. Il le paiera ! Toujours six à huit heures d'avance.

Un regard vers le ciel à présent pourpre et or - une demi -heure au maximum avant la tombée de la nuit -, un autre inquiet vers Akka. Sourire figé, teint blafard.

« Le terrain est accidenté, j'ai peur de perdre sa trace, on s'arrête là ! »

Et surtout peur de perdre mon ami, évidence qui s'impose en voyant son état. Pas de contestation de mes comparses. Mon autorité naturelle, aimerait mon égo, du bon sens, affirme ma logique. Pas de feu ce soir, il faudra être vigilant. Nourriture et eau vite consommées. Les chants ne résonneront pas.

« Tikki, tu prendras le deuxième tour de garde, Akka le troisième. » et en aparté : « Tikki, nous ferons deux heures chacun, Akka ne fera que la dernière heure ; il est encore faible. Pour toi ça ira ? »

Pour seule réponse un clin d'œil complice et plein de malice. Il apprécie mon initiative. Les deux comparses se couchent dans leur position fétiche, tête-bêche. Ils sourient, tout simplement heureux. Quelques mots échangés dans leur idiome plus tard, Akka s'endort le premier, son sourire niais bien entendu aux lèvres. Le deuxième *pygmée* euh Mbuti, ne tarde à le suivre dans le pays des rêves.

Une nuit bien plus bruyante que les précédentes, les quelques animaux supplémentaires font la différence. Le rugissement d'un félin ajoute une note dramatique au tableau, la chasse est ouverte. Ce mâle attend, impatient que les femelles, beaucoup plus discrètes et efficaces, ne capturent son repas. La présence d'un gibier relativement important est quelque part pour nous, gage de plus de sécurité. Les Cousines –lionnes hésitent à s'attaquer à des proies inconnues, hormis évidemment, lorsqu'elles sont vraiment affamées.

Le prédateur doit se terrer à quelques kilomètres d'ici. Il est fatigué, car même avec notre allure réduite, nous lui avons repris du chemin tout le long de la journée. Espère-t-il disparaître dans les montagnes ?

Comme suspendue aux étoiles, la lune montre son plus beau visage. Elle aussi semble se réjouir que l'Équilibre nous ait rendu Akka. Un autre destin lui est réservé. Mon manuscrit signale sa présence dans la poche de ma ceinture. Pas la force, pas l'envie, pas le courage de l'ouvrir et honnêtement, en moi, la crainte de me sentir démuni, incapable de résoudre le mystère des mots… Aurai-je un jour la clé de leur compréhension ?

Tikki prend la relève. Sogno viendra-t-elle me rendre visite dans la nuit ? Crainte et envie se mélangent.

C'est toujours la pénombre lorsque Akka, d'un joli coup de pied aux fesses me réveille en sursaut. Il éclate de rire en voyant mes yeux hagards et lance mystérieusement : « **T**entons de **G**agner en **V**itesse, le prédateur n'attend pas, et le prédateur part toujours à l'heure. Bientôt **S**ilencieux **N**ous **C**ourrons **F**iévreusement. »[1]

Tikki, déjà bien éveillé, savoure la scène. Le camp est vite levé. Le groupe est joyeux, fort et déterminé. Je n'ai pas eu de visite cette nuit…

QUELQUE PART AILLEURS : Le vieil homme s'adresse sans paroles à une belle femme aux cheveux noirs et aux yeux profonds couleur noisette : « Nous avons repéré l'anomalie, le nouveau programme sera prêt ce soir. »
Tous deux ont la tempe déformée par l'excroissance due à leur neuro- transmetteur.

Les quelques traces laissées par le prédateur sont à nouveau déroutantes, sa route est un zigzag perpétuel. Il file à présent plein Sud, en direction d'un désert semi- aride. En fin de journée, nous quittons le piémont et ses canyons acérés, ressemblant aux marques de coups de griffes rageurs d'un animal géant. Face à nous, une large plaine vallonnée, l'air semble englué par la chaleur suffocante, pourtant le moral de l'équipe reste au beau fixe. Le drone, toujours muet, ne donne aucune information sur le fuyard.

Ce matin, les deux Pisteurs ont déterré quelques tubercules et racines, ces collines, généreuses nous ont aussi permis de cueillir des baies, certes acidulées, mais qui vont reconstituer un peu nos réserves mises à mal par la longue Traque. Le prédateur lui aussi fatigue, nous continuons à reprendre régulièrement du terrain. Mais pourquoi tous ces changements

---

1 Cela devient du n'importe quoi ! Mais cela m'amuse.

de direction alors qu'il aurait pu espérer nous semer dans les montagnes ?

C'est contre un immense rocher solitaire, posé là par on ne sait quel géant, que nous décidons de bivouaquer. Nous n'avions plus le choix, la pénombre avalait déjà largement nos silhouettes.

Une pause réduite à quatre heures. Depuis que nous sentons la bête affaiblie, l'excitation liée à la fin de la Traque nous a tous gagnés. Le chant des Mbutis, en cette nuit à la lune blafarde, raisonne comme l'oraison funèbre du fugitif. Même les notes poussives de mon pipeau semblent lugubres.

À peine endormi, surgi des tréfonds de mon esprit, le rêve me surprend, Sogno est là…

« Le bruit d'une cascade au loin, le léger chuintement d'un ruisseau à nos pieds, une herbe verte et grasse, il fait doux, tu es à mes côtés. Main dans la main, nos doigts jouent la partition du bonheur. Tant de mots, tant de chaleur et tant d'amour exprimés par le biais de légères contractions de nos phalanges et nos caresses insistantes. À nouveau, je te retrouve dans cette clairière ensoleillée, cernée de bois et de forêts. Ici tout n'est qu'ordre et beauté, calme et volupté. Je me sens à nouveau heureux, même si…

« Khaur, regarde-moi ! » La voix de Sogno, suave, sensuelle, envoûtante, mais directive… Elle sourit néanmoins. Des longs cheveux noirs tombent sur ses épaules nues, des yeux noisette, profonds et bienveillants, une peau satinée et lisse, ses lèvres charnues légèrement entre-ouvertes, découvrent des dents d'une blancheur extraordinaire. Son parfum boisé m'enivre. Comment une aussi belle femme peut s'intéresser à moi, humble vermisseau ?

Je souris niaisement. Elle se penche vers mon visage et dépose un léger baiser sur mes lèvres. Je crois défaillir, mon cœur s'emballe, mon corps réagit immédiatement, le renflement à l'entre-jambes de mon pantalon en est témoin. Sogno constate l'effet produit, un léger sourire, mi- ironique, mi- complice. Je rougis.

De sa main libre, elle caresse lentement ma joue, l'autre, toujours dans la mienne, poursuit sa longue conversation. Un nouveau baiser. Sa bouche a goût de framboise. Elle force mes lèvres, bientôt nos deux langues se mêlent et s'entre- mêlent, se lancent dans une valse ô combien sensuelle, ô combien vivante et belle. Bientôt Sogno se redresse, « Viens ! » souffle-t-elle.

Sonné par tant d'émotion, marionnette soumise, conservant le goût fruité et frais de sa bouche, je la suivrais jusqu'en enfer voire un peu plus loin si elle le désirait...

C'est la deuxième fois qu'elle m'embrasse avec autant de fougue, au fond de moi un vague malaise. Nos doigts entrecroisés, nous marchons en direction de l'aval du ruisseau sauvage, mes pas, toujours un brin gênés par l'émotion. Joueuse, Sogno jette un coup d'œil rapide vers l'excroissance qui m'entrave, et me sourit tendrement. Un brin honteux, mais surtout ému, je reste coi, savourant juste le moment présent. Plus de protubérance sur ma tempe... Pourquoi m'a-t-on retiré mon neuro- transmetteur ?

Sogno se penche avec grâce puis caresse délicatement du dos de la main un tapis de fleurs mauves... Je bégaie : « Tu es belle ! »

L'eau pétille, joyeuse, vivante et tellement claire. Des traits d'argent la zèbrent de temps en temps. « Des cousins- poissons appelés ombles chevaliers », m'annonce Sogno. J'acquiesce niaisement. Le bruit de la cascade s'estompe, la clairière s'élargit. Face à nous, la petite maison dans la prairie [1] *ou plutôt un chalet aux*

---

1 Il va toutes nous les faire, « La croisière s'amuse », et toi, lecteur ?

rondins grossiers. Un peu plus loin, une quinzaine d'habitations en arc de cercle. Sur la place centrale, des enfants souriants jouent calmement. Main dans la main, Sogno et moi approchons du groupe, un léger stress est en moi, je ne sais m'expliquer pourquoi... Les gamins ont les épaules nues, sur celle de gauche, le banal tatouage « E » semble pourtant me sauter crûment aux yeux. Étrangement, cela me rassérène... Nous poursuivons notre route après que Sogno ait lancé un joyeux : « Ça va les enfants ? » En écho des « ouiiiiiii Madame ! » enthousiastes. Tout est harmonie, tout est douceur, son parfum, sa voix, son déhanchement, le bonheur me submerge.

« C'est l'entre-cours ? demandé-je, c'est étonnant des jeunes garçons et filles ainsi mélangés... »

Elle me sourit tendrement. « Non, ce sont les vacances scolaires. » Par peur de la décevoir, je n'ose lui dire que je ne comprends pas ce dont il s'agit. Elle poursuit : « Les filles apportent aux garçons une certaine maturité, la douceur, la réflexion ; les garçons permettent aux filles d'appréhender la combativité et le sens du compromis. » et comme si elle avait pu lire dans mes pensées : « Les élèves bénéficient de périodes de repos toutes les dix semaines de formation, on appelle cela des vacances. »

Sa main dans la mienne est un trésor de sensualité et de désir. Je dois probablement être l'homme le plus heureux du monde.

Nous entrons dans un chalet. De la forte luminosité extérieure nous passons à la quasi-pénombre. Les ouvertures sont rares et étroites.

« Adapté aux rigueurs de l'hiver, précise-t-elle, même si la neige est devenue rare ces dernières années. »

Mes yeux s'habituent à l'absence de lumière. Une décoration, plutôt austère, mais a priori fonctionnelle. Une large et longue *table en bois occupe le centre de la pièce, deux longs bans et quatre tabourets la complètent. Une cheminée centrale dans laquelle trône un drôle de gros cube métallique. Un parquet rustique en lames épaisses et irrégulières ; aux murs, de nombreuses étagères sur lesquelles sont entassés une quantité extraordinaire de livres...* « Sauvés de la *purge* par un de nos ancêtres, anticipe-t-elle.*

— Mais ont-ils été validés par un Vérificateur ? glissé-je perfidement.

— Je t'expliquerai mon cher Khaur. » Sourire doux émouvant.

Je dois bien avouer qu'il faut toute la présence de mon bel ange gardien pour juguler l'envie de me précipiter sur toutes ces œuvres pour les découvrir, les déguster, m'en délecter, m'en empiffrer... En Haeckelie les livres sont rares.

Les apprentisseurs nous enseignent beaucoup de choses, mais le livre –papier impose une gymnastique cérébrale différente, tout en générant le rêve. Jomuir, la Guide, m'a un jour avoué que j'avais été sélectionné pour mon intelligence vive, mais aussi pour la propension de mon cerveau à assimiler de longues séances de formation, mes neurones reliés à l'apprentisseur par le biais des transistors synaptiques. Les maux de tête qui en découlent parfois, restent douloureusement mémorables. À chaque retour de mission, même cérémonial : long entretien avec le Vérificateur, analyse de mon rapport, puis pendant des heures, branché à la machine, suivi de longues conversations avec Jomuir avec pour thème central, ma compréhension des concepts, théories ou idées évoqués dans le manuscrit étudié pendant la Traque. En parlant du manuscrit, je dois vraiment le travailler, l'assimiler, et surtout en extraire sa substance...

« Khaur, Khaur, il faut y aller ! » La Traque a ses exigences. La nuit est pourtant encore loin d'avoir déposé les armes aux pieds de Fée Lumière. C'est donc dans la pénombre, légèrement tempérée par la pleine lune - étrangement blafarde une fois encore - que mes compagnons et moi, reprenons la poursuite.

Au crépuscule, les indices laissés par le prédateur nous mènent plein Sud. D'après les indications de mon neuro-transmetteur, véritable mémoire externe de mon cerveau, le lac Ougalas semble sa nouvelle destination. Nous devrions l'atteindre en fin de journée.

Le silence comme seule compagnie, Sogno occupe mes pensées. Rêve obsessionnel, dérangeant, mais ô combien émotionnel… Une érection accompagne délicieusement mes songes, sans que je ne puisse toutefois figer son visage dans ma mémoire.

Quelle est l'origine de ce fantasme ? Il est vrai que, bien que virtuelle, Sogno reste mon premier amour, même si la jolie Saka, m'avait en son temps quelque peu émoustillé voire même retourné l'esprit. Je sais bien qu'il ne s'agissait là que d'une « *simple manifestation du triple changement, physiologique, psychique et psychologique, normal à cet âge avec son cortège d'hormones…* » Telle était la présentation brutale et sans émotion que m'en avait fait, en ce temps-là, le Guide du centre, corroborée en suivant par la séance à l'apprentisseur sur le sujet.

Ces premiers brefs émois, sans suite, hormis un léger baiser volé, avaient eu lieu il y a trois ans déjà, à peine quelques mois avant la fin de ma deuxième formation longue.

J'avais treize ans. Saka, à peine un peu plus jeune que moi, gracile et jolie, avait rejoint le centre un an auparavant. Nous partagions cette même capacité à rester longuement connectée à l'apprentisseur. Aussi, nous nous retrouvions régulièrement les derniers *branchés*, bien après que les autres aient déclaré forfait.

Seuls, face à face dans la salle obscure, le silence à peine troublé par le ronronnement de quelques machines, interdiction d'échanger la moindre parole, heureusement, nos yeux et nos sourires timides étaient suffisamment expressifs... Nos cerveaux semblaient parfois enfler sous l'effet des quantités exorbitantes d'informations déversées et stockées en nous. Nous savions qu'à l'issue des deux formations longues, six mois chacune, la quasi-totalité de l'enseignement nécessaire serait acquis, les compléments de très courtes durées ne servant qu'à parfaire nos connaissances ou à nous faire évoluer vers de nouvelles fonctions.

À chaque séance, inexorablement, une goutte de sang perlait à l'une ou l'autre des narines de Saka. Un jour, en fin de séance, profitant de l'excuse de lui essuyer son nez, j'ai déposé un baiser léger sur ses jolies lèvres colorées. Dans ses yeux l'étonnement, je me suis échappé en courant, mon cœur battait la chamade.

Lâchement, pendant plusieurs heures, j'ai eu peur qu'elle signale mon comportement au Guide et que je sois durement châtié. Je suis resté terré tout le reste de la journée. Elle n'avait, a priori, rien révélé.

La séance suivante, penaud, confus, n'osant pas la regarder, tête baissée, j'ai feint un mal de tête pour abréger mes *souffrances* et surtout ma honte.

C'est donc sur ce non-dit que nous avons poursuivi notre formation *synaptique*. Régulièrement, je rêvais de déposer encore une fois mes lèvres sur les siennes. C'est resté au stade du fantasme…

Quelque temps plus tard, nous étions encore nombreux en séance, Saka s'est mise à saigner avec abondance, des deux narines cette fois. Elle est devenue toute blanche avant de s'évanouir. Un opérateur l'a débranchée et l'a emportée, telle une poupée désarticulée.

Nous n'avons jamais plus revu Saka…

Filles et garçons, exceptées les séances communes dans la salle de l'apprentisseur, étaient séparés. Nous n'avions donc jamais l'occasion de croiser un regard féminin, hormis évidemment celui de la Guérisseuse-Hypnotiseuse, de la Garde qui nous apprenait le maniement de certaines armes, de l'Inquisitrice, et aussi de quelques Saltimbanques- féminines qui passaient parfois animer nos soirées. Mais elles avaient toutes au moins vingt-cinq ans… ces *vieilles* ne pouvaient donc trouver grâce à nos yeux de préadolescents.

Notre centre, spécialisé dans la branche *Ordre et Maintien de l'Équilibre*, forme les Traqueurs et les Pisteurs mais aussi les Vérificateurs et les Gardes, métiers ouverts aux deux sexes. Les Guides, eux- mêmes, doivent obligatoirement dans leur carrière y avoir suivi une formation.

Seuls les Traqueurs, les Vérificateurs, les Inquisiteurs et évidemment les Guides sont appareillés du neuro- transmetteur temporal. Après l'implantation, réalisée au Sanctuaire, j'avais dû rester une semaine entière dans le noir complet, la tempe en feu, mon cerveau, hurlait sa douleur et cherchait à s'évader de mon crâne. L'insoutenable souffrance était là, malgré les décoctions fournies en abondance par le Supra-Guérisseur.

Afin de suivre leur formation, Gardes et Pisteurs portent un casque amovible, retiré après chaque séance.

La vie au centre était spartiate, comme elle l'est d'ailleurs partout en Haeckelie.

Des sifflements de différentes tonalités et durées me font sortir de ma rêverie. Tikki, à cent mètres de là, nous demande de le rejoindre. Perdu dans mes pensées, je n'avais pas remarqué une ligne de végétation prononcée, signalant un cours d'eau asséchée. Des arbustes et surtout de grands acacias, capables d'enfoncer leurs racines sur des dizaines de mètres, profitent de l'humidité qui subsiste dans le sol.

Tikki, accroupi, nous indique un endroit précis. Le prédateur a creusé un trou dans lequel émerge une eau claire. La rivière, superficiellement à sec, poursuit son chemin sous le sable. Nous nous désaltérons avec délectation. Nos gourdes remplies, Akka s'accroupit et,… nous asperge en éclatant de rire. Rapidement le jeu dégénère. Trempés de la tête aux pieds, le sable collé à nos vêtements, hilares dans nos barbes de boue et de poussière. Une nouvelle fois, notre jeunesse a explosé en un moment de pure folie, ô combien oxygénant…

Les traces de nombreux animaux prouvent une large utilisation de cet affleurement. L'annonce de Tikki, « Trois à quatre heures d'avance maximum », remotive la troupe, s'il en était besoin encore. Nous repartons plein de certitude et d'envie, même si, contrairement à ce que nous espérions, le prédateur n'a perdu que peu de terrain ces dernières heures.

Cet après-midi, Ra brûle tout, chaque pas coûte son pesant de transpiration. Plein Ouest, nous devinons une zone verdoyante, comme un îlot de vie au milieu de ce désert aride... Le lac Ougalas[1] et son écrin de collines. Mon neurotransmetteur m'indique qu'il occupait, à son apogée, une surface de sept cents hectares, mais s'est réduit comme peau de chagrin par l'effet combiné de la chaleur et de pluies trop rares. Les quatre-vingts hectares actuels restent néanmoins un éden pour une multitude de Cousins- animaux. Grâce à la présence d'eau, après la désolation, la vie reprend ici tous ses droits. Çà et là des animaux apparaissent. D'abord une Cousine- girafe, la tête haute, broutant les feuilles d'un immense acacia, son girafon, a priori, non sevré à ses côtés. Non loin de là, un petit troupeau de zèbres et quelques zébus, suivent des yeux notre passage. Dans cette zone, tous ces spectateurs n'ont probablement jamais croisé d'être humain.

Notre propre vigilance s'est accrue, les lions et autres carnivores ne doivent pas être loin. Tikki et Akka se sont quelque peu rapprochés de moi. Depuis une petite colline surplombant le lac, nous constatons les méfaits de la sécheresse. Une bonne partie de la surface initiale n'est plus que boue craquelée et sable envahissant. Il serait grand temps que la pluie arrive.

---

1 Quel est encore ce lieu mystérieux ? Tous les indices ne sont pas encore mis dans l'ordre.

Étonnamment, les marques du prédateur longent le lac, sans s'en approcher, puis filent plein Nord. Encore une décision des plus surprenantes.

Bivouac. Nous en profitons pour cueillir baies et fruits. S'approchant d'un bosquet touffu prometteur, nous entendons distinctement des grognements et des bruits de toux. Une délicieuse mais inquiétante décharge d'adrénaline, mon bâton électrique déjà en main, Tikki et Akka arcs bandés. Pourtant les indices semblaient prouver que notre ennemi s'était éloigné… Prudemment, nous cernons autant que ce peut le boqueteau. Des bruits de pas, de nouveaux grognements et des petits sifflements, une bête visiblement terrorisée. Tout d'un coup, d'un bond fantastique, notre ligne de front est franchie par un étrange Cousin, bien plus grand que nous, bientôt suivi par trois autres monstres -sauteurs, plus petits. Sur deux pattes, une immense queue leur servant de balancier, les animaux s'éloignent de façon surréaliste… Les yeux abasourdis de mes amis ne sont que stupeur et étonnement.

« Vous n'avez pas vu des diables, juste des kangourous. » Mon neuro- transmetteur m'a donné la fiche signalétique de cet animal, évidemment jamais signalé comme autochtone. « … originaires d'une lointaine contrée, ils ont la particularité d'élever leurs bébés dans une poche ventrale. Aucun risque, ils sont herbivores », récité-je tout en éclatant de rire, la tension rebaisse d'un coup.

Décidément, mon rapport de fin de mission ne manquera pas d'interpeller…

Les réserves alimentaires rapidement reconstituées, nous nous éloignons de ce que nous pourrions considérer comme un paradis dans cette région déshéritée.

Le terrain devient peu à peu plus accidenté, sur le sol rocailleux les marques sont moins évidentes à suivre. Trois heures après avoir quitté les abords du lac, les collines deviennent plus hautes, plus escarpées. Le prédateur a fait une nouvelle halte sur un crassier gigantesque, issu, lui aussi, de la folie des habitants du *Temps d'Avant*. Pierres et gravats ont été remués. Étrange... Espérait-il trouver de la nourriture dans ce tas de roches et de sable, a priori stérile ?

Notre pause est de courte durée. On prend rapidement de l'altitude, toujours plein Nord. Le sol moins aride, la végétation commence à exister au fur et à mesure de l'approche d'une barrière montagneuse qui semble danser devant nos yeux par la magie de la chaleur extrême. La marche devient plus harassante encore, tant en cette soirée, l'air semble épais et poisseux. Mon drone, habituellement véritable extension de mes sens, mais étrangement silencieux depuis plusieurs jours, se réveille enfin... « Alerte aux orages violents imminente ! »

La pénombre nous surprend par sa rapidité alors que nous nous sommes engagés dans une vallée étroite. Des cumulus lourds et patauds, tels des ballots de coton gigantesques, jouent avec le soleil, quand ce ne sont pas les arrêtes de la ravine qui créent les zones d'ombre.

Trois paires d'yeux admirent le combat qui se déroule dans les cieux, entre le soleil, maître incontesté des dernières semaines, et la rébellion nuageuse...

L'amas de rochers superposés dans ce fond de torrent asséché constitue des milliers de barrières naturelles gênant notre progression, et associé au manque de lumière, c'en est trop : « Arrêtons-nous ici ! »

Les Pisteurs, assis sur un bloc de pierre, le regard toujours porté vers le haut, semblent harassés eux aussi.

« Tu crois qu'il va pleuvoir ? » Tikki, tout émoustillé par cette éventualité, Akka, le sourire évidemment béat, les yeux ronds, paraît plus abruti encore qu'à l'habitude. Il fixe à l'envi un gros nuage plus noir, plus bedonnant que les autres. Il faut bien avouer qu'après la canicule de ces derniers jours, une douche fraîche nous ferait le plus grand bien.

L'atmosphère évolue rapidement, l'air devient toujours plus lourd, chargé d'humidité et d'électricité ; des rafales de vent violentes créent des volutes de poussière. Même avec les lunettes, nos yeux sont rougis par les assauts d'impuretés. Les éléments se déchaînent, des éclairs zèbrent le ciel dans le tintamarre du tonnerre. Quelques gouttes d'abord, et bientôt un véritable déluge s'abat sur nous, frêles esquifs, ballottés et humiliés par la tempête naissante. Malgré un plaisir certain de sentir la pluie dégouliner sur nos visages, la recherche d'un refuge s'impose. Les bourrasques nous font tituber comme des ivrognes, les fracas et claquements nous assourdissent, aveuglés par un véritable rideau d'eau. Dantesque !

Péniblement, nous arrivons sous un gros rocher, enfin à l'abri, vite rejoint en cela par un léger *papillon* silencieux qui semble flotter comme par magie à quelques centimètres du sol : le drone.

Les visages radieux, nos yeux pétillent devant le spectacle rare des éléments en furie. La poussière, à présent engluée au sol par l'humidité, le vent, le tonnerre et la pluie, ne constituent plus qu'un amusement pour les enfants que nous sommes. Un ruisseau, alimenté par des cascades d'eau tombant des parois escarpées, occupe à présent le centre du canyon. Des grosses flaques apparaissent, des vasques se remplissent… Il ne nous en faut pas plus. Dévêtus en une micro-seconde, tout en joie et en rires, nous nous confrontons à nouveau aux excès de la nature. Qu'il est agréable de sentir son corps fouetté par le vent puissant et le déluge ! Depuis quand n'avons-nous eu pas l'occasion de prendre un bain ? Plusieurs jours et la traversée à la nage du Rodanusia[1]. Si les déflagrations du tonnerre inquiètent un peu, le plaisir reste le plus fort. Des cris, des rires, des éclaboussements, des courses, des plongeons, certes parfois douloureux en l'absence de profondeur suffisante, mais pourtant ô combien amusants…

Tout d'un coup, comme si un être supérieur avait appuyé sur la touche « *fin* », tout s'arrête, à notre grand désappointement. Le vrombissement sourd s'éloigne, les éclairs deviennent plus rares et surtout étrangement silencieux : l'orage a déjà poursuivi son chemin.

Spectacle étonnant dans la pénombre, trois fantômes maigres et blafards avec leurs longs cheveux qui pendent misérablement sur le visage et les épaules jusqu'à mi- dos. Quelques rires sporadiques un peu forcés, la folie nous a quittés. Dans nos yeux, la tristesse d'enfants à qui l'ont vient de retirer leur jouet. Le ruisseau compatit en accompagnant notre désappointement. Il se réduit aussi rapidement qu'il

---

1 Nouvel indice… mais où sommes-nous ?

avait grossi. La terre boit avidement les dernières gouttes du nectar de vie qui s'étaient regroupées en flaques pour résister.

À regret, traînant les pieds, nous rejoignons notre abri resté lui, à peu près au sec. Le danger éloigné, *Hélios* a repris sa place au milieu des étoiles.

Mes yeux clos, l'esprit encore rempli de jubilation, j'ai hâte de retrouver Sogno, probablement le besoin de partager avec elle cette euphorie passagère. Le sommeil peu à peu me gagne.

« Le bruit d'une cascade au loin, le léger chuintement d'un ruisseau à nos pieds, une herbe verte et grasse, il fait doux, tu es à mes côtés. Main dans la main, nos doigts jouent la partition du bonheur. Tant de mots, tant de chaleur et tant d'amour exprimés par le biais de légères contractions de nos phalanges et nos caresses insistantes.

À nouveau, je te retrouve dans cette clairière ensoleillée, cernée de bois et de forêts. Ici tout n'est qu'ordre et beauté, calme et volupté… Je me sens à nouveau pleinement heureux.

« Khaur, regarde-moi ! » La voix de Sogno, suave, sensuelle, envoûtante.

Elle me sourit. Avec ses cheveux noirs tombant sur ses épaules nues, ses yeux couleur noisette, profonds et bienveillants, une peau satinée et lisse, ses lèvres charnues légèrement entrouvertes découvrent des dents d'une blancheur extraordinaire. Son parfum boisé m'enivre.

Elle se penche vers mon visage et… dépose un léger baiser sur mes lèvres. Je crois défaillir, mon cœur s'emballe.

De sa main libre, elle caresse lentement ma joue, l'autre, toujours dans la mienne, poursuit sa longue conversation. Un nouveau baiser. Sa bouche a goût de framboise. Elle force mes lèvres, bientôt nos deux langues se mêlent et s'entre- mêlent, se lancent dans une valse ô combien sensuelle, ô combien vivante et belle. Bientôt Sogno se redresse « Viens ! » dit- elle.

Sonné par tant d'émotion, marionnette soumise, conservant le goût fruité et frais de sa bouche, je la suivrais jusqu'en enfer voire un peu plus loin si elle le désirait…

Que de fougue dans ce baiser. Les doigts entrecroisés, nous marchons en direction de l'aval du ruisseau sauvage. Mon pantalon habituel, a été remplacé par un autre, réalisé dans une matière inconnue, légère et douce au toucher, comme une seconde peau. Même ma propre odeur m'est étrangère. Terminées la vieille sueur et la crasse de plusieurs jours, chez les Traqueurs les bains sont rares… Je dégage un parfum fruité, fin et délicat, je suis rasé de près, mes mains sont propres, mes ongles coupés courts, même mes cheveux semblent plus aériens, portés par la légère brise de cet éden miraculeux. Plus de protubérance à la tempe… Pourquoi m'a-t-on retiré mon neuro- transmetteur ?

Sogno se penche avec grâce et caresse délicatement du dos de la main un tapis de fleurs mauves…

Je bégaie : « Tu es belle ! »

Un flash puissant… Le drone a retrouvé la trace du prédateur, mon esprit aux aguets, l'échange est précis même si la qualité de l'image est plus que médiocre, floue et enneigée. Une dizaine de kilomètres en amont, la bête poursuit sa marche dans l'obscurité. Il a quitté la gorge étroite et se retrouve à présent dans une vallée encadrée de pentes marquées, peu de végétation. La transmission cesse brutalement, le drone redevient silencieux.

En cette nuit profonde, les éclairs semblent indiquer la direction à suivre. Dans le lointain, le tonnerre a repris sa terrible partition. Souvenir de mes cours, je compte… en moyenne, vingt-cinq à trente-cinq secondes séparent les éclats de lumière du roulement de tambour du ciel en crise. L'orage se situe donc à une dizaine de kilomètres plus au nord, le prédateur doit à son tour subir les éléments déchaînés.

Que faire ? Braver les ténèbres pour tenter de gagner du temps… dans ce canyon escarpé et piégeux, le risque semble disproportionné au gain potentiel. On repartira aux premières lueurs du jour.

QUELQUE PART AILLEURS :
La jeune femme aux cheveux noirs et aux yeux profonds couleur noisette : «
Je n'arrive jamais à le fixer. *La moindre sollicitation extérieure le dégage de mon emprise. Pourtant j'occupe une grande partie de ses pensées, dès lors qu'il sort du cadre de sa mission. Il faut tout reprogrammer.* »

Le ciel a décidé de faire tomber sur le prédateur tous les cataclysmes dont il était capable. Cela a commencé par une mini-tornade sauvage, enroulant autour de son cône, poussière, pierres, branches mortes, et même des arbres après les avoir déracinés. Asphyxiée par le vent qui semblait aspirer ses poumons ; couchée en tentant désespérément de s'accrocher au sol ; terrifiée, laminée, concassée, détériorée, percutée par les objets les plus variés, la bête a serré les dents. Une côte douloureuse, probablement cassée, peut témoigner de la puissance des impacts.

Puis l'orage qu'elle entendait approcher depuis plusieurs heures, s'est abattu sur elle. Sonnée par les coups de tonnerre surpuissants, assourdie par une pluie violente et bruyante qui a fait, en quelques minutes, ressembler la petite vallée, dans laquelle elle se trouvait, en un lac immense et inquiétant.

Précédée par un fracas extraordinaire, comme une horde de chevaux au galop, la grêle s'en mêle à présent. De véritables œufs de glace l'assomment, le broient, le tannent, le blessent ; le prédateur n'est plus que terreur, souffrance et gémissements. Heureusement, la lapidation prend fin. À présent, un nouveau déluge liquide tente de noyer son corps en mode récupération. Le niveau d'eau monte rapidement. Instinct de survie... le prédateur, pourtant tout endolori, pourtant tout en frayeur, pourtant tout en panique, doit réagir et trouver un endroit surélevé pour se mettre à l'abri et panser ses blessures.

Plus bas dans le canyon. Nouvel avertissement du drone : « alerte submersion ». Sur pieds, inquiétude dans les yeux de Tikki, déjà aux aguets. Akka ne tarde pas à se réveiller aussi, un brin hagard. Le petit ru résiduel de l'averse est devenu torrent tumultueux, le sol tremble, et un vrombissement sourd semble débouler à grande vitesse.

« Vite, suivez-moi ! » ordonné-je.

Le fracas devient indescriptible, infernal, monumental. Mes cheveux se hérissent tant la terreur domine. Précipitamment, et finalement avec efficacité, nous escaladons la berge abrupte, lançant de brefs regards inquiets en direction de l'amont. Dans la pénombre un mur d'eau abyssal dévale puissamment le canyon, détruisant tout sur son passage. La bouche liquide gigantesque avale tout sur son passage, tout devient bruit, tout devient tremblement, tout devient dantesque.

La peur… Grâce à l'adrénaline qui inonde nos corps, grâce à notre jeunesse, grâce à notre entraînement, en quelques secondes nous nous retrouvons miraculeusement sur un éperon rocheux dominant la sente de plusieurs mètres… alors, le déferlement nous atteint.

Un mot s'impose à moi *Gilgamesh* [1]… Trois frêles adolescents défiant un tsunami, le combat est perdu d'avance. Mes yeux se ferment en attente du choc brutal, bestial et certainement final. La chance est cette fois avec nous, à une vingtaine de mètres de notre promontoire, un bloc massif en avancée, détourne le plus gros de la puissance de la vague, qui néanmoins nous submerge, nous noie, nous malaxe, nous concasse. C'est apocalyptique mais ô combien excitant en même temps. Étrange le cerveau humain ! Agrippés l'un à l'autre, ne faisant qu'un avec la paroi, accrochés comme des sangsues, nous tentons de ne pas être emportés, nous tentons de survivre. Les muscles endoloris, les doigts tétanisés par l'effort, probablement en sang. Branches, troncs et autres matériaux, nous lacèrent et nous assènent des coups violents. Nous avons parfois la certitude que tout est perdu, mais l'un de nous, plus solide, plus déterminé, plus conquérant, maintient l'ensemble scotché à la roche. Cela semble durer des heures… et pourtant à peine dix minutes plus tard, le plus fort de la vague est passé.

---

1 Récit légendaire de l'ancienne Mésopotamie évoquant déjà le déluge, et ce, bien avant le mythe de Noé.

Probablement les instants les plus intenses, les plus violents, et quelque part les plus palpitants de notre courte vie,
tant la *faucheuse* nous a caressés de près. Nous avons lutté
ensemble, nous avons vaincu ensemble et quoiqu'il arrive
à présent, nous savons qu'ensemble nous serons toujours
capables d'aller jusqu'au bout. Mon corps est pris d'un tremblement incontrôlable, les terribles Mbutis n'en mènent pas
large non plus. Pourtant dans nos yeux, la reconnaissance
mutuelle de trois humains ayant survécu à une mort qui
paraissait inéluctable.

Si l'eau recouvre toujours largement notre refuge, le
courant a beaucoup faibli. Contrecoup du danger, mais aussi
symbole d'une amitié sans faille, ainsi que de notre solidarité
dans l'adversité, ensemble nous éclatons de rire.

Pourquoi avons-nous survécu ? L'Équilibre en a décidé
ainsi, m'affirme mon éducation et ma formation. J'en fais
écho à mes amis, sans réaction devant cette *grande nouvelle*.
Jomuir, notre Guide, aura du travail à notre retour… Enfin,
si le Vérificateur nous jugeait aptes à réintégrer notre zone
d'habitage.

Un liquide visqueux jusqu'aux hanches, mais une joie
de vivre qui rend l'épreuve largement supportable. Enfin,
les premières lueurs du soleil. Le courant reste puissant, et
il nous est impossible d'escalader la paroi lisse et escarpée,
cette prison sera nôtre pour a priori plusieurs heures encore.

Aucune des formations suivies, aucune des consignes, ni
même la mémoire secondaire de mon neuro- transmetteur,
n'avaient prévu cette situation. Comment imaginer en ces
terres désertiques, une telle surabondance d'eau ?

« Penses-tu que le prédateur ait survécu ? » hurle Tikki, tant le brouhaha reste assourdissant. Les galets entraînés par les flots, roulent, s'entrechoquent, se broient, se disloquent, simples pierres qui n'amasseront pas mousse. Je m'égosille pour me rendre audible : « Pendant notre sommeil, le drone a filmé la bête, qui, a priori n'a pas été emportée. »

Étonnamment, comme pour faire écho à notre échange, réception particulièrement médiocre d'images d'une vaste étendue d'eau dans laquelle semble peiner le prédateur, ou plus exactement, une forme diffuse, exagérément large, certifiée comme étant celle de notre fuyard par le drone. Il a repris son avancée alors que nous resterons prisonniers longtemps encore… La bonne nouvelle, *Hélios* fonctionne à nouveau. L'orage aura été un mal pour un bien.

Finalement pas trop de bobos. Quelques ecchymoses, quelques coupures et éraflures superficielles, une entorse à l'index pour Akka, qui regarde étonnement, son doigt gonflé et tordu, mon vêtement -coucou est à présent en lambeau à l'image de celui porté par mes amis. Nous avons perdu quelques flèches, une gourde, et évidemment, les fameux chapeaux de mes amis *pygmées* dévalent à présent vers la vallée. Nous nous en sortons très bien…

Au fur et à mesure, la baisse du niveau d'eau et la clarté du matin, laissent apparaître un paysage remodelé, défiguré, défoncé. Une écume chocolatée, épaisse et visqueuse, couvre largement les bordures et les contre-courants du torrent. La boue est omniprésente. Aucun arbre ni buisson n'a résisté à l'assaut foudroyant de la vague titanesque. Plusieurs énormes troncs se retrouvent, çà et là, en équilibre instable, plusieurs mètres au- dessus du lit du torrent. Le magicien de la nature a dû beaucoup s'amuser en réussissant ce tour *houdiniesque*.

Sur notre *vire- pierrade*, littéralement cuits sur place, la chaleur devient rapidement un calvaire. À deux mètres au-dessous de nous à présent, le courant reste trop puissant pour nous risquer à une descente. Une glissade dans ces eaux boueuses et tourmentées, équivaudrait à une mort certaine.

Nouvelles du front, émises par le drone : image toujours instable et floue, mais précision en ce qui concerne le point géographique, dix-sept kilomètres nord-nord-ouest. Le prédateur est à présent au sec, immobile, tout contre ce qui semble être une large pierre plate qui luit au soleil. Probablement du quartz… Il a pris beaucoup d'avance ; de notre côté, nous prenons notre mal en patience.

Le spectacle du bouillonnant torrent de boue, avec ses vagues et contre-vagues immenses, mais finalement assez régulières, devient vite lassant. Des formes aux matières les plus hétéroclites, parfois surprenantes par leurs couleurs vives, sont transportées à vive allure par l'indomptable serpent liquide.

Depuis des heures, Akka, un sourire énigmatique aux lèvres, répète inlassablement un : « Que d'eau ! » *Mac Mahonien*, tout en visant avec sa fronde les OFNI (Objets Flottants Non Identifiés), s'enthousiasmant chaque fois qu'il en touche un, ce qui est régulier tant sa dextérité est grande. Tikki, agacé de voir l'enfant encore et toujours jouer, s'exaspère du retard accumulé. Pour calmer son impatience, il commence à chantonner une de ses fameuses mélopées, vite reprise en cœur par son compère. Prostré, aucune envie de les accompagner, je fulmine en attendant le moment où nous reprendrons enfin la chasse. Pour ne rien arranger, les tentatives pour m'approprier l'image de Sogno restent vaines... comme toujours. Les chants me bercent, des souvenirs remontent à la surface...

Ma vie en dehors des Traques a toujours été monotone... Dès que je fus sevré, la zone d'habitage, dénommée Tanslé[1], me fut attribuée. Telle est la règle en Haeckelie. J'ai été accueilli et élevé par l'ensemble du clan. La vie était rude voire austère, une orthodoxie stricte établie. Le groupe nous apprenait les règles de vie en société. Si nous les respections, tout allait bien, sinon, les sanctions pouvaient être terribles, allant même jusqu'à la redoutable Pitance.

Les journées étaient souvent longues et ennuyeuses. Une première formation courte, casque sur la tête, vers l'âge de 4 ans, nous permettait d'apprendre à lire, pourtant il n'y avait que peu de livres à Tanslé...

Le Guide nous conviait parfois à des séances individuelles, avec des questions ou conversations ô combien mystérieuses. Les courses, luttes, tirs à la fronde ou fabrication d'arc et de flèches, occupaient le plus clair de notre temps. De leur côté, les adultes vaquaient à leurs tâches. Le soir, toute la collectivité se réunissait. Chacun pouvait s'exprimer, exposer ses idées, ses peintures ou ses compositions, mais aussi chanter, danser ou déclamer le poème conçu dans la journée. Les mélodies étaient souvent reprises en cœur.

Parfois un Saltimbanque, qu'il soit peintre, sculpteur, conteur, barde, troubadour, amuseur ou poète, arrivait dans notre communauté, après avoir erré de zone d'habitage en

1 Arthur Georges Tansley, botaniste britannique pionnier dans l'écologie des plantes 1871-1955

zone d'habitage ou en provenance d'une autre Terre. Le Saltimbanque ramasse puis sème çà et là des idées ou des mots, il peint ou il crée, il jongle avec les objets, il cabriole ou virevolte sur un fil, restant toute sa vie plus ou moins nomade.

Le plus singulier fut un Poète- ode de la lointaine Kogie[1] qui éveilla en moi mille sensations.

Ces moments privilégiés étaient fêtés, ils permettaient de supporter la rudesse de la vie. Toute ma petite enfance se passa entre garçons. Aucune jeune fille à Tanslé car réparties dans d'autres zones d'habitage. J'ai été confronté pour la première fois aux filles de mon âge à mon arrivée au centre de formation. Ce fut pour moi un choc, ce fut une révélation…

Après ma deuxième séance de formation longue, je fus nommé Traqueur à Alternatiba[2] zone d'habitage de deux cents âmes, comme toutes les autres… La vie, souvent sans relief, s'organise autour de la grande hutte de pisé, dite *lieu d'échange,* dans laquelle toute la communauté se retrouve le soir pour dîner, bavarder ou se divertir. Deux longs dortoirs collectifs, hommes et femmes mélangés, un minuscule dispensaire et quatre cabanes pour les outils et les réserves, constituent le reste de la zone.

La Guide Jomuir veille sur la formation. Une vieille femme perspicace, érudite, sage et réfléchie, même dans les moments de tension, l'incarnation du flegme. Une véritable complicité nous unit.

---

1 Probablement un rapport avec le peuple Kogi de Colombie, prêchant le rapprochement de l'homme et de la nature.
2 Le mouvement altermondialiste basque Bizi a initié en 2013 un grand village des alternatives dénommé Alternatiba.

L'OME, Ordre et Maintien de l'Équilibre, est constitué de deux Gardes dont un féminin, deux Pisteurs - Akka et Tikki -, ce dernier en provenance de l'élémentaire Watson[1], un Traqueur - moi en l'occurrence - auxquels il faut ajouter, Inquisitio, le Vérificateur, un être à part, inquiétant et toujours solitaire, ses sanctions peuvent être terribles. C'est un homme au visage émacié et dur, avec des yeux de perdrix[2] perçants, il veille sur le respect des règles de l'Équilibre pour l'ensemble de la communauté, dans laquelle on trouve aussi, Perblaize[3], le Guérisseur qui occupe le dispensaire. Un géant massif chaleureux, cheveux blancs, barbe fleurie, conteur merveilleux sachant captiver son auditoire. Profondément humain, il rassure et veille tendrement malades et blessés.

Chaque zone d'habitage possède aussi son Saltimbanque, aux spécialités les plus variées. Elforestal, est notre actuel Poète-ode. Après trois saisons, il rejoindra un autre secteur et sera alors remplacé par un troubadour possédant un art différent. La culture est jugée essentielle au maintien de l'Équilibre.

Elforestal joue voire jongle avec les mots, la musique et autre chose, et on dit « bravo », on le réclame à tue-tête sur toutes les pistes d'Haeckelie, dans son numéro de poète, il est toujours chéri. Et ses mots lorsqu'il les jette, ils rebondissent n'importe où, de cœur en cœur, de tête en tête, ils en deviennent doux, ils reviennent de la salle emplis d'espoirs et de bonheurs, il est enfant de la balle mais aussi penseur[4].

---

1 Paul Watson, fondateur de l'ONG écologiste Sea Sheperd ou évocation du « cher Watson » de Sir Arthur Conan Doyle.
2 L'auteur aura probablement voulu écrire, yeux de faucon !? Note de l'éditeur.
3 Origine probable : Père Blaize herboriste marseillais depuis 1815.
4 Librement inspiré du « Saltimbanque » de Maxime Leforestier.

Deux Coursiers-messagers, qui dépendent directement du Sanctuaire, favorisent les communications inter zones. Le transport de missives avec passages de relais nuit et jour, au niveau des huttes -pony placées tous les vingt kilomètres, permet la distribution rapide dans toute l'Haeckelie. Le Sanctuaire est desservi en six ou sept jours, là où un voyageur ordinaire en met plus d'une quinzaine pour s'y rendre.

Aucun autre membre de la communauté n'a de rôle prédéfini. Il devient tour à tour, Cultivateur, Cueilleur, Termiteur, ou bien encore Tambouilleur, Agent d'entretien ou de service... même si une certaine tolérance permet d'intervertir les postes en fonction de son habilité, de sa force ou de ses envies. Le travail suit le cycle du soleil et de la nature, Équilibre oblige, il n'est ni trop dur, ni stressant. Les ressources sont faibles, il n'y a pas d'obèse à Alternatiba... Régime *immacdonaldien*[1] me souffle mon neuro-transmetteur, je n'en comprends pas vraiment la signification. Les rares protéines animales proviennent de l'élevage de termites ou de fourmis géantes. En effet, d'après les règles de l'Équilibre, ces insectes sociaux, ne constituent pas un animal en tant que tel mais une extension de la fourmilière ou de la termitière. Par contre, il reste formellement interdit de consommer les reines ou les ailés.

La zone d'habitage est quasiment auto-suffisante, les produits de *confort* tels les vêtements, chaussures, outils divers, et même les livres, sont fournis par le Sanctuaire, en contrepartie de nos maigres excédents, seul commerce- troc autorisé en Haeckelie, même si certains marchés parallèles existent.

1 « im » privatif pour le régime à la MAC DO. Peut-on parler de régime lorsqu'on évoque cette chaîne de restaurants ?

Tout le monde partage le même repas, la même couche, et quelle que soit sa fonction, ne détient rien de plus que son voisin. Nous ne possédons pas grand-chose, mais nous sommes riches... Notre richesse : la solidarité, la complémentarité, la cohésion, la compréhension mutuelle, le rire ensemble, le bien vivre en communauté ; un seul objectif partagé, le maintien de l'Équilibre. De ce fait, pas de frustration, pas de jalousie, les gens sont détendus et plutôt heureux, malgré des estomacs parfois un peu vides...

Quelques membres défroquent néanmoins.

Hormis les séances d'entraînement, les membres OME, particulièrement Tikki, Akka et moi, avons une vie oisive, mais monotone. Les rares livres disponibles sont quasiment connus par cœur, les alentours ont été maintes fois visités, et observer les autres travailler - car nous ne sommes pas autorisés à participer - n'a vraiment plus aucun attrait depuis fort longtemps. Aussi, chaque annonce de Traque devient fête.

Quelle excitation de recevoir une nouvelle mission ! La plus insignifiante des informations est enregistrée grâce à mon neuro-transmetteur. Récupérer son équipement, bâton électrique, vêtement —coucou, arcs, flèches et rations, est toujours émouvant. J'appréhende néanmoins chaque fois, les yeux fendus et carnassiers du Vérificateur lors de la remise cérémonieuse d'Hélios, le drone. Son cerveau palpe le mien, comme à la recherche d'une raison suffisante pour me retirer ma raison d'être.

« Veille sur l'Équilibre dans chacun de tes agissements ! » assène-t-il télépathiquement.

L'instant où le drone devient partie intégrante de mon cerveau est toujours fabuleux. D'abord, matière inerte et froide, un signal cérébral plus tard, des milliers d'informations se bousculent et submergent les neurones. Grisant et perturbant à la fois. Le temps d'adaptation, qui me demandait plusieurs heures à mes débuts, est quasi-instantané à présent. Son, images, température, humidité, vibrations, en résumé, tout ce qui fait notre environnement, s'analyse et se combine naturellement aux perceptions de mes propres sens, sans aucun besoin d'être réfléchi.

Et lorsque je lui signifie de réintégrer sa place dans le ciel, Hélios a déjà lu en moi notre mission. Il connaît ce que je connais, il voit ce que je vois et évidemment entend ce que j'entends. La réciproque est vraie... Il est simplement un prolongement de mon cerveau dans l'espace.

Est-ce d'évoquer notre lien quasi filial... comme une légère cassure en moi, contact à nouveau rompu. Cela m'aide à reprendre pied avec la réalité.

Les choses évoluent lentement. Si la température reste insoutenable, la décrue se poursuit inexorablement. Akka et Tikki, couchés l'un contre l'autre, assoupis... Spectacle étonnant que ces deux petits hommes sombres, quasiment dénudés, et tellement frêles. Sur leur épaule, le « E », tatouage légèrement en relief, prouve leur appartenance à l'Équilibre. Leur visage, maculé de terre, semble minuscule et perdu au milieu de leur spectaculaire *tignasse*, toute poissée de boue. L'un avec son sourire niais et l'autre avec sa large cicatrice blanchâtre sur la tempe, ils composent un tableau surréaliste voire comique, vite oublié lorsqu'on connaît leur capacité à tuer...

Mon recueil s'est transformé en une masse spongieuse, dégoulinant d'eau et donc inutilisable. Dois-je m'en réjouir ou le craindre ? Le retour risque d'être compliqué. Certes, je n'ai plus à me soucier du compte-rendu journalier de la mission, ni d'ailleurs de la compréhension de ces textes hermétiques au premier abord, mais de ce fait, le Vérificateur de l'Équilibre va m'interroger des jours entiers, et mon Guide pourrait juger la mission ratée, quelle qu'en soit l'issue. Positivons et faisons confiance aux Gardiens de l'Équilibre.

Couché, tête penchée dans le vide, je prends mon mal en patience. Déposés le long du torrent, les nombreux objets et détritus dessinent une ligne assez régulière et parallèle à un mètre au-dessus du niveau actuel du flot moutonneux. Curieux…

Finalement moins périlleux que je ne le craignais, je me retrouve sur une zone à peu près plane. Les crues du *Temps Passé* ont creusé dans la roche, le long du canyon, une vire[1] relativement praticable.

« Les pygmées, rejoignez-moi, vite !

La réponse cinglante et conjointe : nous sommes Mbutis !! », associée à l'apparition simultanée de deux faciès ahuris penchés au-dessus de moi, complétée par le sourire béta d'Akka, déclenchent en moi un éclat de rire irrépressible.

La boue nous fait patiner, glisser et parfois tomber… crise de gloussements joyeux. Les obstacles sont nombreux : branches, troncs, pierres, vase gluante, et tant d'autres objets qui ne manquent pas d'éveiller notre curiosité, notre

---

1 En montagne, petite terrasse sur une paroi verticale.

perplexité ou notre ravissement, tant ils sont bizarres. Il n'y a guère de boutons ni de petit gibus[1], mais des *sacs, bouteilles, poubelles et porte-manteaux en plastique, boites en aluminium, couches jetables, ordinateurs, ou autres* trucs *indéterminés…* qu'égrène mon neuro- transmetteur tout en tentant de m'en expliquer leur fonctionnalité d'origine. Le spectacle est merveilleux pour nos yeux d'enfants. Ces longs et piteux filaments déchiquetés multicolores décorent avantageusement les rochers et les rares arbrisseaux encore sur pied, tout en leur donnant un air de fête. Les bouteilles en *plastique* éventrées qui luisent au soleil et craquent délicieusement sous nos pieds, les très légères canettes en *aluminium* compressée, avec ce bruit métallique si caractéristique lorsqu'on les projette contre des pierres, ne sont pour nous que titillations de neurones. Tikki, l'esprit vif, comprend immédiatement le potentiel de ces objets pour conserver l'eau et peut-être même les aliments… Nous sommes moins conquis par les fameuses *couches -culottes,* engluées dans la boue et pesant plusieurs kilos chacune. Nous remplissons nos ceintures-sacoches avec le maximum de ces objets hétéroclites, tellement impatients de les montrer aux habitants d'Alternatiba.

La marche est difficile dans ce cloaque, certains passages périlleux, mais cela fait pourtant du bien d'avancer enfin. « Khaur, regarde ! » Akka, désignant une masse informe, disloquée contre un amas d'arbres et de branches en plein milieu du courant. Une girafe… probablement noyée à des kilomètres de son linceul d'écume, de limon et de végétation. Le tsunami a fait des ravages… Après une prière silencieuse :

---

1 Comprenne qui pourra : néanmoins, grand merci à Louis Pergaud.

« Tu étais Équilibre, et tu redeviendras Équilibre », nous poursuivons notre chemin.

Exténués et couverts de boue, nous abandonnons enfin l'étroit canyon escarpé pour aborder sur notre gauche un val un peu plus large et aux bordures en pente douce. Là aussi, un spectacle de désolation… Un bourbier, des arbres couchés, de la végétation engluée, et toujours des milliers de détritus et rubans colorés. Pendant deux heures nous marchons mi- pente, longeant le lac éphémère qui occupe le centre de la vallée. Nous débouchons bientôt sur un vaste plateau, cerné de pics élevés et de monts. Pour gagner du temps, nous décidons de couper tout droit en direction d'une petite colline étrangement avachie sur elle-même. De la fange visqueuse jusqu'aux genoux, chaque foulée nous impose un bel effort, mais le contournement aurait été bien plus contraignant.

Au fur et à mesure de notre approche, la butte semble étonnamment irrégulière et colorée. Une *décharge publique,* m'informe mon neuro- transmetteur, je n'en comprends pas le sens, tant cette notion est éloignée de nos vies ascétiques. La montagne de déchets imputrescibles s'est effondrée sur elle-même lorsque l'eau a désagrégé sa base. Des tonnes de détritus ont été emportées par les flots, le reste des ordures apparaît à présent en plein jour. Pour nos yeux novices, il s'agit là d'une véritable caverne d'Ali Baba.

On parcourt la zone, les yeux pétillants d'envie, saisissant un objet, le rejetant pour en choisir un autre. Ceux qui avaient été élus lors de la remontée du canyon, sont déjà oubliés par comparaison à l'amas indescriptible et éclectique qui nous entoure. On aimerait tout prendre… les choix sont perturbants tant les formes et les couleurs, sur lesquelles se posent nos yeux, semblent toujours plus intéressantes et originales. Mais voilà, nos sacoches sont très limitées, le choix est cornélien donc frustrant… sentiment nouveau et désarçonnant pour nous, qui n'avons jamais rien possédé. On jalouse cette bouteille plastique verte fluo trouvée par l'un ; on envie ce *truc* jaune vif, sans forme précise, mis au jour par l'autre, tout en serrant bien fort, de peur de l'égarer, SA canette en aluminium argentée…

Bienvenue dans la société de consommation !

Le ver est dans la pomme, je me rends compte de sa perversité. Il nous faut nous éloigner au plus vite de ce lieu anti- Équilibre.

« Quittons vite cet endroit maudit, ordonné-je rageusement, et videz immédiatement vos sacoches de tous ces objets maléfiques ! »

C'est pourtant à regret que je montre l'exemple. Mes amis hésitent, mais au fond d'eux, ils ont compris… la zizanie naîtrait de la possession. La mort dans l'âme, les *cadeaux des dieux* retrouvent leur place, mais s'agit-il là réellement de leur place… ?

C'est à grandes enjambées que nous traversons l'immense dépotoir des Gorgones. Je garde autant que ce peut les yeux braqués vers l'horizon, évitant de me laisser à nouveau séduire par ces objets qui médusent. Ai-je peur que mon cœur ne se transforme en pierre[1]?

« Khaur, viens voir ! crie Tikki.

— On fonce ! » rétorqué-je. Cet endroit commence à m'inquiéter sérieusement.

---

1 Comprenne qui pourra mais surtout les « mythologues ».

« Sûr, viens voir ! » Il insiste le bougre. Il s'est arrêté à quelques mètres, penché sur une étonnante pierre plate, fracassée en de nombreux morceaux dont plusieurs manquent visiblement à l'appel. Une esquisse, ayant la forme d'une larme, quelques lettres gravées dans le granit : « - *AFFRIQUE* ». Le mot *blason* dont le sens exact m'échappe, me vient à l'esprit. Un nouveau mystère…

Nous quittons sans regret - euh avec un petit malgré tout - cette zone *d'abondance,* puis longeons le grand lac, aperçu précédemment grâce aux images d'Hélios. Peu à peu, l'eau boueuse est siphonnée par le sol, le niveau descend à vue d'œil. Çà et là, tels des vaisseaux fantômes égarés, de petits troupeaux de Cousins- gnous ou de zèbres, désemparés, tracent leurs sillages sur la surface plane de cet élément plus ou moins liquide tant il est chargé en limon et immondices.

Bientôt nous retrouvons l'endroit exact où le prédateur faisait sa pause avant que je ne perde la liaison. De petits conglomérats de minéraux jalonnent le sol, mais étonnamment, aucune trace de la grande pierre plate entre-aperçue grâce aux images brouillées.
« Accélérons le pas ! »
Mes amis ne demandent que ça, tant l'envie d'oublier leur richesse passée est encore présente en eux. Nos rêves seront, je le crains, longtemps perturbés par la terre d'abondance aux potentiels sans limite que nous venons de quitter…
Le Vérificateur de l'Équilibre va immanquablement nous étriper à notre retour.
Malgré un soleil haut, malgré une chaleur lourde et humide, malgré le terrain visqueux, la marche est particulièrement

rapide, quasiment du trot. Souffrir fait le plus grand bien à nos âmes perverties.

Dans le lointain, le ciel n'existe pas, un brouillard léger occupe l'espace au-dessus du sol spongieux. Une brume comme un linge gonflé de vent, mais il n'y a pas de vent, un linge humide, bleuté, qui ne pèse pas, qui prend tout l'espace, le résume, le simplifie[1].

Dans nos têtes, la Traque reprend peu à peu ses droits. Dans la vase, un jeu d'enfant de suivre les empreintes du prédateur qui, une nouvelle fois, nous mènent directement à un crassier du Temps d'Avant. Les roches ont été, une nouvelle fois, remuées. De mystère en mystère, je me refuse d'encombrer mon esprit de cette anomalie supplémentaire.

« Il a énormément d'avance », affirme Tikki.

Il nous faut impérativement prendre des risques pour espérer rattraper le retard. Course régulière cadencée, faite de petites enjambées rapides pour ne pas glisser, mais aussi, ne pas trop nous épuiser. Malgré notre fatigue, liée au manque de sommeil, malgré la nourriture qui commence cruellement à manquer, malgré le soleil toujours puissant, malgré le nombre de journées de Traque, tels trois Philippidès[2], notre progression est spectaculairement efficace. Avec le contrecoup de la mortelle épreuve, notre solidarité s'en est trouvée renforcée, la certitude de vaincre ensemble est devenue évidence : le prédateur ne peut nous échapper. Ce n'est plus la haine

---

1 Merci à Michel C Thomas : Extrait de Rebeyrolle ou l'obstination de la peinture, Gallimard, 2009.
2 Selon la légende, Philippidès, soldat-messager, fut le premier marathonien de l'histoire.

qui nous guide, mais juste la conscience de notre puissance collective.

La bête se dirige à présent plein Sud…

Bientôt un sol plus rocailleux et sec, l'orage n'a visiblement pas sévi ici, avec la surprise de fouler sur plusieurs centaines de mètres une terre de couleur curieusement rouge. « Un Rougier », m'informe mon neuro-transmetteur. Beaucoup de poussière, une chaleur qui irradie par les pieds mais n'influe en rien notre rythme.

La nuit, seul obstacle encore capable de nous arrêter, difficile d'avancer à la lueur des seules étoiles. Il était temps, nous sommes exténués.

Nous partageons nos misérables réserves, à peine comestibles, l'humidité les corrompt déjà, et joyeux paradoxe, l'eau potable commence à manquer.

Pas de chant, pas de jeu, les deux pygmées dorment déjà, la journée a été dure, très dure… Je m'allonge enfin, éreinté tant physiquement que psychologiquement, le sommeil avait déjà partiellement gagné le combat sur mon cerveau avant la fin de la garde. Je n'arrive pas à me reprocher ce manque de vigilance, pourtant des animaux rôdent autour de notre campement de fortune.

Sogno me surprend…

« Le bruit d'une cascade au loin, le léger chuintement d'un ruisseau à nos pieds, une herbe verte et grasse, il fait doux, tu es à mes côtés. Main dans la main, nos doigts jouent la partition du bonheur. Tant de mots, tant de chaleur et tant d'amour

exprimés par le biais de légères contractions de nos phalanges et nos caresses insistantes.

À nouveau, je te retrouve dans cette clairière ensoleillée, cernée de bois et de forêts. Ici tout n'est qu'ordre et beauté, calme et volupté. Je me sens à nouveau pleinement heureux...

Nous rentrons dans le chalet. De la luminosité extérieure on passe à la quasi-pénombre à l'intérieur de la bâtisse. Les ouvertures sont rares et étroites.

« Adaptées aux rigueurs de l'hiver, précise-t-elle, même si la neige est devenue rare. » Mes yeux s'habituent à l'absence de lumière. La décoration est austère mais fonctionnelle. Une large et longue table en bois occupe le centre de la pièce, deux longs bans et trois tabourets la complètent. Une sorte de cheminée centrale dans laquelle trône un surprenant gros cube métallique. Un parquet rustique en lames épaisses et irrégulières, sur les murs de nombreuses étagères sur lesquelles sont entassés une quantité extraordinaire de livres...

« Sauvés de la purge par mon arrière- arrière -grand-père, anticipe-t-elle, tu veux en choisir un ? »

Je lui souris. Évidemment, mais pas un, dix, cent,... de surcroît, tant de questions se bousculent en moi.

« Qui es-tu Sogno ? D'où viens-tu ? Pourquoi moi ?»

Sogno pose un doigt sur mes lèvres. « Chut ! Il y a un temps pour tout, tu verras, bientôt tout te semblera évident, pour le moment choisis ta lecture, je reste à tes côtés. »

Toujours sa main dans la mienne. Sur la gauche, « De la naissance à la mort, règles de vie au pays d'Haeckelie », *sur l'étagère en face,* « La véritable histoire de Stowhlen[1], le premier Traqueur », *un peu plus haut,* « L'origine des Ricains »,

---

1 Stowhlen : contraction de Irving Stowe et Jim Bohlen, fondateurs de Greenpeace en 1970.

derrière, « Le Temps d'Avant »… *Où que se porte mon regard, des titres des plus évocateurs pour moi. Chacun d'eux touchant des mystères qui m'interpellent depuis si longtemps.*

Je caresse la couverture d'un des livres, saisis puis relâche un des objets cultes, pour y revenir prestement de peur qu'il n'ait disparu entre temps… Devant ma gourmande hésitation, Sogno : « Tu auras le temps de tous les lire, calme-toi ! »

Stowhlen est une icône pour moi, le Guide en faisait régulièrement référence lors des formations. Il a baigné mon imaginaire, et dans nos jeux d'enfants, les plus forts d'entre nous s'identifiaient toujours à lui, car il avait rétabli à lui tout seul l'ordre en Haeckelie en prenant les armes contre les vagabonds et brigands qui terrifiaient la population, et mettaient à mal l'Équilibre. Un homme droit, un homme bon, un homme humble, un homme fort, un homme inflexible, un homme respecté et glorifié partout, il est la fierté de tous les membres de l'Haeckelie.

Sur le haut de la couverture, le titre du livre, calligraphie dorée et élégante, réalisée a priori à la plume ; plus bas, le subtil croquis d'un homme, un arc bandé à la main, une flèche prête à être décochée sur une cible mystérieuse… Stowhlen !

Me voilà irrémédiablement entraîné dans sa fabuleuse histoire…

Le livre dresse le portrait d'un homme âpre, rude voire taciturne, souvent imbibé d'amarula[1] frelaté, bien loin de l'image d'Épinal. Ivresse et paresse, ses deux seules compagnes. Il ne pouvait accepter l'amour des autres dans une vie faite de choses simples, du labeur selon le rythme des saisons, beaucoup de palabres amicales et animées, de la culture et de la joie

---

1 liqueur alcoolisée tirée du fruit Marula (on prétend que certains animaux divagueraient totalement alcoolisés après avoir ingurgité de ces fruits trop mûrs ayant commencé à fermenter).

enfantine lorsqu'un étranger arrivait. Stowhlen vivait dans la zone d'habitage Watson (Tiens tiens, comme Tikki). Cette région n'était pas l'anarchie décrite par mon Guide ou chantée dans les comptines des bardes poètes, mais plutôt une zone quiète dans laquelle vivaient des gens accueillants et souriants, les vols et les crimes y étaient fort rares voire rarissimes…

Des vagabonds, officiellement enregistrés « Saltimbanques », se déplaçaient dans tout le pays, mais ce que l'on nous avait toujours présenté comme des brigands, pillant les maigres ressources, sous la menace de leurs chiens d'attaque et d'antiques armes à feu, n'étaient a priori que de pauvres hères qui gagnaient leur pitance du soir en divertissant les habitants.

Dans la mémoire collective, deux individus, profiteurs par excellence, étaient particulièrement craints. Temseppil et Ruovanza[1], prétendument bardes, capitalisaient dans leur propre zone d'habitage, Vaugstaadt[2], tout ce qu'ils volaient par ailleurs. Par contre, dans la version du livre, Temseppil et Ruovanza sont deux Troubadours parmi tant d'autres, peut- être un peu plus minables, mais pas spécifiquement malhonnêtes…

Voilà comment est contée voire chantée « L'épopée de Stowhlen », connue de tous en Haeckelie :

Après une journée monotone, chaude et oppressante, les rafales de vent en cette fin de soirée, furent probablement le signe annonciateur que quelque chose de dramatique aller se passer. Avant le repas du soir, de nombreux habitants profitaient

---

1 Comprenne qui pourra et plus si affinités. Chez moi, il n'y en a pas !

2 Combinaison avec le canton de VAUD et la station de GSTAADT : certains échapperaient au FISC français en ces lieux. (Ce n'était plus d'actualité, puisque la Suisse lui avait prié de quitter le pays. Les US furent plus accueillants.)

d'une fraîcheur toute relative en palabrant, assis sur leurs bancs. Une bourrasque, un peu plus forte que les autres, deux lugubres virevoltants[1] roulent dans l'allée centrale, les yeux sont envahis de poussière, les paupières s'ouvrent petit à petit, une ombre approche. Cela aurait pu être le diable. Il eût été préférable que ce fût le diable...

Tout vêtu de noir, sa cape portée par le vent lui donne l'air de voler, un vieux fusil[2] en bandoulière, les yeux cachés par des lunettes noires... Temseppil, le terrible.

Quelques pas derrière lui, un nabot, un gnome, mais tout aussi nuisible. Le triste sire Ruovanza, il tient deux molosses en laisse.

Plus un bruit... une chape de plomb est tombée sur la cité.

L'hospitalité est la règle en Haeckelie, même lorsqu'elle concerne les vagabonds, les malandrins ou autres dangereux individus, très nombreux en ces temps funestes. Nul garde formé, nul citoyen désigné pour tenter de protéger une population tout juste apte à lever les bâtons pour effrayer les animaux. Le Gardien de l'Équilibre ne passe qu'une fois par mois, uniquement pour constater les dégâts...

Comme il est d'usage, les Saltimbanques paieront gîte et repas en offrant le spectacle du soir. Temseppil a une voix puissante et roque, au timbre très particulier mais ses textes sont pauvres et mal travaillés. Ruovanza à la voix douce ; en elle, comme un brouillard qui semble l'envelopper, il tente de compenser ses

---

1 Boules végétales qui roulent dans le désert, ces petits buissons qui parcourent les routes et les rues sans vie, accompagnant le vent dans un silencieux périple à travers les plaines arides et désolées.
2 Pensées émues pour Philippe Noiret.

lacunes par la poésie des textes[1]. L'assemblée, pourtant inquiète, semble apprécier. L'art est toujours dégusté en ces contrées...

Les deux bardes font comme si rien ne s'était passé lors de leur dernier passage, il y a un an environ... Ils sourient, et semblent même s'amuser. Leurs sourires effraient plus qu'ils ne rassurent. Extinction des feux, les ténèbres envahissent les lieux. C'est encore la pénombre, le soleil tâtonne, juste une vague luminosité. Un cri glaçant, les corps s'enfoncent un peu plus sous leurs couvertures, les plus courageux tentent un œil, puis avancent lentement, remplis par avance d'effroi. Un ancien s'approche, se penche, il secoue Moune, qui évidemment n'a pas eu de chance[2].

Chargé de la tambouille du matin,
Devant la hutte des réserves à grains,
Sa tête fracassée par un parpaing,
Est-ce là l'œuvre d'un vilain Malin !!??

Les réserves ont été pillées ! On crie, on pleure, on vocifère, on accuse, j'accuse[3] !

« Non, le responsable ne peut être la peste mais plutôt l'étranger ! » s'écrie Theplume[4] à l'extrême droite... de la scène ; Camus, comme Cabu, restent coi, mais la masse a déjà fait son choix, cela va barder pour les bardes.

Comme un seul homme, y compris les femmes ; les plus vindicatifs poussant, comme il est de mise dans ces cas-là, les faibles devant, reprenant en cœur les slogans allégoriques, peu

---

1 Là vous ne pouvez avoir compris qui se cache derrière ces sobriquets. Un peu de verlan, un nom de naissance, une ou deux lettres manquantes,
2 Comprenne qui pourra, je ne vais pas tout vous expliquer quand même...
3 Merci Émile.
4 En franglais dans le texte.

pacifiques, simplistes, nationalistes mais tout en rimes : « Les étrangers dehors, les voleurs à mort ! »

Le dortoir de Temseppil et Ruovanza est vide, ils se sont évidemment échappés, leur crime réalisé. La foule est excédée, les rancœurs au zénith, chacun participant à faire monter la pression. Évidemment, Theplume, par sa gouaille, devient leader naturel : « Ce crime ne peut rester impuni ! »

Theplume nomme le plus courageux, le plus valeureux, le plus fort, le meilleur d'entre eux pour faire la chasse aux criminels : Stowhlen.

Après moult péripéties, faisant preuve d'une habilité et une ingéniosité hors norme, il rattrape les criminels dans la nuit. À peine armé d'un bâton, il assomme les dangereux mécréants, les lie et les ramène sur le lieu de leur crime. Le grain est récupéré, les malandrins jugés, Stowhlen, acclamé, bientôt vénéré…

Theplume, profitant de ces événements, nommé chef incontesté et écouté car le peuple a toujours besoin d'être rassuré dans l'adversité. La foule en liesse plébiscite le héros pour devenir celui qui, dorénavant, la protégera et traquera pour elle les criminels. La cité devint alors zone de quiétude et de joie. La quintessence des traqueurs est Stowhlen. Alléluia !

« La véritable histoire de Stowhlen », *dépeint un tout autre scénario.*

Les artistes parcourent de zone en zone pour exercer leur art et émouvoir les âmes. Ils savent qu'ils vivront toujours dans la pauvreté, mais leur richesse est dans leur cœur et l'émotion engendrée. Les artistes se doivent d'être des bienfaiteurs de la communauté, c'est pourquoi on les accueille, on les nourrit et on les applaudit, même lorsque leur numéro n'est pas fameux. On raconte qu'au Temps Jadis, ces derniers se fourvoyaient d'argent, de luxe et de glorification, si contraires à leur vocation et à leur condition… Ils ne sont que simples humains, et non des dieux !

Temseppil et Ruovanza arrivent à Watson dans l'indifférence quasi générale, en provenance de la zone orientale de l'Haeckelie. On leur a aimablement indiqué la case réservée aux gens de passage. Ce soir ils seront sujets de discussion, pour l'instant ce ne sont que deux vagabonds invités.

Leur prestation ne restera pas dans les mémoires mais néanmoins cela a plu. La salle a repris en cœur les : « Viens voir les malandrins, voir les plaisantins, les joyeux lutins, chante mon refrain avec moi… », puis s'est égosillée sur un répétitif : « Que je sème, que je sème, que je sème… »

La seule fausse note est à mettre au crédit d'un homme un peu éméché qui s'est emporté contre Moune, le responsable des réserves, car il n'aurait pas reçu, a priori, une portion équitable : Stowhlen !

Toute la communauté va se coucher, satisfaite, les artistes, de leur côté, le ventre rempli et l'esprit apaisé. Ils ont su leur art faire apprécier.

Au milieu de la matinée, stupeur générale, on retrouve Moune[1], dans la réserve à grains, le crâne fracassé. Les crimes sont rares à Watson. Un brin démunie, désorientée, la communauté se regroupera derrière le plus véhément : Theplume. C'est un homme haineux, toujours en quête de reconnaissance, une jambe malade lui ayant fermé les portes de la vie de Saltimbanque qu'il menait avant d'atterrir à Watson. De son ancienne vocation, il en a gardé la faconde et sa faculté à hypnotiser les foules. Pour Theplume, ce crime ne peut être l'œuvre d'un homme appartenant à la communauté. « Non ! » s'écrient en cœur les suiveurs,

---

1 Dans cette version, personne ne secoue Moune, cela ne lui a pas porté chance malgré tout.

il faut chercher ailleurs. « Oui ! » s'époumonent, bouches ouvertes et yeux exorbités, les nombreux oui-oui. *La haine se nourrit des peurs, facilement introduites dans tout esprit par les bons orateurs.*

Faisant partie des braillards de la première ligne, Stowhlen brandit déjà haut son terrifiant bourdon[1]. La vindicte populaire, à peine un petit peu orientée, a déjà désigné les responsables : les bardes voleurs arrivant d'orient ![2]

Comme un seul homme, y compris les femmes, le petit groupe, déjà ivre de rage et de colère, se dirige vers la case réservée aux indigents, devant les yeux médusés des habitants non informés mais interloqués par tant de violence et de bruits.

Certains suivent le mouvement, d'autres tentent de l'empêcher mollement, mais il est tellement plus facile de hurler avec les loups...

Devant leur porte, les bardes sentent tourner le vent, prennent peur tout en tentant de prendre, aussi, leurs jambes à leur cou. Inévitablement les trois se mélangent. Le tableau ne manquerait pas de saveur si le drame de la situation n'était pas perceptible. Ruovanza, son pantalon mal boutonné, a vite fait de trébucher, Temseppil, se montrant plus brave barde, fait face à la foule une micro-seconde, puis se retourne prestement, prend son élan et... s'empêtre lamentablement sur son malheureux comparse.

Stowhlen, déjà essoufflé, arrive sur scène alors que les malheureux sont déjà encerclés par le groupe vociférant. Sans attendre, son bourdon s'abat sur le dos de Temseppil. Le bruit sourd, la puissance du choc, le cri de douleur, ont pour effet immédiat de rétablir le silence. Ces gens, habituellement pacifiques, ont

---

1 Grand bâton de marche, ferré à sa base et surmonté d'une gourde ou d'un ornement en forme de pomme.
2 Les préjugés ont la vie dure.

du mal à appréhender la violence. Les vagabonds sentant l'hésitation, se relèvent et s'échappent en courant. Sans ce mouvement, il est probable que tout se serait arrêté là, mais leur fuite réveille le goût du sang de la meute. Stowhlen est déjà sur leur piste, Theplume harangue les moins motivés, les cris de fureur à nouveau se lèvent de l'assemblée.

Les bardes sont déjà sortis de l'agglomération et traversent à présent les jardins en terrasse dont Watson est ceinte, les yeux exorbités, le souffle court ; l'adrénaline les a bien aidés pour arriver jusqu'à là… mais l'âge et leur piètre condition physique ne leur permettent pas de poursuivre l'exploit. Dans leur dos, ils entendent le halètement d'un des poursuivants. Ce chien a planté ses crocs dans leurs chevilles, il ne les lâchera plus. Certes, Stowhlen n'est pas des plus sportifs, mais, plus jeune et enragé, il gagne du terrain. Dans le jardin du Saltimbanque, prénommé Heidin[1], entre chiendent et fèves[2], Ruovanza, sans force, se laisse tomber au sol. Il aurait dû y trouver le paradis, c'est l'enfer qui s'abat sur lui, ou plus exactement sur la tête, explosée sans pitié par le lourd bourdon. Mort sur le coup !

Épuisé, sur le mont sans olivier, Temseppil abdique à son tour, il lève les mains, se retourne en pensant que les portes du pénitencier bientôt vont se refermer. N'ayant pas vu le sort réservé à son comparse, il ne peut imaginer ce qu'il va lui arriver… une bête aux yeux rougis par la haine, la bave aux lèvres, se précipite sur lui. Temseppil ne voit pas le coup venir. Un choc brutal, une douloureuse décharge électrique sur l'épaule droite le fait vaciller, un deuxième coup porté violemment sur son plexus par la gourde du bourdon lui coupe le souffle. Il tombe, les

---

1 À prononcer A Ï D I N pour éviter d'être accusé de plagia : vamos à la plagia.
2 Comprenne qui pourra… mais ce n'est ni toi ni moi…

deux genoux au sol, la tête penchée vers l'avant, sa nuque s'offre au coup de grâce qui ne tarde pas à arriver… Jugement sans appel, la sentence aura été immédiate, la foule avait décidé de sa culpabilité. Avant de mourir, Temseppil ne peut s'empêcher de penser : « J'ai un problème. »[1]

Devant ce spectacle funeste, les participants arrivant progressivement sur les lieux du lynchage, sont abasourdis voire anéantis, les critiques commencent à fuser. Theplume est prompt à chanter les louanges du sauveur qui a débarrassé Watson des dangereux criminels…

Les « viva », d'abord chuchotés, prennent rapidement de l'ampleur, de la vigueur, de la puissance, on préfère oublier, et dans le groupe se réconforter. Les hurlements de meute sont sans doute un bon moyen d'exorciser les doutes…

Stowhlen est loué, encensé, félicité. Heidin, le troubadour, a vite fait de chanter la légende du sauveur… Theplume, encore lui, trouve dans les guenilles des bardes, restées dans leur chambrée, une poignée de grains, provenant forcément du larcin à l'issue fatale pour le pôôôôôôôvre *Moune. La justice, si elle ne fut pas divine, a néanmoins été rendue.*

Le soir même, une fête a lieu, Theplume, devenu le naturel maître incontesté, prend le héros sous son aile, et l'installe à sa droite. La cène, euh la scène, ne manque pas de sel. Stowhlen a beaucoup bu, lorsque, tard dans la soirée, le nouveau leader susurre à son oreille : « J'ai bien vu ce que tu as fait à Moune. Rassure-toi, je ne dirai rien, il méritait son sort. Sois mon bras droit, et de nombreux avantages, on se partagera[2]. »

---

1 « J'ai un problème » : composée par Jean Renard, Michel Mallory signe les paroles et assure la direction musicale. Chantée par Sylvie Vartan et Johnny Halliday.
2 Nous n'étions pourtant pas Jedi mais dimanche. Alors là, il faut réfléchir…

Ainsi soit-il...

C'est ainsi que se termine cette prétendue « Véritable histoire de Stowhlen ». Une version inadmissible, sacrilège, obscène.

C'en est trop. Ivre de rage et de colère, je jette le livre malfaisant au fond de la pièce. Regard réprobateur de Sogno, elle reste silencieuse. L'hérésie en papier, tel un oiseau aux ailes brisées, gît tristement au sol. Pourquoi telle explosion ? Mon irritation s'apaise. La Guide m'a pourtant recommandé d'éviter de me laisser transporter par mes émotions. Argument contre argument, voilà l'esprit de la sagesse. Je vais rétablir la vérité et expliquer qui était vraiment Stowhlen.

Penaud, je ramasse la victime de mon ire. Pas de dommage visible, le livre retrouve sa place parmi les siens. Je crains à présent le jugement de ma bien-aimée. Je lève les yeux, prêt à affronter ses reproches...

« Khaur, Khaur, il faut y aller ! » Péniblement je sors des limbes... Face à moi, Akka ! Son sourire semble moquerie, comme s'il avait su détecter mon trouble. Je ne me souviens plus de mon rêve, mais j'en garde une vague honte, une boule sur l'estomac et une colère rentrée. Irrité, je ressens l'envie d'en découdre avec la terre entière, et d'abord, inexplicablement, avec mon ami.

« Tu as fini de me regarder ainsi ? » ne puis-je m'empêcher de lui lancer rageusement. Son regard interrogateur voire attristé, m'aide à reprendre le contrôle.

« Laisse tomber, j'ai mal dormi ! », en guise de seules excuses.

Il n'insiste pas. Décidément, il faudra évoquer à mon retour ces rêves dérangeants qui me laissent des sensations mais aucun souvenir concret au réveil. Inquiétant !

Tikki grignote quelques misérables graines encore comestibles… ou pas !? L'aube n'est encore qu'une vague idée, pourtant les Cousins- animaux deviennent remuants et bruyants dans l'attente des premiers rayons de soleil rassurants, d'ici une heure au mieux. À la seule clarté des étoiles, la Traque reprend.

Plusieurs kilomètres parcourus, une lumière triomphante remplace enfin l'obscurité. Sur un plateau dominant une vaste plaine, un spectacle à couper le souffle nous surprend : durant la nuit, après l'orage de la veille et probablement d'autres précédemment, les graines oubliées depuis de longs mois dans la poussière et le sol asséché, ont instantanément germé. Des milliards de tiges fragiles verdissent l'horizon. Lorsqu'on lui laisse sa liberté, Dame Nature donne libre expression à sa créative exubérance.

Descente rapide, nous galopons tant que la chaleur nous le permet. Mes amis ont à présent du mal à suivre les rares traces d'un prédateur au rythme soutenu plein Sud. Au milieu de cette morne plaine, nous décidons un bon aparté[1]…

« Où va-t-il à présent ? » expire péniblement un Tikki à bout de souffle. Notre respiration est saccadée, l'air devient peu à peu suffocant.

---

1 Comprenne qui pourra. Mais où va-t-il chercher ça ? (Néanmoins grand merci à Victor Hugo).

« Tout droit vers la zone interdite, ânonné-je les informations données par mon neuro-transmetteur, par contre, toujours pas de nouvelle du drone. »

Les *pygmées* semblent totalement hermétiques à mes paroles.

Nous trouvons çà et là des mares résiduelles de vase et d'eau mélangées, nous ne mourrons au moins pas de soif. Badigeonnés de boue de la tête aux pieds afin de nous protéger, autant que faire se peut, du soleil féroce, la course reprend. Mon esprit n'a de cesse de tenter se remémorer mon rêve de la nuit précédente... en vain, comme toujours.

Ayant senti l'orage et compris que cette plaine allait devenir terre d'abondance, de grands troupeaux d'herbivores ont quitté le piémont. Ce n'est néanmoins pas le paradis sur terre, le prédateur court toujours, et les Cousins-lions doivent être sur leur piste aussi...

Une légère empreinte de pied dans la glaise, un caillou déplacé, Tikki et Akka n'hésitent que peu sur la direction à suivre. Nous avalons les kilomètres. Le retard pris sur la bête, même s'il ne se rattrape prétendument jamais, se réduit...

La nuit est soulagement pour nos corps endoloris et en surchauffe, après le marathon du jour.

Mes trois heures de sommeil, non perturbées par la visite de Sogno, sont plutôt réparatrices, pourtant au réveil, les muscles restent durs et sensibles. Triste bilan de nos réserves alimentaires, et ce malgré la récolte de quelques baies, tubercules et racines. Il faut conclure rapidement la Traque, sinon nous risquons d'échouer faute de nourriture. Je n'évoque pas avec mes compagnons mes incertitudes du jour, même si je lis dans leurs visages émaciés par les efforts et le rationnement, le besoin d'être remotivés. Le sourire d'Akka n'est plus que le fantôme de lui-même, il arbore à présent le faciès du clown triste… mais de couleur noire !

La parole réconfortante devient nécessaire… « Nous avons repris beaucoup de terrain hier, le prédateur est bien plus exténué que nous ne le sommes nous-mêmes, il est évident que nous le rattraperons avant la tombée de la nuit ! »

Les yeux de mes amis s'éclairent d'une lueur nouvelle. L'espoir et l'instinct du chasseur redonnent de l'énergie au groupe.

Je n'ai pas fini de ranger mes affaires que les deux Pisteurs, nez au sol, sont déjà repartis. « Prédateur, nous voilà[1], tu es dans le pétrin face à nos esprits résistants, nous allons te débusquer, puis nos voix nasillardes hurleront sur ta tombe, ainsi ta langue, tu l'avaleras! » chantons-nous à tue-tête… L'optimisme est une graine qui pousse et croît dans les esprits positifs ayant juste envie de croire.

Depuis longtemps le crépuscule avait enténébré la scène, nous devinons une forme recroquevillée contre le tronc d'un arbre mort. La lune a fait son nid entre les branches fantomatiques. L'astre sera l'unique témoin de la tragédie… En arrière-plan, se fondant avec le ciel, les flots scintillent de mille feux. Je n'avais jamais vu la mer… Le bruit régulier des vagues qui se cassent sur la plage, et plus encore, celui du ressac aspirant les petits galets qui s'entrechoquent, restent captivants malgré la tension.

---

1 Comprenne qui pourra et admirez la chute ! Allez, je t'aide ce n'est pas facile… Cela commence par l'hymne célèbre d'André Montagard, à la gloire d'un célèbre Maréchal nous ayant par la suite mis dans le pétin euh pétrin… ensuite à toi de mettre des mots sur les allusions tristement étoilées, elles aussi.

Nous avons couru et transpiré toute la journée, plusieurs dizaines de kilomètres parcourus, nous rapprochant dangereusement de la zone interdite dans laquelle le fuyard aurait été à l'abri. Heureusement, il était à bout de force ; le dénouement est imminent. La nuit était tombée d'un coup, comme si elle désirait précipiter les choses. Notre approche a été longue, furtive, silencieuse. Pas à pas, centimètre après centimètre, nous avons pris subrepticement position, encerclant l'être immonde. Plusieurs fois, toujours aux aguets dans son sommeil, il a relevé la tête, humé l'air... il ressent quelque chose, imperceptible pour ceux qui n'ont jamais connu le fait d'être pourchassé. Mais la fatigue est là, ses réflexes et son instinct de survie émoussés par ses courtes nuits et ses longues journées éprouvantes, sans jamais réellement récupérer. Peu après chaque alerte, sa tête a dodeliné, la respiration régulière a repris.

À présent, à quinze mètres de la cible, chacun sûr de son rôle. À mon signal, deux sifflements caractéristiques, deux chocs puissants, des cris vainqueurs, de la joie, du soulagement, on s'enlace, on danse, on chante, comme des enfants exubérants, la bête est terrassée !
Épilogue heureux d'une Traque de plusieurs jours.

Une flèche plantée dans le thorax, l'autre a traversé son cou et s'est fichée profondément dans le tronc de l'arbre. De cette blessure, le sang sort en bouillonnant et de sa bouche dégouline une écume de bave rouge. Ses membres supérieurs battent l'air misérablement, les jambes dessinent nerveusement des volutes dans le sol poussiéreux. En vain, il restera épinglé sur son étaloir. Ces mouvements désordonnés déclenchent en nous   des éclats de rire incontrôlables.

Les yeux encore ouverts, le supplicié regarde tristement la danse macabre qui fête sa mort imminente : « Il ne pensait pas qu'on puisse autant s'amuser autour d'une tombe[1]. »

Trois jeunes adolescents gringalets... Il aurait pu, il aurait dû leur tendre un piège et s'en débarrasser. Ses forces déclinent. Il n'a pas mal, juste un poids au niveau de la poitrine. Il respire difficilement, ses poumons se remplissent rapidement de sang, la vie le quitte inexorablement. Il sait qu'il ne doit pas s'endormir mais ses yeux sont lourds, trop lourds. Il a froid, très froid. Une pensée fugace pour la vallée, sa vallée chérie dans laquelle il vivait ; une interrogation : « Y a-t-il quelque chose après... ? » Las ! Il est mort.

L'euphorie de la victoire est de courte durée. À bout de force, quelques chants, puis, malgré nos estomacs vides, nous sombrons rapidement dans un sommeil profond, agréablement bercés par la mélodie apaisante de la mer, avec juste cette douce sensation du travail accompli et de la justice enfin rendue.

Un corps rampe sur le sable à quelques mètres de notre position. Ce fut d'abord un bruit entremêlé à celui du ressac, mais dès la ligne de galets traversée, mes sens se sont mis en éveil. Je sens mes camarades prêts aussi à bondir. Irrationnellement, j'ai d'abord craint que le prédateur ait réussi l'impensable... Non, il est toujours *punaisé* contre

---

1 Merci Francis. Corrida.

l'arbre. Avait-il un comparse ? Pourtant aucun indice ne pouvait le laisser soupçonner. Malheureusement, les Pisteurs ont abandonné négligemment leurs arcs et leurs carquois aux pieds de la bête. De mon côté, j'étais si fatigué que je n'ai pas pris le temps d'allumer le feu qui aurait éloigné les fauves. Que d'erreurs lors de cette Traque !

Heureusement j'ai toujours mon bâton –électrique, pleine charge.

L'adrénaline à nouveau en nous, je couvre mes amis qui avancent lentement. CA^1 ne rampe plus, mais au son, CA donne l'impression de fouiller le sol…

La lune éclaire vaillamment la plage et nous permet par là même de distinguer une forme arrondie et massive de couleur brune.

Des pelletées de sable sont expulsées du trou que l'animal creuse. Une tortue marine, d'au moins deux cents kilos, réalise son nid.

C'est la première fois que nos jeunes yeux contemplent tel spectacle. Nous en avions entendu parler mais jamais n'aurions pu imaginer telle émotion. Nous allons accompagner un des chaînons de la naissance après avoir donné la mort. L'Équilibre sera rétabli.

Assis en tailleur, silencieux, encourageant mentalement les efforts inouïs de notre Cousine, sur cette plage déserte, nous assistons religieusement à la grand-messe de la vie.

Plus d'une heure pour creuser un trou profond à l'aide de ses nageoires arrière. Elle fait totalement abstraction de notre

---

1 CA se Stephenquise ce bouquin ! (CA, un des nombreux best-sellers de Monsieur King).

présence. Bientôt, elle arrête de creuser, semble se contracter, puis force tout en fermant les yeux… Des dizaines, peut-être des centaines d'œufs blanchâtres tombent au fond de l'excavation en la comblant petit à petit, quasiment sans bruit. Longtemps, très longtemps, et à grand-peine, le processus se renouvelle. Cela semble durer des heures.

L'aurore a d'abord remplacé la nuit, à présent le soleil prend le relais. Une lumière étrangement douce en cette matinée.

La tortue, épuisée, a du mal à recouvrir son nid. Ses yeux larmoient, son bec s'ouvre constamment comme à la recherche d'oxygène. Avec application, elle cache tout monticule pouvant signaler son *forfait*.

Centimètre après centimètre, souffrance après souffrance, Cousine-tortue dirige ses deux quintaux vers la mer protectrice et nourricière. Le soleil est à présent ardent, les efforts déjà réalisés l'ont épuisée. Elle n'est visiblement plus toute jeune.

Nous commençons à croire en sa réussite, plus que trois mètres jusqu'à la liberté. Une bande épaisse de petits cailloux et galets, créée par le ressac, la sépare à présent de la mer. La tortue trace sa voie, tel un bulldozer, elle repousse devant elle de plus en plus de matériaux. Malheureusement, elle n'a plus la force de soulever sa carapace, seule sa tête émerge à présent du gravas. Trop lourde et trop épuisée, elle démissionne d'un coup… Elle sait, et nous savons nous aussi à présent, elle mourra sur cette plage.

Ni Tikki, ni Akka, ni moi-même, n'avons imaginé une seule seconde intervenir dans l'ordre des choses. Crabes, et charognards se délecteront pendant des jours de sa viande.

Nous jetons une poignée de cailloux sur sa dépouille. « Tu étais Équilibre et redeviendras Équilibre », ce fameux ordo vivendi que nous avons oublié de prononcer cette nuit pour notre crucifié...

Dans le ciel, plusieurs oiseaux valsent déjà la chorégraphie de leur futur festin.

Tout en laissant demi-tour, Akka, incorrigible curieux, se dirige vers un bloc qui émerge du sable en limite de plage.

« Khaur, viens voir ! »

Que veut- il encore ? Je lui lance un cinglant : « Pas de blague !

— Non, non, sérieusement, viens tout de suite, c'est bizarre ! »

Comme si on n'avait pas eu notre lot de surprises ces derniers jours... Pourtant sa découverte a de quoi étonner.

La pierre s'enfonce tout droit dans le sable et la terre, elle est étrangement arrondie en son sommet. Inévitablement, trois paires de mains se mettent à creuser. Très rapidement on dégage un bloc gris et rectangulaire, d'environ cinquante centimètres de haut, avec d'étranges inscriptions gravées :

N 9
SIGEAN 0,5
NARBONNE 13

« *Borne routière du Temps d'Avant*, souffle mon neuro-transmetteur qui précise : *cet élément signalétique était placé de façon très régulière en bordure de voie, destiné à identifier le chemin concerné et à y indiquer les distances entre les différentes agglomérations.* » Pas bête comme concept...

Il nous arrive assez fréquemment de trouver quelques signes du *Temps d'Avant*, souvent bien énigmatiques. « *... Sur*

cette côte, la mer a rogné la terre sur plus de dix kilomètres... »
La leçon se poursuit, mais mon intérêt est bien limité.

Le prédateur qui terrifiait la contrée, semble à présent misérablement pathétique. Que de meurtres, que de terreur à son actif et le voilà fiché à un vieil arbre tordu.

« Tu as rompu l'Équilibre, mais avec ta mort tu redeviendras Équilibre », prononcé-je d'une voix monotone et égale, la haine m'a quitté à présent.

Pendant que Tikki et Akka se dirigent vers le prédateur pour récupérer les deux flèches, je me focalise sur une bien étrange structure située à une trentaine de mètres de là.

Posé sur le sol, un plateau de couleur grise, un mètre et demi de large sur environ trois mètres de long, lourdement chargé de matériaux divers : minéraux, conglomérats de roches, poudingues ou brèche, trois grosses caisses fermées, plusieurs jarres et de nombreux autres objets, certains énigmatiques. Une étrange machinerie, associée à une grosse cuve argentée, de laquelle suinte un magma à paillettes tombant goutte à goutte au sol. Une armature rigide crée la charpente du toit, recouvert d'une substance vaguement similaire à celle de mon vêtement-coutou. Pendus, des tubercules, racines ou feuilles comestibles, ainsi que des lanières de viande séchée : sans nul doute, les restes de notre Cousine-gazelle. Avec respect, je détache sa dépouille, la dépose délicatement à terre et la couvre d'une poignée de sable, tout en sanglotant l'ordo vivendi. Fatigue physique et psychologique...

Quelques larmes dessinent des sillons clairs sur mes joues poussiéreuses.

La curiosité reprend ses droits. Chaque chose m'effraie, chaque chose m'attire… Mes yeux d'adolescent n'ont jamais été confrontés à de tels objets, tellement anachroniques sur cette plage, dans cette contrée, dans mon monde. Lors de la visite au musée du Sanctuaire, quelques outils du Temps d'Avant, qu'ils soient mécaniques, chimiques, électriques, bioniques, nanotechnologiques ou électroniques, nous avaient été présentés, « *Ils sont là pour protéger l'Équilibre mais ne peuvent en aucun cas quitter cette enceinte,* nous avait-on confié, *seuls les neuro-transmetteurs, les vêtements -coutou et les bâtons électriques ont vocation à l'être, à titre exceptionnel, pour aider au maintien de l'Équilibre.* » Pourtant rien de comparable à cette accumulation hétéroclite.

À peine l'objet saisi, le neuro-transmetteur me glisse : « *fusil Baïkal E230* »… c'est la première fois que je tiens en mains une arme à feu du Temps d'Avant. C'est lourd, peu pratique mais donne un étonnant sentiment de puissance. Une caissette en bois remplie de « *munitions 5,56 Otan* », une autre sur laquelle figure les indications « *45-70 à tête chercheuse* ». À peine caressé, le « *pistolet laser* » devient prolongement de mon cerveau. Tel mon drone Hélios, il entre en communion avec mes propres sens. Je le glisse tout naturellement entre mes doigts, je lève le canon et tire. Un flash lumineux, la vieille souche visée n'est plus qu'un tas de charbon. Terrifiant… mais excessivement grisant ! Je laisse tomber cet objet du diable.

Le neuro-transmetteur poursuit sa longue litanie :
« *Un couteau à dépecer*… dépecer ?
Une plancha à cuisson
Des jarres, contenance 10 litres d'eau
Un anti- récepteur H20 ».

Je place mentalement un nouvel objet nommé « *brouilleur d'ondes* » en position « *off* » et immédiatement Hélios éclaire mon esprit de milliers d'informations. Cet appareil était responsable de la cécité de mon drone. Probablement mis en panne un court instant par l'orage, d'où le retour de liaison pendant la fameuse nuit... Tout devient logique, même si les implications sont incommensurables voire cauchemardesques.

Néanmoins, toujours émoustillé, je poursuis mes investigations.

Un objet étrange. Deux cercles noirs épais soudés l'un à l'autre, quelques millimètres d'épaisseur : « *jumelles à vision nocturne* », précise le neuro-transmetteur. Je colle l'objet à mes yeux, et tout semble se rapprocher. Je tends les deux mains avec le sentiment de pouvoir toucher mes amis. Les lunettes, comme par magie, adhèrent toujours à mes orbites. Nouveau contact sur le cerclage, l'objet se décolle sans difficulté. Passons vite aux autres merveilles...

« *Le stylo –sondeur de minéraux* » est un nouveau prodige. En dirigeant la pointe vers le sol, mon esprit reçoit instantanément : « *composition, 98 % de silice, oxyde d'aluminium, oxyde de calcium, oxyde de fer, oxyde de magnésium, oxyde de sodium, oxyde de potassium, dioxyde de carbone, eau... »*

L'excitation est à son comble... C'est Noël avant l'heure, même si je n'ai qu'une vague connaissance de ce nom si peu usité... qu'est-ce que Noël ?

Les roches et conglomérats multicolores entreposés en vrac sur le plateau deviennent : « *tantalite, dioxyde de silicium, silice, silicates, oxyde d'aluminium, uranium, lithium, oxyde de fer, dioxyde de carbone, or, nickel, bauxite, plomb, borax, néodyme, Europium, platine, terbium, dihydrogène... »*

J'ouvre une des caisses en bois. À l'intérieur une masse informe grisâtre et pourtant luisante, ressemblant à des millions de toiles d'araignée que l'on aurait tissées ensemble, compressées, puis enroulées. Le stylo-sondeur analyse la matière en fils et fibres, constitués de « *nano -éléments de gallium, MCP phénol, acide formique, oxyde d'indium, hafnium, polymère et lithium…* » que le neuro-transmetteur résume en : « *baotou* [1] ».

Mais à quoi peut donc servir cette matière insolite ? Et comment ce lourd chargement est-il arrivé à proximité de cette plage ? Mille interrogations, la perplexité est de mise.

Mes compagnons d'aventure me supplient expressément de les rejoindre. Cela a l'air si important… mais la curiosité est la plus forte, MA découverte passe avant toute chose. Je poursuis donc mes investigations.

La pointe du sondeur dirigée vers la cuve à l'écoulement pailleté… « *Danger, ne pas manipuler, rayonnement gamma* », résonne expressément dans mon cerveau. La liste des éléments présents met en avant *une concentration d'uranium, de bore, d'hafnium, d'europium, de terbium et de nickel.* « Réacteur nucléaire à fission limitée », souffle mon neuro-transmetteur. Totalement vide de sens pour moi.

L'armature du plateau serait en *titane*. Le sondeur perd de son intérêt, je n'ai pas les clés de sa compréhension.

Mes neurones ressentent une *présence*…

Je prends *naturellement* le contrôle du plateau qui devient *vivant*. Le *ON* déclenche le phénomène le plus étonnant de ma courte existence. Un son étrange, comme un chuintement,

---

1 La ville de Baotou, en Mongolie- Intérieure, est le plus grand site chinois de production de terre rare. Pollution extrême.

associé à une légère vibration et la lourde charge se met en *lévitation* devant mes yeux émerveillés et stupéfaits.

« *Un Kciwnef[1] à champ de force gravitationnelle* », glisse mon neuro-transmetteur, sans expliciter.

Tout ceci me semble magie ; bien meilleure du reste que tous les tours réalisés par les Saltimbanques d'Haeckelie. Ces derniers m'ont pourtant souvent bluffé dans le passé. Incompréhensible ! Impossible de passer mon pied sous la plate-forme, qui flotte pourtant à présent à une dizaine de centimètres du sol. Avec crainte, je tente d'y glisser la main… une sensation de fraîcheur, mes poils se hérissent, mais le résultat est identique, rapidement une force invisible s'oppose à toute progression. Effarant !

Comment cette masse peut-elle ainsi voler ? À ma guise je la fais avancer, reculer ou pivoter, la machine obéit immédiatement à mes moindres sollicitations, et bientôt m'ouvre sa mémoire et… tout devient plus clair.

Je me retourne et appelle mes amis. L'air surexcité, ils me rejoignent en courant. « Khaur, viens voir ! » souffle Tikki.

Je n'ai pas l'intention de quitter *MON* invention.

« Regardez plutôt ça ! »

Les pygmées, déjà hébétés par leur propre angoisse, sont émerveillés par l'objet magique… Ils m'écoutent et regardent sans broncher, les yeux exorbités.

« Vous voyez, les fameuses *larmes de lune* provenaient d'un dysfonctionnement de cet engin. L'énergie doit être fournie par le toit avec cette matière ressemblant un peu à du coutou mais aussi par ces machineries nommées, *réacteur nucléaire* et

---

1 Du verlan, en fait une simple inversion de lettres, les premiers seront les derniers...

champ de force gravitationnel. L'obligation de fournir certains éléments qui fuitaient par ce joint défectueux, a nécessité la recherche de roches, métaux et minéraux présents dans divers secteurs de la contrée. D'où le parcours erratique. Là, ce sont des réserves pour faire fonctionner le système, dis-je en désignant les différents tas de matériaux, par contre, je n'ai reçu aucune explication à l'utilité de cette poudre grise nommée *baotou,* contenue dans ces lourdes caisses. »

Les yeux ronds, Tikki et Akka, me regardent diriger l'engin. Puis leurs « ohhhhh » de surprise au moment où je colle littéralement les lunettes sur leurs yeux subjugués ou lorsque je fais exploser d'un coup de laser une grosse pierre, me remplissent de fierté... Faible est l'homme face à la vanité !

Tikki examine minutieusement le chargement tandis qu'Akka, plus primaire, à l'aide d'un petit bout de silex, grave une croix dans le métal particulièrement souple et léger qui constitue le plateau... Pourtant rapidement, leur propre découverte reprend la main.

« Il faut que tu voies ça, Khaur ! » lâche Akka en me tirant par la manche, enfin ce qu'il en reste depuis l'épisode *Gilgamesh.*

Après avoir été le centre de l'univers, j'accepte de faire quelques concessions... tout en me demandant ce qui pourrait être aussi important que MA découverte.

Le prédateur, nu sur le sol. *Il perdait ses cheveux secs, cassants et parsemés de gris. Une barbe hirsute, également poivre et sel, couvrait son visage ridé. Certaines dents manquaient, d'autres étaient fendues ou cassées*[1]. Des yeux gris, un nez aquilin, il est visiblement bien plus grand que moi, et il est vieux... au moins quarante ans !

La peau blafarde de son corps détonne avec son visage tanné par le soleil. Sur sa tempe droite, une bosse caractéristique...

« Tu vois Khaur ? » susurre Akka, le sourire figé. Et je vois... et je comprends... et je ressens leur trouble voire leur effroi.

L'épaule gauche dénudée est lisse, aucune marque, aucun tatouage, aucune boursouflure, aucun « *E* » d'appartenance à l'Équilibre...

Un frisson glacial malgré la température caniculaire : un *Ricain !*[2]

Depuis le début, nous pensions poursuivre un *Défroqué*[3] qui s'était détourné de la voie de l'Équilibre, mais il s'agissait en fait d'un *Ricain*, évoqué dans certains livres ou lors des formations, mais dont je pensais qu'il ne s'agissait que d'un mythe. Les dessins et esquisses le représente plus poilu, avec des bras très longs et de petites jambes arquées. Pourtant il est exactement proportionné comme nous, il nous ressemble étrangement... il s'agit bien là d'un impie, d'un monstre, d'un renégat. L'absence du « *E* » et son comportement barbare tout le long de son chemin criminel, l'attestent. Un *Ricain*...

Pour la première fois de ma vie, je me sens seul, la présence de mes amis n'y change rien. Ils ne semblent d'ailleurs pas avoir pris conscience de l'implication de cette rencontre.

---

1 Merci Saul (Extrait du livre Karoo).

2 Voilà, on va penser que je fais de l'anti- américanisme primaire... Mais non, puisque l'Amérique n'existe plus.

3 Ben, vous ai-je dit une seule fois que nous ne poursuivions pas un humain ?

Totalement déstabilisé, le monde que je pensais connaître venait de s'écrouler…

« Tu en avais déjà vu ? » interroge Tikki.

Je ne peux m'empêcher de ressentir un léger trouble. Aux portes de la révélation, ma réflexion ne peut forcer le verrou du souvenir de mes rêves.

« Non jamais ! Les *Ricains* sont censés vivre très loin d'ici, sur un autre continent. Je doutais même de leur existence, ne puis-je m'empêcher d'ajouter.

Khaur, s'il est Ricain, il ne fait pas partie de l'Équilibre ? » demande un Akka devenu doucereux, et dont le sourire vire à l'inquiétant.

« Il n'est en effet pas Équilibre ! Il est même l'anti-Équilibre, le côté obscur de la force de la vie et de la nature », récitant textuellement ma formation sur le sujet.

Tikki a compris où voulait en venir son frère d'armes…

J'ai découpé la peau au niveau de l'épaule gauche pour faire foi à nos révélations, le Vérificateur de l'Équilibre n'est pas homme à se laisser convaincre facilement. Séchée sur une pierre, le trophée s'est nettement rabougri, mais badigeonnée avec du sel trouvé sur le plateau *magique*, la peau devrait se conserver jusqu'à notre retour à Alternatiba.

Affamé, j'ai dévoré à l'envi tubercules, racines, graines et feuilles, trouvées en abondance sur le transporteur. De leur côté, en fumé appétissant, les filets de viande, cuits à la plancha, ont fait saliver Tikki et Akka qui se sont régalés…

Hormis les termites et fourmis, les protéines animales sont rares en Haeckelie. Et le *Ricain* n'était pas Équilibre...

II) SUR LE CHEMIN DU SANCTUAIRE

Bien approvisionnés, le retour est facilité. De temps en temps, le *plateau volant exige* qu'on l'*alimente* en certaines roches ou minéraux, tout en nous indiquant les secteurs dans lesquels les trouver. Les détours sont relativement nombreux. Tous les sites aux noms étranges sont répertoriés dans sa mémoire. *Pezènes-Les-Mines, Pioch-Farrus, Lodève, Saint-Laurent Le Minier, Alès, Privas.*

Autant d'arrêts jalonnant notre parcours, autant de collectes de matériaux, croqués puis digérés par le broyeur sélectif de la machine dont le joint défectueux pleure toujours ses larmes de lune. Parviendra-t-il jusqu'à Alternatiba ?

Pas une seconde mon esprit ne peut trouver le repos. Même Sogno n'arrive à se frayer une petite place parmi toutes mes questions obsédantes. Ma vie n'a-t-elle été bâtie que sur des mensonges ? Le fameux *Qui suis-je, où vais-je ?* prend tout son sens…

Mes amis ne comprennent pas mes nuits cauchemardesques. La mission a été une réussite, ils retournent chez eux, on les fêtera. Ils seront alors le centre d'intérêt de nombreuses soirées pendant lesquelles ils mimeront la victoire éclatante sur le mal. Ils ont l'estomac bien rempli. Pourquoi alors tous ces questionnements ?

Heureux soient les simples d'esprit… ou du moins ceux qui ne cherchent pas plus loin que ce qu'ils détiennent ou comprennent.

Je m'isole de plus en plus, ayant beaucoup de mal à participer aux chants vainqueurs des Mbutis qui raisonnent à la nuit tombée. D'ailleurs, mon pipeau, emporté pendant la terrible nuit, doit flotter quelque part, loin, très loin, dans l'immensité de la mer.

« À moins qu'une Cousine-tortue n'essaie d'en jouer ? » Pensée stupide, certes, mais cette image absurde me détend un petit peu.

La remontée, direction Nord-Est, amène progressivement une fraîcheur toute relative. Petit à petit, le paysage se teinte de vert, les arbres épars deviennent bois puis forêt.

Plus que le Rodanusia à franchir et nous serons chez nous. Fatigués, la traversée du fleuve à la nage ne sera pas une sinécure, surtout que les orages ont grossi les flots. L'eau fait du bien par sa fraîcheur mais le courant, relativement fort, commence à nous faire dériver dangereusement. Vite épuisé, Tikki boit la tasse, par pur réflexe, s'agrippe au kciwnef qui, avec grâce, et dans un quasi-silence, plane à nos côtés, à quelques centimètres au-dessus du serpent liquide. Pourquoi n'y avais-je pas pensé avant ?

Bientôt trois freluquets, remorqués et grisés par une technologie du Temps Passé.

Akka, joueur, accroche son arc à une patte métallique, puis se fait traîner à cinquante centimètres derrière l'attelage. D'abord sur le ventre, puis sur le dos, un moment sur les genoux, bientôt quasiment sur les pieds. Voilà un jeu qui pourrait devenir populaire dans les prochaines décennies[1].

---

1 Quel visionnaire ce Khaur !

Tout en bonheur, l'insouciance et l'âme d'enfant sont à nouveau au rendez-vous. Tout à une fin, le fleuve est vite franchi, trop vite finalement...

Maintenant, à l'approche d'Alternatiba, j'ai hâte de partager mon fardeau avec Jomuir, la Guide. Besoin d'être rassuré et éclairé par cette femme, sage et pleine de bon sens. Toutefois, les règles imposent de contacter le Vérificateur de l'Équilibre, le terrible Inquisitio, seul habilité à gérer ce genre de crise. Aussi, à deux kilomètres de notre destination - le neuro-transmetteur ayant une portée limitée -, je lance mon appel télépathique. Comme chaque fois, la puissance et la clarté de l'échange neuronal avec Inquisitio me surprennent : il est quasiment avec moi, et en moi. Je me demande parfois avec crainte s'il n'utilise pas cette liaison pour sonder mes pensées les plus profondes…

Rapport, succinct mais a priori clair.

« Restez ou vous êtes, je vous rejoins ! » L'ordre est sans appel. Il poursuit : « Je prends le contrôle de ton drone pour me guider, déconnecte-toi de lui ! »

Décidément, Hélios aura navigué d'esprit à esprit dans cette mission.

« On campe ici ! »

Je lis dans les yeux des Pisteurs le désappointement. Ils se voyaient déjà en haut de l'affiche, fiers vainqueurs sous les hourras des habitants de la zone d'habitage. Néanmoins, aucune contestation…

L'attente est longue, pesante. Au bout d'un moment je lâche : « Inquisitio arrive !

— Pourquoi l'as-tu contacté ? » s'inquiète Tikki, qui garde un bien mauvais souvenir de sa dernière confrontation avec un Vérificateur. Akka, lui, sourit. Totalement dépassé, il se réfugie dans ce qu'il connaît le mieux, la niaiserie. Réelle ou simulée, je ne le sais, mais dans ce registre, personne ne viendra l'embêter.

« Le *Ricain*, le *kciwnef* et toutes ces machineries bizarres… Tout ceci nous dépasse. Je devais faire appel au seul capable de gérer. »

Le soleil est sous la couette lorsque le frôlement d'un pas léger nous interpelle.

Malgré le feu vaillant, allumé un peu plus tôt, la température baisse immédiatement de plusieurs degrés, l'atmosphère se fige, un fantôme aux yeux perçants plane à présent sur notre campement de fortune : Inquisitio !

Télépathiquement, nous faisons à nouveau le point. Le récit évoquant la Traque élude fatalement certaines incartades. Ce sera plus compliqué lors des prochains débriefings, mais pour l'instant, seule la conclusion importe.

Aucune réaction, un simple regard en biais vers mes compagnons lorsque j'évoque leur repas si particulier. Les deux se font tout petits, devenant quasiment invisibles… Dans les faits, face à la portée de cette affaire, ils le sont réellement.

Le Vérificateur ne dit rien, il s'approche du *plateau magique*. Bizarrement, il se désintéresse totalement de toutes les extraordinaires *machineries* et il ouvre sans attendre une des caisses. Tout en caressant entre deux doigts le *baotou*, sur son visage habituellement fermé et impassible, apparaît une expression, énigmatique certes, mais une expression quand même…

Regard droit dans les yeux, une voix sourde et menaçante : « Nous rentrons ensemble demain matin. Au préalable, nous irons cacher cet engin à la Pierre d'Achoppement. Nul ne doit connaître ce secret. Je répète, rigoureusement personne ne doit connaître l'existence du kciwnef ou du *Ricain*. Si elle devait être révélée, l'Équilibre vous en tiendrait tous les trois collectivement responsables, la Pitance serait votre châtiment. »

Soulagé d'avoir délégué cette responsabilité, mais ô combien inquiet d'être détenteur d'un secret qui pourrait s'avérer létal. Mortelle randonnée...[1] Tikki, l'air songeur et sombre, Akka, sourire candide - probablement intérieurement secoué - et moi-même, sommes une fois de plus liés jusqu'à la mort. De chacun dépendra le sort des autres. Malgré toutes les aventures vécues avec mes amis, je ne peux m'empêcher de m'interroger sur leur capacité à tenir leur langue, particulièrement Akka. J'ai un peu honte d'avoir telles pensées si peu fraternelles, surtout, j'en suis intimement convaincu, eux- même ne sont absolument pas assaillis par le moindre doute me concernant. Ensemble nous avons vaincu la mort, y songer, me rassérène un peu.

Alors que je m'assoupis, Sogno tente de sonder mon esprit. La porte restera fermée cette nuit encore.

Nous avons assuré à trois les tours de garde. De son côté, Inquisitio, assis auprès du feu, comme hypnotisé par la danse des flammes, n'a pas dormi.

Repas du matin, préparation du départ, puis marche, le tout dans un silence oppressant...

---

1 Où sont Michel et Isabelle ?

Nous nous déplaçons loin des chemins habituels, nulle âme en vue. Près de la Pierre d'Achoppement[1], à notre arrivée, une harde de cheval[2] , avec moult hennissements énervés, dans un galop endiablé, s'est éloignée… Nous étions facteur[3] de risque et l'avons dérangée.

« À présent, rentrez à Alternatiba en vainqueurs, montrez liesse et bonheur, fêtez votre retour de Traque. Oubliez ce lieu, oubliez cette machine, oubliez ma venue, et, nous regardant droit dans les yeux, vous connaissez le châtiment si l'existence du kciwnef et du *Ricain* était divulguée… »
Un vent sibérien souffle sur nos corps et nos âmes.

Un homme dans la confidence peut en tirer de la fierté, ou en être perturbé. De fait, il a du mal à se comporter normalement, ayant l'impression qu'en lui tout sonne faux. Dès l'arrivée au niveau des jardins qui entourent la zone d'habitage, premières félicitations, et au fur et à mesure de notre approche, la foule se fait plus présente, pressante et bruyante. Tant d'acclamations, tant de fierté, tant de gloire. Si nos mains se levaient à peine au début pour remercier, si nos voix étaient timides et empruntées, si notre marche était malaisée, nos doutes et perturbations s'envolent bien vite, emportés par les louanges et la ferveur.
Jomuir, au milieu de la foule, me sourit et hoche la tête en signe d'assentiment. Je la sens fière de moi, comme je me sens fier de moi aussi. Nos corps se redressent, nos pas

---

1 Naïf, vous avez dit naïf ?? .
2 Naïf, vous avez dit naïf ?? .
3 Naïf, vous avez dit naïf ?? .

s'anoblissent, tête haute, cerveau grisé, yeux pétillants…. L'euphorie est un virus à fort pouvoir contaminant.

Alternatiba nous voilà !

Après un discours émouvant de Jomuir, véritable hymne à notre courage et à notre force, mais aussi, louanges mielleuses en la voie préconisée par l'Équilibre, la fête peut réellement commencer. Seul Inquisitio manque à l'appel. Il n'a jamais apprécié telles soirées. Jusqu'à tard dans la nuit, tous les Alternatibiens participent aux épisodes de la Traque en s'appropriant notre épopée dans ces lointaines *Terres abandonnées*. Bientôt, ils souffrent de la soif et de la faim, domptent les lions, échappent à un tsunami, trouvent les indices, et finalement tuent le *Défroqué*. Chacun veut toucher les cicatrices laissées sur le corps de Akka par au moins cinq Cousines-fauves. Chacun veut à nouveau imaginer l'immensité de la vague d'eau d'au moins cinquante mètres de haut. Chacun veut que l'on dépeigne encore la mer et ses vagues qui s'écrasent avec fracas sur la plage. Chacun veut tout savoir sur la tortue d'une tonne, sans oublier les flèches tirées à plus de cinquante mètres filant au cœur de la cible… Racontée et racontée encore, notre histoire devient toujours plus belle, toujours plus magique. Nous avions rempli notre mission en commettant quelques erreurs, nous sommes devenus, au fur et à mesure de la soirée, héros puis super-héros et finalement divinités. Voilà comment se créent croyances, mythes et légendes sur notre belle Terre…

De temps en temps, au milieu d'un éclat de voix, sueurs froides, je crains d'entendre un des mots interdits. Heureusement le « *Ricain* » n'est en fait que, « *ricaner* », et mon « *plateau magique* », juste « un *pas énergique* »… Cela plombe mon ambiance, même si mes amis semblent aux anges et bien loin de mes viles préoccupations. Pourquoi n'arrivé-je pas à leur faire entièrement confiance ? J'aimerais aussi pouvoir me confier à Jomuir et évoquer avec elle mes doutes… Du fait de cette impossibilité, a contrario, sa présence à mes côtés me pèse.

Avec soulagement pour moi, et regrets pour d'autres, la soirée prend fin. Tout le monde se lèvera avec le soleil demain matin, peu après sept heures… il est déjà près de trois heures.

Épuisé, la tête à peine posée sur la paillasse, Sogno s'impose à moi.

« *Le bruit d'une cascade au loin, le léger chuintement d'un ruisseau à nos pieds, une herbe verte et grasse, il fait doux, tu es à mes côtés. Main dans la main, nos doigts jouent la partition du bonheur. Tant de mots, tant de chaleur et tant d'amour exprimés par le biais de légères contractions de nos phalanges et nos caresses insistantes.*

À nouveau, je te retrouve dans cette clairière ensoleillée, cernée de bois et de forêts. Ici tout n'est qu'ordre et beauté, calme et volupté… Je suis heureux de te revoir.

Mais dans ce chalet, la terrible révélation me revient en mémoire. Sogno sourit et de son côté, semble avoir oublié ma, peut- être, excessive réaction. Je n'ai pas tout à fait digéré mais je tente de faire amende honorable :

« Crois-tu réellement que Stowhlen était cet être vil et abject décrit dans cette revue ou, au contraire, l'exemple à suivre pour

tous les Traqueurs d'Haeckelie, comme on me l'a toujours enseigné ? »

De sa douce voix, une réponse énigmatique : « Tout n'est jamais totalement noir, tout n'est jamais totalement blanc. À ta disposition, une palette de couleurs, tu dois apprendre à peindre le tableau de ta vie avec tes nuances propres...

As-tu envie de lire autre chose ? » ajoute-t-elle.

C'est parce qu'il ne se compose que de quelques feuillets que je fais ce choix :

Le distingué porte –parole Lofel [1] rappelle les faits :

Il y a trois mois, le gouvernement s'est réuni en toute urgence, suite à un rapport alarmant de l'OMTE (Organisation Mondiale des Territoires de l'Équilibre) évoquant la gestion désastreuse de l'Haeckelie. Certains honorables membres de l'OMTE nous font l'honneur d'être parmi nous aujourd'hui.

Petit rappel du rapport initial de l'OMTE :

Chapitre 1 : régulation du nombre d'habitants en Haeckelie

Le constat :

Échec du contrôle des naissances. Malgré les contraintes et sanctions établies depuis 10 ans, la population continue à croître. L'objectif du traité de non -prolifération de l'espèce humaine, signé par les représentants de d'Haeckelie, sera loin d'être atteint.

Augmentation de la population en 10 ans : + 50 000

Objectif initial fixé à : - 100 000

---

1 Pas Foll la bête (verlan)

Les raisons de l'échec :

Mesures pratiquées dans les autres pays de l'OMTE non mises en place

Sanctions insuffisamment dissuasives

Sanctions prévues peu ou pas appliquées

Mauvais suivi des résultats

Encadrement peu ou pas formé

Enjeux insuffisamment compris par la population

Préconisations et recommandations de l'OMTE afin d'atteindre les objectifs :

Renforcer les sanctions

Changer ou former l'encadrement

Former la population

Refonte totale de l'organisation sociale

Le rapport stipule laisser 3 ans aux membres du Gouvernement du Sanctuaire pour atteindre les objectifs soit :

-150 000 Haeckeliens pour revenir aux objectifs intermédiaires prévus et -50 000 supplémentaires pour se conformer à la réduction régulière des autres membres de l'OMTE

Rappel : l'Haeckelie s'était engagé à détenir au maximum 30 000 000 âmes en 10 ans.

Chapitre 2 : L'ÉQUILIBRE en Haeckelie

Le constat : les règles liées à l'Équilibre ne sont pas suffisamment connues de la population, donc non respectées voire parfois totalement transgressées. De nombreuses technologies du « Temps d'Avant » sont encore utilisées pour d'autres objectifs que le respect de l'Équilibre (kciwnef, bâtons électriques, textile et revêtement en coutou, une arme à feu a même été découverte.) De nombreuses constructions datant du Temps d'Avant sur lesquelles la nature n'a pas repris totalement ses droits. Des zones d'habitage qui s'étendent sur les Terres Abandonnées. Des crimes graves contre l'Équilibre régulièrement constatés.

Les raisons de l'échec :
Formation insuffisante de la population
Peu ou pas d'encadrement dans les zones d'habitage
Peu ou pas de sanctions
Chaîne de transmission d'informations entre le gouvernement et les zones d'habitage inexistante
Le Sanctuaire non exemplaire

Préconisations et recommandations de l'OMTE :
Formation obligatoire dès le plus jeune âge aux règles de l'Équilibre
Des vérificateurs de l'Équilibre nommés dans chaque zone d'habitage
Des sanctions lourdes pour chaque non-respect des règles
Des liens proches et réguliers entre le gouvernement et les zones d'habitage
Une remise en cause totale des pratiques au Sanctuaire

Chapitre 3 : Manquements du Gouvernement d'Haeckelie

Le constat :

De nombreux manquements et failles ont été constatés dans l'organisation du Gouvernement, en plus des lacunes évoquées précédemment. Les maîtres du Sanctuaire vivent dans l'opulence et le faste. De nombreuses règles de l'Équilibre sont éludées même si les essentielles semblent respectées.

De plus, les Territoires voisins se plaignent d'un manque de collaboration dans la poursuite des criminels dès lors qu'ils émigrent sur les terres hackeliennes.

Plus grave encore, certaines technologies ou matériaux du Temps d'Avant disparaissent des réserves du Sanctuaire.

Les raisons de l'échec :
Manque de rigueur des contrôleurs
Laisser-aller généralisé
Manque de foi en l'Équilibre
Peu de crainte des sanctions

Préconisations et recommandations de l'OMTE :
Gouvernement démis dans son intégralité
Sanctions contre les membres du gouvernement pouvant aller jusqu'à la condamnation à mort

Le porte- parole Lofel poursuit la lecture du rapport. Étonnamment, je n'ai pas l'impression de lire, mais plutôt d'entendre et de ressentir chaque mot, chaque phrase, chaque intonation du discours, comme s'il s'imprimait en moi.

… En conclusion, pour éviter une désorganisation totale, l'OMTE laisse trois mois au Gouvernement pour faire ses contre-propositions.

La réorganisation proposée devra être à la hauteur des enjeux, et donc validée par l'OMTE, sachant que l'échec d'un seul des objectifs ne saurait être toléré et entraînerait la destitution des dirigeants d'Haeckelie qui seraient alors reversés dans les zones d'habitage. Quant aux plus compromis, ils seraient éliminés.

Concernant la poursuite des crimes contre l'Équilibre, les membres du Gouvernement seront considérés comme complices, avec des sanctions adéquates.

Un silence lourd s'installe dans l'assemblée...

Tous les yeux sont braqués sur Lofel. Comme dans un jeu de rôles, forçant le trait, il saisit cérémonieusement une nouvelle feuille, racle sa gorge, puis regarde droit dans les yeux les inquiétants visiteurs. Il connaît la puissance des mots qu'il va prononcer, il n'a pas peur, il savoure, il jouit même de cet instant, certes fugace, mais néanmoins magique. Alors, avec force et conviction, il se lance vers ce qui sera, il en est convaincu, son triomphe :

Très chers représentants de l'Organisation Mondiale des Territoires de l'Équilibre.

Nous, membres du Gouvernement d'Haeckelie, avons pris note de votre analyse, du constat de notre échec et de nos défaillances collectives. Aussi, après de nombreuses réunions de travail, d'études comparatives, de propositions débattues et analysées, nous, membres du Gouvernement, désirant expressément prouver notre attachement à l'Équilibre et notre dévotion à l'OMTE, avons voté à l'unanimité des mesures, fortes, efficaces et draconiennes, avec des objectifs allant au-delà de ceux préconisés par votre rapport préliminaire.

Concernant la régulation de la population d'Haeckelie, dite lois RPH :

Article 1 : la procréation non programmée est à présent bannie.

Article 2 : dès la naissance du premier enfant, la stérilisation des génitrices sera la règle.

Article 3 : en cas de naissance en dehors des clauses de l'article 1, le nouveau-né, ne sera pas considéré comme un membre de l'Équilibre, et donc immédiatement euthanasié. La génitrice sera considérée comme Défroquée de l'Équilibre et sanctionnée très lourdement. Il en sera de même pour le géniteur.

Article 4 : pour le suivi et la possibilité de vérification ultérieure, sur l'épaule gauche de tout enfant né selon l'article 1 et conforme à la normalité, sera apposé de manière indélébile le signe distinctif « E » pour Équilibre.

Article 5 : mise en place de procédures de contraception. Les eaux de consommation des zones d'habitage seront donc traitées aux extraits de justicia gendarussa et aux gousses de gombo[1].

Article 6 : les nouveaux- nés jugés non-conformes aux critères dits de la normalité (possédant un handicap), donc de fait, incapables d'être utiles à la société, sont jugés non membres de l'Équilibre et immédiatement euthanasiés.

Article 7 : toute personne devenue infirme ou trop âgée pour être utile à l'Équilibre sera bannie des zones d'habitage. Il sera formellement interdit à quiconque de la nourrir, de la soigner, de l'entretenir ou de lui apporter la moindre aide, sous peine de lourdes sanctions.

---

1 La gousse d'une plante proche du gombo sert de préservatif féminin en Guyane et la « gendarusse », plante d'origine indonésienne aurait un pouvoir contraceptif chez l'homme.

Article 8 : le gouvernement décidera du nombre d'Haeckeliens par zone d'habitage, ainsi que de la création ou la suppression de zones d'habitage.

« *Nous avions annoncé des mesures fortes, elles le sont effectivement* », *ajoute Lofe qui se pâme, glousse, s'enorgueillit, tout en regardant, tête haute, l'effet sur son auditoire, a priori conquis…*

Concernant le respect des règles de l'Équilibre dite lois RRE :
Article 1 : l'apprentissage des règles de l'Équilibre feront partie intégrante de l'éducation, tout le long de la vie de chaque Haeckelien.
Article 2 : dans chaque zone d'habitage sera nommé un Guide pour prodiguer cette éducation.
Article 3 : dans chaque zone d'habitage sera nommé un Vérificateur des règles de l'Équilibre pour le suivi de la bonne application des différents articles de la loi. Il aura pouvoir de justice.
Article 4 : sera promulguée une série de sanctions, proportionnelles aux fautes commises.
Article 5 : seront formés des Gardes pour aider le Vérificateur à faire respecter les règles.
Article 6 : une équipe sera constituée dans chaque zone d'habitage pour poursuivre les individus ayant transgressé les règles de l'Équilibre.
Article 7 : un recueil dans lequel sera transcrit l'ensemble des règles de l'Équilibre sera fourni à chaque zone d'habitage. Chaque semaine, un des articles du recueil fera l'objet d'une lecture et d'un commentaire collectif. Chaque membre des zones d'habitage aura obligation, sauf dérogation, d'assister à la ite mesa hebdomadaire.

Concernant le Gouvernement et le Sanctuaire dite loi GS :

Article 1 : le Sanctuaire respectera les mêmes règles et devoirs que ceux promulgués dans les zones d'habitage.

Article 2 : les membres du gouvernement devront par leurs actes, devenir des exemples pour la population.

Article 3 : les membres du gouvernement ne bénéficieront d'aucun passe-droit ou avantage spécifique. Ils doivent voter les règles et les faire appliquer dans l'objectif exclusif du respect du maintien de l'Équilibre.

Article 4 : les membres du gouvernement seront collectivement responsables de la diffusion de matériaux, d'armes, ou de technologies du Temps d'Avant. Seuls certains membres affectés au respect de l'Équilibre auront donc le droit de les utiliser hors du Sanctuaire. Une liste des personnes habilitées sera mise à jour.

Concernant nos objectifs :

La population baissera de 0,7 % par an, soit 74 000 Haeckeliens de moins par an avec l'objectif d'une population totale de 29 260 000 membres de l'Équilibre au bout de 10 ans.

Application stricte des règles de l'Équilibre et son article I : l'homme appartient à son environnement au même titre que les animaux et végétaux, il n'est pas au-dessus des autres espèces ; ainsi que de l'article 2 : l'homme fait partie d'un ensemble qu'il doit préserver[1]. Nous, Gouvernement d'Haeckelie, confirmons que nos membres seront strictement végétariens ; qu'ils ne couperont plus d'arbre vivant ; qu'ils n'utiliseront plus d'animaux pour le travail, le transport, l'expérimentation ou pour leur confort personnel, le concept d'animal de compagnie est donc

---

1 *Librement inspiré de Les Bishnoïs : un des premiers peuples écologistes par Adeline Grolleau le 19 juin 2014.*

banni. Plus aucun animal ne sera tué par un Haeckelien, même dans un but défensif.

Une collaboration sans faille avec les autres Territoires de l'Équilibre, tant pour la recherche de solutions communes, le partage des conclusions des différentes expérimentations, mais aussi pour la traque des Défroqués.

Lofel sait, Lofel sent qu'il a marqué des points. Les membres de l'OMTE sont séduits voire conquis. Le paon lisse ses plumes, dans son numéro d'orateur, il se sait adoré. Il ambitionne à présent de transformer l'essai…

« Par ailleurs, les membres du Gouvernement vous propose la prise en charge complète de trois contrôleurs, nommés par l'OMTE, pour une période probatoire de trois ans, afin de constater, au fur et à mesure, les progrès accomplis, de créer une meilleure symbiose entre notre Territoire et ses voisins, mais aussi profiter de leur expertise pour nous aider à réussir. »

Lofel, fat et fier, cette proposition complémentaire est sienne, c'est lui qui l'a imposée. Certes, elle est nécessairement hypocrite et calculée, mais le couperet est passé si proche d'eux qu'ils ne voulaient et ne pouvaient tergiverser. Une mesure opportuniste peut finalement rester dans l'histoire. De fait, la politique et le populisme sont souvent intimement liés.

FiN [1] *du rapport.*

---

1 Probablement une coquille de l'imprimeur... ou pas ! RiN du rapport ne voudrait de toute façon rien dire.

J'ai toujours conscience de la présence de Sogno à mes côtés, mais je suis complètement dérouté par cette lecture, et déstabilisé par son implication… Pour moi, tout a toujours été évidence, l'Équilibre, puissance quasiment divine, dicte le comportement de chacun. Les déviants sont punis.

Mais les choses ne sont, a priori, pas toujours aussi simples que cela. Le mot « politique » me vient à l'esprit, j'en devine globalement les contours…

« Désires-tu que nous commentions cette lecture ? » susurre tendrement Sogno.

Je rétorque avec plus de hargne que voulu : « D'où sors-tu tous ces textes et livres ? Jamais je n'en avais entendu parler. Ils ne me semblent pas conformes aux règles. »

Je n'ose la regarder dans les yeux…

« Tu es intelligent Khaur, penses-tu sincèrement que l'Équilibre soit une entité surnaturelle, ou serait-elle plutôt une création humaine ? » jette-t-elle perfidement, comme si elle avait lu en moi mes doutes et interrogations.

« Sortons, veux-tu ? » dis-je en lui prenant la main. J'ai besoin de respirer ou plus exactement de m'échapper d'une nouvelle lecture par trop déroutante.

Le soleil haut me fait cligner des yeux. Akka, tout en sourire, se trouve bizarrement là, devant moi. Par la fenêtre ouverte, les rayons m'éblouissent.

« Inquisitio nous demande. Il veut que nous lui fassions le rapport de fin de mission. C'est bizarre, il l'a déjà eu pourtant.

— Stupide individu ! Officiellement, nous ne l'avons pas rencontré depuis notre retour. » Je trépigne de rage devant tant de bêtise, « il faut donc que nous donnions le change.

— Excuse-moi Khaur, je n'y pensais plus… Tiens ! » dit-il en me tendant une pomme appétissante. Toujours le cœur sur la main. J'ai à nouveau honte de ma détestable humeur.

Inquisitio joue son rôle à merveille. La procédure prévoit un premier compte rendu avec l'ensemble de l'équipe de Traque. Il occulte totalement notre secret, son naturel a repris le dessus. Ses questions deviennent perfides, parfois tendancieuses. Il repère dans notre récit débridé quelques lacunes ou entorses aux règles de l'Équilibre, il se fera un plaisir de creuser, triturer, torturer chacun de nous pour extirper la substantifique moelle[1] de la vérité.

Le feu allumé hors des règles, le retour sur nos pas pour sauver Akka, les carnets perdus, mon incompréhension des lectures et mon incapacité à les analyser, et tant d'autres faits qui pourraient entraîner notre perte et particulièrement la mienne en tant que chef de groupe. Le Vérificateur de l'Équilibre met fin au calvaire, juste la première étape d'un long chemin de croix[2].

Je m'apprête à suivre mes amis, une onde télépathique me bloque instantanément.

« Reste ici ! » ordonne Inquisitio.

Ô sueurs froides…

« Khaur, je pense que tu as compris que votre découverte est un bouleversement pour notre civilisation. Les possibles conséquences vont bien au-delà de ce que tu peux imaginer. La stabilité de notre monde est en péril. Je pars dès aujourd'hui pour le Sanctuaire. Je ne peux rien dévoiler de

---

1 Ô Gargantua.
2 Et ses 14 stations. Comprenne qui voudra.

plus, mais je compte sur toi et tes Pisteurs pour ne rien divulguer. De vous dépend l'Équilibre. »

Même si je pense ses remarques exagérément disproportionnées, je dois bien avouer ma fierté d'être dans le secret. *Un homme puissant flatte plus son interlocuteur par une confidence que par un compliment*[1].

Inquisitio est parti... Jomuir est restée, ainsi que le trouble de ne pouvoir informer cette femme que je considère comme une amie, une confidente.

Tikki et Akka, soulagés par le départ d'Inquisitio, semblent avoir totalement effacé de leur mémoire le côté trouble de notre épopée. Mon inquiétude était une insulte à notre amitié, ils se sont appropriés la version *officielle* de l'histoire qui leur convient parfaitement, et surfent sur cette popularité récente.

Un jour après le départ du Vérificateur. J'appréhende la séance avec Jomuir, habituellement, nectar et sublimation. Mal à l'aise, je prends place face à ma Guide. Je ne sais si elle ressent mon trouble mais n'en laisse rien transparaître.

Comme cela est déjà arrivé dans le passé, elle dédaigne cette fois encore l'échange télépathique. Souriante, affable, voix douce et régulière, ses mots me bercent, et comme à chaque fois, me détendent et me rassurent. Jomuir évoque l'Équilibre qui engendre la beauté de la vie, rappelle mon rôle pour le préserver. Son sourire me captive, ses yeux me pénètrent, ses paroles m'hypnotisent... « Comment s'est

---

1 Citation de Maurice Druhon, académicien français.

passée ma Traque ? Est-ce que je me suis senti démuni en certaines circonstances ? Les lignes directrices enseignées par la Guide ont- elles pu apporter des réponses ? »

Je me sens bien, environnement doux et cotonneux, pourquoi étais-je inquiet ? C'est mon amie, c'est mon modèle, c'est mon guide spirituel…

En sortant de la case, parfaitement serein, mon optimisme étincelle. La vie est belle. Je vais rejoindre mes amis et ainsi moi aussi participer, à quelques *égocentricités*[1].

Comme un bonheur ne vient jamais seul, une patte puissante se pose sur mon épaule : Barbe fleurie ! Surnom donné en aparté au Guérisseur-Hypnotiseur.

« Oh Perblaize ! » dis-je joyeusement, tout en réalisant avec les mains le bonjour haeckelien en langage des signes.

« Akka m'a signalé la perte, pendant la Traque, de la totalité des plantes médicinales et onguents que je vous avais confiés. Aucune explication ! J'ai besoin d'un procès-verbal pour justifier le préjudice. Viens dans le dispensaire que l'on se débarrasse de cette partie administrative. »

Sa voix est étonnamment douce pour un homme de cette corpulence.

Une tasse de tisane à la main, quel plaisir de retrouver son empathie au moment de l'évocation du coup de griffe reçu par Akka, et comme il est amusant de remarquer sa fierté à l'énoncé du pouvoir de ses plantes et préparations, mais aussi sa jovialité et son rire puissant, lorsque je décris notre sort peu enviable sur la vire, menacés de submersion. J'élude évidemment l'épilogue.

---

1 Un jour les frères ennemis Larousse et Robert accepteront ce magnifique mot en l'état, vive les précurseurs !

Dans la même journée, j'ai eu la chance de côtoyer les deux personnes les plus admirables d'Haeckelie.

Bien plus tard sur ma couche, alors que je songe à Jomuir, l'ombre du doute caresse mon esprit. N'aurais-je pas dû tout lui révéler ? Vade retro, Satanas ! Je m'endors…

Le temps est passé, les journées ont raccourci, peu à peu l'automne redessine le paysage. Dans le lointain, les sommets les plus hauts ont revêtu un pardessus blanc.

Et chaque nuit Sogno vient me rejoindre, et chaque matin, j'ai le sentiment d'avoir reçu sa visite, d'avoir été heureux en sa compagnie, mais aussi d'avoir été bousculé dans mes convictions. Et comme toujours, aucun souvenir. Mes rêves jouent à cache-cache avec ma conscience. Où sont les sources d'inspiration de mon imaginaire ? Où coule le fleuve de mes chimères noctambules pour ne jamais émerger au plein jour, hormis la simple sensation de son passage ?

Un mois et demi après le départ d'Inquisitio, Jomuir réunit la communauté.

« Le Coursier vient d'apporter un terrible message. Le Vérificateur a eu un accident, il est mort !

— Tu étais Équilibre et redeviendras Équilibre », murmure immédiatement l'assemblée et tous ensemble mimons le jet d'une poignée de terre sur une dépouille virtuelle. Certes, Inquisitio n'était pas très apprécié, mais est-il vraiment possible d'apprécier un Vérificateur ?

Jomuir poursuit : « Son remplaçant devrait arriver dans quelques semaines. Même en son absence, nous comptons sur vous tous pour respecter la voie de l'Équilibre. Une autre information importante, te concernant Khaur. Rejoins-moi dans une heure ! »

Appréhension et incrédulité me submergent. J'avais délégué mes incertitudes à Inquisitio et de fait, m'étais déchargé de toute responsabilité. Il devait régler l'ensemble des problèmes liés à notre découverte, et voilà que mon porte-drapeau disparaît. Que faire ? La logique serait d'informer Jomuir, mais ce serait contraire aux strictes directives du Vérificateur. Mes épaules insuffisamment solides pour porter ce lourd secret, alors... aller au rendez-vous et composer ? Tout raconter à la Guide... mais voilà, les yeux perçants d'Inquisitio m'intiment l'ordre de surtout ne pas le faire.

« *Je ne sais pas, je ne sais plus, je suis perdu*[1] », mais faire comme l'oiseau ne servirait probablement à rien...

Tête embrouillée, je n'en mène pas large.
« Entre Khaur ! »
Liquéfié.
Tenant un parchemin dans la main, elle annonce : « Tu viens de recevoir une nouvelle affectation, tu vas rejoindre sans tarder la Maison du Sanctuaire. Tu es nommé Compagnon de l'Équilibre. Ton parcours est suivi en haut -lieu depuis des années. J'avais mission de surveiller ta maturation et tes progrès. Ta dernière Traque a été un nouveau succès, j'ai donc demandé au Gouvernement d'activer ta nomination pour le poste. Tu prends la route dès demain matin. Au palais du Gouvernement, vous prendrez contact avec le Supraviseur de

---

1 Merci Michel Fugain.

l'OME, Hornika. Vous, parce que tes amis, Akka et Tikki, sont, à ma grande surprise, invités à t'accompagner. »

Coup de massue, je ne m'attendais vraiment pas à cela.

« Mais que vais-je faire au Sanctuaire ? J'aime la Traque, je suis bien ici.

— Seul l'Équilibre compte ! » s'agace Jomuir.

J'hésite à aborder mes indicibles secrets, finalement le besoin de me confier prend le dessus :

« Il faut que je te dise quelque chose d'important. Lors de notre Traque…

— Cesse immédiatement et file préparer tes affaires ! » coupe de façon péremptoire Jomuir, ses yeux injectés de sang. Colère soudaine et étonnante pour cette femme à l'humeur habituellement égale. Est-ce la perte d'Inquisitio ? Ils n'étaient pourtant pas très proches… Est-ce le fait de mon départ ? Suggère mon égocentrisme toujours à fleur de peau.

Un brin décontenancé, je quitte mon amie (mon amie ?) sans pouvoir évoquer avec elle le *Ricain* et son kciwnef.

La soirée pour fêter notre départ n'est pas, à mes yeux, très joyeuse. Jomuir n'y participe même pas, cela m'attriste. Les Mbutis semblent de leur côté profiter pleinement du moment présent. Akka est radieux, son sourire épanoui le rend presque beau. Je vais devoir apprendre à m'inspirer de leur philosophie *Sénéquale*[1].

Petit matin frileux. Trois ombres, tels trois fantômes engoncés dans de misérables gabardines sombres, quittent

---

1 Ne cherchez pas cet adjectif dans votre dictionnaire, je viens de l'inventer. « Le plus grand obstacle de la vie, c'est l'attente qui dépend du lendemain et perd le jour présent. » (Sénèque)

les allées d'Alternatiba, sans vie à cette heure matinale. Elles n'y reviendront probablement jamais. Départ en catimini, la triplette est reconstituée. Nos maigres affaires personnelles, ainsi que les plantes remises hier par un *Barbe Fleurie* ému - qui a fait durer nos adieux -, sont entassées dans des sacs à dos informes, réalisés à l'aide de jeunes pousses de saules souples tressées avec des lianes de houblon... que certains utilisent à d'autres fins[1]. Nous avons cérémonieusement déposé nos plaques d'identification en fer blanc, elles seront remises à nos successeurs. Le laissez-passer provisoire sera notre seul document aux insignes du Sanctuaire. Chacun doit à tout moment pouvoir prouver son appartenance, son rôle et sa fonction dans l'Équilibre pour éviter d'être pris pour un Défroqué.

Heureux de reprendre la route avec mes compagnons de voyage, même si notre avenir est bien mystérieux, donc inquiétant. Souvent les hommes se sécurisent dans une ornière bien tracée qu'ils quittent de temps en temps pour des chemins un peu plus aventureux. Très bons marcheurs, nous devrions atteindre le Sanctuaire en dix ou onze jours.

La jeunesse reprend vite ses droits, je troque mes doutes par la joie. Les forêts ont revêtu leurs habits d'automne, le vert a laissé place à de chaudes couleurs dorées. Nous accompagnons régulièrement nos foulées de notre hymne enjoué, plus crié et massacré que réellement chanté. Je crains que l'importance allouée à l'art sous toutes ses formes dans notre société, ne retrouve pas ses petits dans nos couacs répétés...

« Du printemps qui fleurit

---

1 À consommer avec modération.

À l'hiver qui s'en vient
C'est la chaîne, c'est la chaîne de la vie
Des rochers, à la plante rabougrie,
Du frère, au minuscule cousin
C'est la chaîne, c'est la chaîne de la vie
…
N'arrêtez pas la chaîne
Elle doit passer par vous
Chacun ses joies, ses peines
Ensemble, malgré tout. »[1]

Dessin, peinture, théâtre, musique, chant, poésie nous ont été pourtant professés, nous ne devions pas être spécialement doués. Baignant depuis notre enfance dans la culture, nous avons dû probablement nous y noyer. Cela a l'avantage d'éloigner les meutes de loups, de chiens ou tout autre animal dangereux, qui doivent se terrer bien loin de nos braillements inquiétants.

Nous croisons peu de monde sur le chemin sinueux : quelques rares Saltimbanques, parfois un Coursier-Messager passant à vive allure, ou encore des Transporteurs de denrées ou de produits manufacturiers, croulant sous d'énormes ballots ; les cohortes de très jeunes hommes et femmes ne se rendent au Sanctuaire pour la *cérémonie du Renouveau* qu'au printemps ou au début de l'été. La nuit tombée, nous bivouaquons à l'orée des bois, construisant, si nécessaire, des abris de fortune pour échapper aux intempéries. Malgré les dangers, nous préférons cette quiétude aux huttes-pony souvent bruyantes et malodorantes.

---

1 La chaîne de la vie (Salvatore Adamo).

Autour du feu, les soirées sont animées et joyeuses ; mon nouveau pipeau, taillé dans du bois de buis, accompagne, tant bien que mal, des Mbutis. Tard dans la nuit, baissant les paupières, j'ai la vague impression qu'en ces moments privilégiés, nous tenons dans nos jeunes mains la véritable image du bonheur : insouciance, partage et communion. De surcroît, cette nuit encore, Sogno sera là pour moi...

QUELQUE PART AILLEURS :
Une jeune femme aux cheveux noirs et aux yeux profonds couleur noisette fait son rapport :
« J'arrive à le fixer quasiment chaque nuit. Son esprit a de plus en plus de mal à refuser les transformations qui s'opèrent en lui. Inconsciemment il commence à douter de sa vie, de ses traditions ou croyances. Il m'aime profondément, il se refuse donc de passer à mes yeux pour quelqu'un d'obtus et de borné. Il s'imprègne patiemment de chacun des documents ou écrits proposés, il mûrit doucement. »
Et en aparté : « Il est intelligent, honnête et attachant... très attachant même. »

Nos dernières Traques nous avaient révélé les paysages désertiques et déshérités des Terres Abandonnées, nous progressons à présent au centre d'une large vallée, riche en eau et végétation, bordée de montagnes qui semblent toucher le ciel. Mon imagination vagabonde régulièrement... Tantôt un nuage prend la forme d'un cheval au galop, tantôt un arbre semble danser le tango, et dans les torrents, les reflets parent les flots. Dans notre environnement, nous sentons la vie, nous sentons l'envie, Dame Nature est forte, l'Équilibre est roc.

Quatrième jour de marche :

Nous avons délaissé, sur la droite, la zone habitage du Ycenna. Dans le lac, des dizaines de dos argentés s'enfuient à notre approche, dessinant derrière eux de fins sillages.

« Truites d'argent[1], annonce Akka

— Plutôt des ombles chevaliers », Tikki, sûr de lui.

Ces mots allument dans mon esprit une petite lumière, bien vite vacillante, ayant sans nul doute un rapport avec Sogno. Mais cette simple bougie n'éclaire pas le puits sans fond dans lequel semble se trouver la mémoire de mes rêves. Perplexité, quand tu nous tiens.

Aucun problème de ravitaillement, la nature est particulièrement généreuse en ces contrées, et ce, malgré l'approche de l'hiver que l'on sent imminent. Les hauts sommets saupoudrés de neige ne trompent pas.

Nouveau bivouac au bas d'une falaise qui devait être cascade au Temps Jadis. Même en ces lieux bénis, l'eau se fait plus rare depuis des décennies. Akka, tout en sourire, est le premier à escalader une proéminence calcaire jaune de plusieurs mètres de haut. « *Cascade du Pain de Sucre*[2] », souffle mon neuro- transmetteur. Quelle source d'inspiration ! Chacun de nous cherche à tour de rôle la formule la plus *pitresque*[3] possible à associer à cette bizarrerie, que la nature a, semble-t-il, posé là pour nous. Tikki réalise une chevauchée

1 Le blason d'Annecy est une truite au dos d'argent.

2 Imposante stalagmite de tuf situé près de Surjoux dans l'Ain, arrosée par la Vézeronce (je t'aide à suivre leur route).

3 Il faudra probablement attendre le grandissime Larousse 2022 pour voir apparaître ce mot.

fantastique. Personnellement j'y grave à l'aide d'un silex la caricature rocambolesque d'un homme au sourire et aux nez disproportionnés.

« Il ressemble étrangement à quelqu'un », me fait remarquer Tikki, louchant avec insistance vers l'*oblongue capsule*[1] de son comparse Mbuti.

Le fou rire est instantané. Akka, n'a pas besoin de comprendre pour se laisser porter à son tour par l'euphorie. Qu'il est bon avoir des amis.

Un crachin froid et pénétrant, décidé à persister, nous accompagne dès le réveil. Tardivement, très tardivement dans la matinée, une brume dense et écrasante le remplace. Silence et mélancolie. Ce type de temps, à l'atmosphère oppressante, nuit au moral de la troupe. La nature semble elle-aussi, morne et endormie.

Empesés, et comme si nous ne voulions déranger, nos pas se font plus discrets. Sans un mot, nous recherchons inconsciemment le sol le plus stable, évitant de faire rouler ce galet, ou crisser le gravier. C'est sûrement cette attitude et l'épaisseur du brouillard qui vont nous sauver…

Le sentier est bien tracé, nous avons dû néanmoins ralentir tant la visibilité était nulle. Tikki ouvre la marche, brusquement, fait signe de nous arrêter. Un léger choc contre un rocher, quasi imperceptible à quelques dizaines de mètres devant nous, l'a mis en alerte. Je recherche par réflexe mon bâton électrique. Mais nous ne sommes pas en Traque, donc

---

1 Merci Cyrano.

totalement désarmés. Quel animal pourrait ainsi se mettre à l'affût ? Il n'y a ni lion, ni panthère en ces contrées. Ce n'est pas le mode de chasse des chiens sauvages ou des loups qui s'en prennent plutôt à des personnes faibles et isolées. Accroupis, tous nos sens en éveil, la patience et l'expérience sont nos deux seules alliées. Chaque bruit est démultiplié. Nous devinons bientôt au moins deux hommes cachés derrière un amas de rochers, face à nous, et plusieurs autres, enfoncés dans la futée sur notre gauche. Une silhouette diffuse derrière un roncier, vingt mètres au-dessus de nous, bouge légèrement de gauche à droite, tentant ainsi de percer la brume dense. Un homme averti en vaut deux, paraît-il, nous n'avons pourtant pas l'impression d'être six... Sueur froide, montée d'adrénaline. Nous ne savons pas qui ils sont, par contre ce qu'ils recherchent semble évident : nos vies ! Il n'y a d'ailleurs rien d'autre à voler en Haeckelie.

Lentement, toujours accroupis, nous reculons, profitant d'une certaine incertitude de nos adversaires sur notre présence, et surtout sur notre position exacte. Chaque centimètre gagné sera peut-être celui qui nous permettra de survivre. Un mètre, cinq mètres, le temps s'est arrêté, et comme toute tentative de fuite pendant les cauchemars, nos pas deviennent pesants, gourds et inefficaces. J'ai l'impression que nous sommes horriblement bruyants, alors que leurs propres sons nous glacent d'effroi, tant ils semblent proches.

Leur doute, mais probablement aussi leur désorganisation, nous profitent. Le piège aurait dû être imparable, mais le trop grand nombre d'assaillants et leur manque de   professionnalisme ont nui à son efficacité.

Le cri : « Ils s'échappent ! » est le signal que l'on craignait. Sifflements de flèches décochées dans la précipitation qui tombent bien loin de leurs cibles, des hommes qui prennent leur élan, fracas de pierres qui roulent, des branches qui se courbent et fouettent les jambes de ceux qui se sont lancés dans la course. Le jeu de vie et de mort dépendra de notre vélocité, cependant nous avons un avantage certain sur nos poursuivants : la peur !

Débarrassés de tout ce qui pouvait gêner notre fuite, nous prenons assez rapidement de la distance sur des chasseurs désavantagés car armés et chargés. Nous quittons la piste en obliquant sur la droite, traversant d'un bond le ruisseau, puis nous commençons à grimper une colline particulièrement pentue et boisée. Un peu plus bas, nous entendons et devinons les silhouettes de nos poursuivants. Certains soufflent, vocifèrent, et souffrent dans cette montée sévère. L'effet de l'adrénaline ne tarde pas à s'estomper, il nous faut à présent gérer l'effort.

Trois adolescents frêles, l'un derrière l'autre, le premier donne le rythme, tout de suite relayé lorsque son pas se fait moins efficace. Dès que les pourcentages s'accentuent, la technique appliquée, buste parallèle à la pente, temps de contact des pieds avec le sol limité, mains en appui sur les cuisses pour mieux accompagner le mouvement ainsi que *les pieds en canard*, pointe vers l'extérieur, pour mieux adhérer au terrain, rendu glissant par la bruine du matin, nous permettent de rester efficaces. Nous avalons les trois cents mètres de dénivelé dans le silence, et surtout sans puiser dans nos réserves. Au sommet, pas le temps de souffler, la descente dans cette purée de pois s'annonce plus délicate encore. Penchés en avant pour aligner le centre de gravité avec les genoux, relâchés, des appuis rapides et rapprochés, les plantes de pied touchant le sol en premier, il nous faire confiance à celui qui nous précède pour anticiper les obstacles. Évidemment, quelques chutes ou glissades, mais sans aucune conséquence, les deux autres aident le malchanceux à se relever pour repartir.

Je mène à présent le groupe, moins de pourcentage, la forêt derrière nous, j'ai donc accéléré et allongé la foulée. Sans conteste possible, nous sentons notre avance augmenter régulièrement. Dans un réflexe animal, le cerveau a répondu à l'urgence, à présent, le danger un peu éloigné, les questions commencent à me submerger : « Qui sont-ils, pourquoi en vouloir à nos vies ? Des Défroqués voire des Ricains désirant se venger ? »

Évidemment, aucune réponse satisfaisante. Tout en dévalant, j'y lis les mêmes interrogations dans les yeux de mes amis... Je devine, plus que je ne vois, le bas de la colline, encore un effort lorsque... je suis foudroyé !

Le choc est terrible. Sur ma lancée, tel un pantin désarticulé, je dévisse sur des dizaines de mètres, assommé, maltraité, ensanglanté. Mes amis, rapidement à mes côtés, inquiets, m'aident à me relever. Je n'ai pas vu une grosse branche qui barrait le chemin. L'impact a été terrible. Le nez en sang et déformé, joue gauche et menton, sérieusement ouverts, un œil horriblement douloureux, un œdème énorme commence déjà à le fermer. Tout le reste de mon corps est, a priori, moins sérieusement touché, mais tout en moi n'est que douleur et traumatisme...

Des bruits de courses, glissades et craquements, pourtant encore lointains, m'obligent à réagir. Je me redresse complètement, et somme mes amis d'arrêter de compresser et d'essuyer mes plaies, le temps nous est compté.

Le cyclope souffre, le cyclope saigne, le cyclope serre les dents, mais le cyclope suit le rythme imprimé par les Mbutis. Mais peut -être que le rythme a un peu baissé malgré tout… Amitié quand tu nous tiens.

Au bas de la pente, plusieurs solutions s'offrent à nous, mais sans aucune concertation, nous savons déjà que nous emprunterons cette paroi abrupte qui nous fait face. Certes, nos manteaux gênent aux entournures, mais qu'en sera-t-il alors pour nos poursuivants avec armes et bagages, ainsi qu'un état de forme à parfaire ? Un petit sourire, jaune, en pensant à la mienne… Je n'ose palper l'ecchymose sur mon œil, chaque battement de mon cœur y fait douloureusement écho.

Profitant d'un sol spongieux qui marque, nous nous dirigeons d'abord sur notre gauche pendant quelques dizaines de mètres, comme si nous avions décidé de contourner la colline. Arrivés sur un terrain plus stable, nous faisons demi-tour, marchant en reculant tout en posant les pieds sur les empreintes laissées à l'aller. Après vérification, satisfaits de n'avoir laissé aucune trace de notre ruse, nous escaladons le pic, en nous agrippant à des buis ou de petits noisetiers qui tentent de survivre dans cet univers minéral hostile et pauvre.

Quelques minutes plus tard, nous voilà noyés dans le brouillard, immobiles et silencieux. À une cinquantaine de mètres plus bas, un troupeau bruyant patauge dans la direction indiquée par nos pas. Le subterfuge fonctionne.

Nous poursuivons notre ascension. L'accumulation d'acide lactique brûle nos muscles largement sollicités. Souffle court, nous vidons régulièrement et profondément nos poumons pour tenter de récupérer. L'effort est intense, et malgré la température fraîche, la transpiration dégouline abondamment de tous nos pores. Nos poursuivants n'ont pas tardé à comprendre notre stratagème, ils ont fait demi-tour et commencent l'escalade. Je soupçonne l'évidente présence d'un bon pisteur parmi eux.

Changement de stratégie. Du silence d'une garde à vue corse au vacarme d'un bombardement sur Londres... nous décrochons de la paroi des blocs de pierres que nous laissons dégringoler au bon vouloir de la gravité. Dans un fracas assourdissant, démultiplié par l'écho, les rochers prennent de la vitesse à chaque rebond, massacrent les arbrisseaux ou tout autre obstacle, et déclenchent à leur tour de nouvelles avalanches de blocs, de terre et de terreur chez nos adversaires. La puissance dégagée impose le respect et laisse coi.

Plus bas, les chasseurs, terrés comme des bêtes, tentent de s'imbriquer dans la roche et espèrent échapper à la mort tout simplement en fermant les yeux. Partant du principe qu'un caillou minéral sera toujours plus solide qu'une tête organique - même bien pleine -[1], nous connaissons déjà le résultat d'un choc entre les deux. Sans un cri, le crâne explosé, un de nos adversaires est terrassé. Son corps, sans vie déjà, accompagne dans leur chute vertigineuse, caillasses

---

1 Comprenne qui pourra

et graviers, qui bientôt le recouvriront pour constituer sa tombe pour l'éternité.

Ô Équilibre, veille sur lui !
Ô bel hasard, sois encore avec nous...
Nous reprenons notre progression, sans oublier d'alimenter régulièrement la pente avide de ces rochers volants parfois violents. Nous ne pouvons savoir que nos poursuivants sont à présent à l'abri sous une vire. Mais s'il est impossible de les atteindre, leur retard s'accumule malgré tout.

Cinq cents mètres de dénivelé plus tard, la pente se fait moins abrupte. Roche, arbrisseaux et hautes herbes ont été remplacés par une prairie d'altitude glissante et usante sur laquelle il n'y a plus rien pour nous accrocher. Devant nos yeux surpris, une harde de Cousins-chamois s'enfuie avec élégance et souplesse, mais je n'ai pas la tête à m'enthousiasmer. Une pointe brûlante s'enfonce depuis mon œil jusqu'à mon cerveau, à chaque battement de cœur. Et ce dernier bat la chamade tant l'effort est violent...

Pas de sommations, un éblouissement : le soleil ! Sans frontière aucune, nous avons dépassé la limite de la nasse brumeuse qui nous enveloppait pour nous retrouver au-dessus d'une mer de nuages irréelle. Spectacle surréaliste et merveilleux, avec l'impression de voir nos pieds flotter sur cet univers cotonneux, alors qu'en parallèle, nos têtes, elles, côtoient le ciel...
La température s'est élevée instantanément de plusieurs degrés, la contemplation ne peut durer, sauf peut-être la contemplation de mon œil qui semble impressionner mes

amis. Ils ne disent rien mais leur regard est suffisamment éloquent.

Le souffle est court, les mollets durs, mais nous progressons bien. Près de quinze minutes derrière nous, deux chasseurs émergent à leur tour des limbes, puis trois autres quelques instants plus tard.

« Le premier est Pisteur », décrète Tikki, décryptant l'attitude du marcheur, les yeux posés au sol à la recherche du moindre indice.

« Le deuxième aussi », ajouté-je.

Voulant participer à cette séance de déduction aléatoire, Akka ajoute : « Les trois derniers ne sont pas habitués à de tels efforts, de simples Gardes... »

Cela semble logique. Plusieurs questions m'interpellent, les mêmes que précédemment, et tant d'autres encore : pourquoi en vouloir à nos vies ? S'il s'agit d'une équipe de Traque, où est le Traqueur ?

(Nous ne pouvions deviner que l'un d'entre eux était entré dans un sommeil définitif en se faisant entarter par le rocher... et de plus, qu'il pouvait s'agir du Traqueur du groupe. En éliminant possiblement la tête pensante, le hasard que nous avions sollicité, a-t-il réussi le strike parfait ? L'avenir nous prouvera le contraire.)

« Oh les nuls, déjà fatigués ? » Les mains en porte-voix Akka s'égosille puis explose de rire, satisfait de lui-même. D'abord enclin à le réprimander, je réalise rapidement que de toute façon cela ne changera rien. L'écart acquis en quelques kilomètres, donne des ailes et surtout de la voix.

« Nous avons encore quelques cadeaux pour vous, venez vite on vous attend », s'emballe Tikki, mimant une sieste, ses bras croisés derrière la tête.

L'euphorie se propage vite. Lorsque les trois Gardes lèvent un poing menaçant, à mon tour de vociférer un « Ouuuuuuuhhhhhhhhhhhhhhhh », profondément dérisoire.

Bientôt trois gavroches, tout en beuglant à tue-tête, se retournent puis baissent leur pantalon pour arborer, en signe de défi, leur lune claire, face à des poursuivants médusés. Fou rire assuré.

Cela pourrait être plus amusant si la situation n'était pas aussi dramatique. Je prends conscience de mon immaturité en observant un peu plus bas, les Pisteurs se désintéresser totalement de nos pitreries et continuer à progresser régulièrement.

Certes l'avance est toujours confortable, mais sans arme et sans nourriture, face à cinq hommes décidés, dont deux capables de suivre nos pas, la situation n'est finalement pas très enviable. Et ce ne sont pas nos couteaux de table qui nous seront d'une grande utilité… De surcroît, si l'hémorragie de ma joue s'est arrêtée, devenir cyclope dans cette situation sera un handicap supplémentaire, car, outre le fait d'être particulièrement douloureux, mon œil gauche est totalement fermé à présent. La géhenne[1] nuit à la réflexion.

« Repartons à présent ! »

Respiration retrouvée, poumons bien oxygénés, acide lactique éliminé, nous retrouvons rapidement un rythme aérien et efficace. Nous digérons le dénivelé avec une facilité déconcertante.

---

1 Et « lorsqu'il y a de la géhenne il n'y a pas de plaisir ». (Géhenne : souffrance intolérable).

Les chasseurs-Pisteurs devancent de quelques centaines de mètres les retardataires.

Ils s'arrêtent régulièrement, perplexes, hésitent et finalement décident de les attendre.

L'absence d'un vrai leader nuit probablement à leurs décisions ou tout simplement, ils ne connaissent pas notre vulnérabilité pour craindre de nous affronter à deux contre trois ?

Enfin le sommet ! Nous reprenons notre souffle, le physique finalement peu entamé.

« De quel côté Khaur ? interroge Tikki.

– Nous allons suivre la crête vers l'Est, hors de vue de nos adversaires, puis nous aviserons. » J'improvise car nos formations ne préparent évidemment pas à ce type de situation. Traqueur traqué, voilà qui ne manque pas de sel, il faut bien l'avouer…

Je tente de me mettre dans la tête de nos poursuivants, en évaluant ce qui pourrait les perturber. La présence des Gardes lourdauds est notre atout principal… pour l'instant.

Je tranche : « Au préalable, faisons comme si nous avions l'intention d'emprunter cette sente à chamois qui descend, nous ferons par la suite une boucle pour rejoindre l'arrête. » Au fond de moi, j'espère désarçonner nos ennemis, mais de toute façon, en mettant de la difficulté supplémentaire, nous userons les jambes déjà fatiguées de leur arrière-garde…

Une légère marque dans le gravier, une tige à peine froissée, les indices prouvant notre descente directe sont évidents pour des yeux experts. Plus bas, nous obliquons en prenant garde alors de ne plus laisser la moindre trace. Le détour nous a pris une dizaine de minutes, mais devrait les retarder plus encore. Fier de mon stratagème, j'en oublie presque cet œil qui me lance.

L'arrête de la montagne se termine par une longue descente à la pente marquée qui s'enfonce droit dans un bois. J'imagine nos poursuivants toujours dans le versant opposé.

Avant de nous réfugier sous la futaie, coup d'œil en arrière et… choc énorme, incompréhension et peur se combinent. Le juron d'un autre temps, « M…. ! » fait se retourner mes amis, aussi surpris par mon interjection que par l'apparition, au loin, de la troupe de chasseurs, regroupés à présent. C'est impossible, mon cerveau refuse cette information.

La panique commence à poser ses tentacules dans mon esprit désarçonné. Heureusement, les regards interrogateurs de mes amis sont comme un électrochoc. Ils attendent de moi des décisions et de l'action, pas les pleurnicheries d'un poltron.

Même s'ils ont repris du terrain, l'écart qui nous sépare est toujours conséquent.

« Continuons, ils sont encore loin ! » Je reprends la tête de la nouvelle chevauchée fantastique…

Chaque fois que mon pied touche le sol, les vibrations irradient ma tête d'une douleur sourde et abrutissante qui m'empêche de réfléchir. Pourtant le « *comment ont-ils fait ?* » s'impose peu à peu… Eurêka ! Je me retourne vers mes amis étonnés.

« Un drone, ils possèdent un drone… » Exit les faux indices ou posséder de d'avance, ils sauront toujours nous retrouver. Il nous faut changer de stratégie, d'autant plus, s'il y a un drone, il y a un Traqueur dans le groupe. Blessé ou à l'arrière pour motiver les Gardes, il est resté en retrait de ses Pisteurs. Mais est-ce que cela perdurera ? Je poursuis : « Nouvelles directives, maintenir une certaine distance, connaître leur position à chaque instant et trouver le moyen de les vaincre. De toute façon, nous ne pouvons permettre que de tels individus mettent en péril notre civilisation. Ils veulent tuer, ils doivent périr. Telle est la règle incontournable de l'Équilibre... Cette forêt sera leur linceul. »

Ces affirmations rassérènent mes convictions et le moral de l'équipe. Dans leurs yeux, l'éclat fauve et sanguinaire que je connais bien. Nous étions gibier, nous voilà redevenus chasseurs.

Le reste de la journée n'est qu'un remake du jeu du chat et la souris mais le félidé n'est plus celui que l'on pense... Tikki a trouvé du sureau noir, dont il applique l'écorce sur l'œdème impressionnant qui recouvre mon œil, puis il a ramassé sur un contrefort pierreux de l'alchémille des Alpes dont il a pilé les feuilles. Il a badigeonné ma joue dont la plaie s'était rouverte. Aussi souvent que possible, je plaque sur mon visage déformé, et particulièrement sur mon œil malade, le mélange des deux plantes, conservé au creux de la main.

À tour de rôle, l'un d'entre nous décroche pour localiser nos poursuivants. Sans arc, sans carquois, sans sac-ceinture qui engonce les hanches, il est tellement plus aisé de se mouvoir entre les nombreux arbrisseaux et tiges entrelacées. Nous sommes a priori plus rapides, même si nous devons nous méfier des deux Pisteurs. Les sifflements aasiens nous servent de ralliement, un code spécifique ayant été mis au point pour éviter la confusion avec nos adversaires, qui connaissent probablement aussi ce langage.

Pendant ce temps, les deux autres ont coupé des rameaux de noisetier et ont confectionné des lances primitives. Les branches, fendues sur leur côté le plus épais, des éclats de calcaire insérés servent de pointe ; puis du jeune saule, véritable petite liane nouée autour de la fente, serré fort, rigidifie l'ensemble. Détenir ces armes, même modestes, nous rassure, car même si nous savons qu'elles ne sont pas létales, elles peuvent pourtant faire de gros dégâts.

Les différents types de végétation permettent de subvenir à nos besoins alimentaires. D'abord des noisetiers prolifiques ont semé tout autour d'eux leurs fruits délicieux, puis un châtaignier majestueux a déposé pour nous, en lisière de bois, ses bogues bien pleines ; un petit ruisseau nous offre de son côté une eau claire et fraîche. Même le soleil est de la partie, il sèche nos vêtements lorsque nous passons en terrain découvert. L'Équilibre est avec nous.

En cette zone montagneuse, la lumière décline rapidement, il nous faut trouver un endroit pour passer la nuit. Quelle sera la stratégie des chasseurs ?

Un pic de cent mètres de haut environ, totalement minéral, fait de blocs de pierre, d'éboulis et de gravier, repéré un peu plus tôt dans l'après-midi, constituera notre abri. Progresser sur ce pierrier exige de nous un effort supplémentaire, bien loin néanmoins de l'escalade du mont Huashan[1]. Avantage énorme, il sera impossible de nous surprendre dans ces raillères[2]; a contrario, nos assaillants risquent de cerner

---

1 Montagne sacrée du taoïsme en Chine, appelée aussi : « Mont le plus vertigineux qui soit sous le ciel » Une des montagnes accessibles aux randonneurs les plus dangereuses au monde
2 Versant raide et caillouteux

sans peine notre aire, mais probablement avec une certaine inefficacité, compte tenu du nombre limité de belligérants.

L'inconvénient majeur pour nous, le manque de confort et une exposition constante à un vent frais qui n'est malheureusement pas que *vent du matin qui souffle au sommet des grands pins...* en canon ou pas !

Blottis l'un contre l'autre, un gros bloc rocheux nous offre un abri précaire contre la brise, nous avons connu meilleur bivouac... pire aussi ! Notre campement est étrangement silencieux.

De mon côté, je tente un contact télépathique délicat avec le Traqueur du groupe des poursuivants. Comme muni de fragiles tentacules rétractiles, prêtes à se retirer au moindre danger, je palpe doucement les ondes environnantes. Le neuro-transmetteur de mon adversaire reste désespérément muet, par contre, je discerne un signal faible et régulier : le drone-espion !

Il reste notre principal problème. Comment surprendre nos ennemis avec cette surveillance constante ? Certes, il sera peu efficace dans les coins les plus touffus de la forêt, mais ces derniers ne constituent qu'une partie du futur champ de bataille.

Tikki est plus actif. À partir de vulgaires morceaux de buis, récupérés un peu plus tôt, quatre pointes acérées sont réalisées. Je n'en vois pas encore leur utilité mais lui semble avoir une idée assez précise en tête, la lueur dans ses yeux ne trompe jamais.

Malgré l'inconfort, malgré mes blessures, la fatigue est la plus forte. Sogno ne tarde pas...

QUELQUE PART AILLEURS :

Khaur est nerveux, inquiet, et dans son extrême tension, dresse le bilan complet de la situation. C'est la première fois que Sogno entre aussi profondément en lui, elle craint qu'au réveil elle ne laisse un petit peu trop de traces...

Elle contacte télépathiquement le vieil homme et lui explique son dilemme.

Le vieil homme réfléchit une minute. Tous les efforts de leur approche risquent d'être réduits à néant. Mais qui est cette équipe à la poursuite de Khaur ? Sogno ne peut en apprendre plus en sondant son esprit. Cette limite est impérative pour que le jeune homme ne garde aucun souvenir de son intervention. Elle ne doit rester qu'un rêve enfoui.

« Donne-lui les clés du contrôle, nous saurons ainsi s'il est l'Élu », décide subitement le vieil homme.

« Mais... êtes-vous sûr ? » s'enquiert Sogno pourtant ravie de la décision, pour le moins surprenante.

« Oui, je confirme cet ordre ! » dit-il de façon péremptoire. Et en aparté : « Nous avons de fortes espérances, Khaur pourrait permettre de changer les équilibres du monde. » Immédiatement, il quitte la salle pour faire part de sa décision, plutôt risquée, aux autres sages de la communauté.

Et Sogno va agir...

Tikki me réveille en sursaut, c'est mon tour de garde. Fiévreux, un tremblement incontrôlé secoue mon corps de la tête aux pieds. Mon visage n'est que douleur et élancement. Un véritable œuf de poule trône à la place de mon œil gauche. Allongé, je tente de m'imbriquer aux corps de mes compagnons dont la chaleur animale me réchauffe quelque peu. Dans le lointain, une chouette- effraie annonce l'ouverture de sa chasse.

Sur le dôme sombre, scintillent et resplendissent des milliers d'étincelles. Au milieu de ces étoiles, se cache le drone-espion.

Une traînée nuageuse ressemble à un bandeau noir sur l'œil de la lune au teint blafard qui me fait face : te moques-tu de moi ?

« Bien au contraire, répond l'astre à ma pensée, je suis là pour veiller sur toi.

— Si tu veux m'aider, débarrasse-nous de nos poursuivants.

— Aide- toi et je t'aiderai ! ajoute-t-il, mystérieux. Que fais-tu lorsqu'on te confie ton drone ?

— Je mets en phase nos longueurs d'onde tout simplement.

— Que se passerait- il si tu envoyais tes propres ondes à un autre drone ?

— Rien, évidemment rien ! Sauf si l'on me confiait les codes pour prendre la main.

— As-tu déjà essayé ?

— Cela ne servirait à rien, puisqu'il est réglé sur les ondes neuronales du Traqueur dont il dépend.

— Que s'est-il passé lorsqu'on t'a remis ton drone pour la première fois ?

— Rien ! Juste un vague ressenti, une plume qui glisse, mais rien ne se passait…

— As-tu alors abandonné ?

— Évidemment non ! La Guide m'a expliqué comment agir sur mes *commandes neuronales*, et petit à petit, comme les musiciens d'un orchestre qui apprennent à jouer ensemble, je suis entré en résonance.

— Pourquoi alors ne pas tenter de faire la même chose avec ce drone-là ?

— Parce que, même si j'étais assez puissant pour entrer en contact avec lui, il y aurait au mieux cacophonie des ondes, mais jamais je ne pourrais en prendre la main ! » affirmé-je de façon irréfutable...

Une petite lumière s'allume en moi. Quel idiot ! Si je pouvais au moins créer la confusion, elle empêcherait aussi mon adversaire de diriger l'espion...

Je sors de mon état comateux. À la recherche de vibrations, mon esprit palpe le ciel. Ressenti plus que senti, le drone est bien là. Pourtant tous mes essais sont vains, aucune communication possible, je le savais bien !

La lune me fixe, silencieuse et autoritaire.

« Hâtez-vous lentement, et sans perdre courage, vingt fois sur le métier remettez votre ouvrage. »[1]

Alors ce n'est pas vingt mais cent voire mille fois que mon esprit rebondit sur le drone. Premier signe, un léger écho, disparu si vite... puis un frémissement, comme une légère distorsion ou plutôt, une mise en contact avec la modulation de l'onde qui disparaît immédiatement. Je connais à présent son chemin. J'y retourne sans peine, mais j'en suis à nouveau expulsé. De longues minutes, bientôt des heures. Tikki s'est réveillé et veut prendre son tour de garde. Un doigt sur les lèvres, je fais signe de ne pas me déranger.

Son rôle terminé, la lune m'abandonne, sans oublier de me faire un signe, à peine perceptible, avant de disparaître. Akka, dès son réveil, ressent la gravité de l'instant. Essai après essai, j'adapte une longueur d'onde qui s'oppose à celle du

---

1 Nicolas Boileau, poète et écrivain du XVIIe siècle.

drone. Je module l'amplitude, l'intensité, la durée, la fréquence, chaque paramètre doit être parfaitement contrôlé. Quelques secondes, le drone devient totalement silencieux. Tikki fait un mouvement, il m'échappe à nouveau. Il est nécessaire que je puisse laisser agir muscles et sens, tout en contrôlant l'espion volant en parallèle. Pour faire les deux choses à la fois, mon esprit doit se dédoubler. La vibration *tueuse* est reconstituée, simultanément, je tente de converser avec mes amis. Je résiste quelques secondes, à nouveau rejeté. Je devine, je sais que je gagne en efficacité. Toujours l'obscurité, pourtant le crépuscule viendra bientôt parer l'horizon.

Tikki commence à s'impatienter, la Traque bientôt reprendra. Il faudrait redescendre rapidement car en plein jour nous deviendrions des proies faciles sur ces pentes nues, sans végétation.

« Quelques minutes encore ! » Je suis convaincu d'une réussite prochaine. Le sac et ressac perd de son intensité. L'onde du drone n'arrive, au mieux, qu'à m'éloigner légèrement, mais ne peut plus m'éjecter : elle est à présent à peu près sous contrôle. Je me synchronise parfaitement et entre en résonance. Encéphalogramme plat, le drone vaincu devient totalement silencieux.

Dans la futaie, au pied du nid d'aigle où se sont réfugiés les Prédateurs, Toluh[1], le Traqueur, est perplexe : *il recevait, avec de plus en plus d'interférences les informations transmises par le drone, puis, depuis quelques minutes, plus rien. Il tente en vain de reprendre contact. Les conditions météorologiques sont pourtant excellentes... Une panne au mauvais moment, mais*

---

1 Verlan, en fait toujours de l'inversion. Bonjour Nicolas.

normalement, il pourra se passer de son allié ailé. Les Défroqués, faiblement armés et encerclés, ne s'en tireront pas. Même s'il ne fait que peu confiance aux deux Gardes peu expérimentés à la Traque, ses deux fidèles Pisteurs sont, il en est certain, les meilleurs d'Haeckelie. Les ordres sont clairs, interdiction d'entrer en communication avec les Prédateurs. Fourbes et manipulateurs, ils auraient profité de leur propension à la mise en confiance pour commettre plusieurs crimes contre l'Équilibre. Prétextant l'expérience et la cruauté des fuyards, on lui a imposé d'être accompagné par les Gardes. Mais par leur faute, l'embuscade fut un échec. De plus, lors de la poursuite, il a fallu rester derrière pour les motiver et les aider - quelle idée d'être si lourdement chargés -, puis redescendre afin de récupérer la plaque d'identification du malheureux enseveli par l'éboulis. C'était l'unique objet récupérable, seule sa tête émergeait de son linceul. Accompagné de mes deux seuls Pisteurs, nous aurions probablement pu les rattraper avant qu'ils n'entrent dans le bois. Stupides Gardes !

Par contre, quelle surprise de constater que les Prédateurs n'étaient pas armés. Bila[1] a pu le vérifier lors de leur fuite après qu'ils nous aient provoqués. Le Pisteur a assurément une vision d'aigle. Certes, au moment de l'embuscade, les fuyards ont jeté dans la précipitation toutes leurs affaires, mais j'en suis certain, aucun arc ou autre arme. De toute façon, qui se débarrasserait de son armement en un tel moment ? Étonnant, vraiment étonnant…

Le dispositif est en place, plus que quelques minutes et un soleil, a priori sans nuages, illuminera le secteur. Le signal de l'attaque sera alors donné. Ils n'ont aucune chance, nous arriverons

---

1 Bila un des idiomes parlés par un des ensembles culturels Mbutis.

de tous les côtés, les flèches, plus mon bâton électrique, auront vite fait de nous débarrasser des criminels. Ce ne sont pas quelques pierres ou même leurs lances artisanales en noisetier, dont Bila m'a fait remarquer les traces de fabrication, qui pourront sérieusement nous inquiéter. Car si ces Gardes ne sont que de piètres Pisteurs et marcheurs, leur dextérité à atteindre leur cible, malgré leur jeunesse, est par contre incontestable. Ils l'ont prouvé ces deux derniers jours d'attente, durant lesquels ils ont remporté plusieurs des défis d'archers lancés par mes amis Pisteurs.

Cent mètres plus haut : malgré la douleur et un seul œil valide, je dois agir. Le drone à présent muet, les forces sont un petit peu plus équilibrées, même si notre situation reste pour le moins périlleuse. En toute logique, les poursuivants seront postés tout autour du pic et attendront le plein jour pour venir nous cueillir. Le Traqueur a dû poster les plus faibles face aux voies les plus impraticables.

Face nord, prenant garde de ne faire rouler aucun granulat ou roche, nous entreprenons la descente, hors de vue, grâce à la présence d'énormes blocs. Nous empruntons ensuite, sur quelques dizaines de mètres, une combe creusée par l'érosion, bientôt une falaise vertigineuse stoppe notre progression. Nous rampons jusqu'à sa bordure. Voilà l'endroit repéré hier. Le saut semble impressionnant, mais en y regardant de plus près, une zone d'éboulement couvre le pied de l'escarpement. Un saut de sept à huit mètres, certes, mais notre chute sera grandement amortie par le gravier et le sable, et la pente dispersera l'énergie engendrée par notre chute. J'explique rapidement mon plan, plutôt audacieux. Ils sourient... ils me font tout simplement confiance. Nous allons devoir courir en zigzag sur les trente à quarante derniers mètres à découvert.

Un archer devrait être embusqué à la lisière. Certes, l'aurore n'est encore que promesse, et ils ne nous attendent vraiment pas de ce côté, mais le risque reste important.

Nous nous prenons par la main, nos doigts par leur pression se confient tout ce que nos mots auraient eu du mal à exprimer…

Sans hésitation malgré l'obscurité, nous sautons comme un seul homme. La réception est plus rude qu'espérée mais sans bobo, malgré la roulade spectaculaire de Tikki, vite récupérée. Si nous avions souhaité rester discrets, cela aurait été raté, tant l'avalanche de gravats et de pierres est conséquente. Effet de surprise et vitesse, sont notre seule chance. Avec équilibre et dextérité, nous surfons sur la vague minérale bruyante et mouvante. Pour accélérer, nous tentons de dégager nos pieds, mais littéralement englués, ils ne répondent que tardivement à nos sollicitations. Quelques mètres plus bas, nous arrivons enfin à sortir de la nasse, moins compacte à présent, et commençons à courir en direction du bois, de la mort peut-être…

Le jeune Garde, perché sur la branche d'un arbre majestueux, n'a pas immédiatement réagi lorsqu'il a entendu les roches dévaler. Un glissement de terrain lui a suggéré son esprit, de façon rationnelle. Il n'a d'ailleurs toujours pas compris la décision du Traqueur de le positionner face à cette barre rocheuse, à ses yeux novices, infranchissable. Bientôt il faudra grimper en contournant l'obstacle, débusquer puis tuer les Prédateurs. Cela fait à peine un an qu'il est Garde, il n'a jamais eu l'occasion d'occire quelqu'un, mais il s'y sent prêt. N'est-il pas d'ailleurs le meilleur archer de sa promotion ?

Des bruits de course et de dérapage semblent être le prolongement du grondement de l'éboulement qui, lui, s'estompe. Ses cheveux se hérissent, trois ombres se dirigent vers lui à pleine vitesse, à peine à quelques dizaines de mètres de son abri.

Sur son chêne, son arc encore en bandoulière, il admet : « Quel gland[1] ! » Nerveusement, quasiment en panique, il encoche une flèche sur la corde. Ils ne sont plus qu'à vingt mètres lorsque son trait file enfin vers la cible. Mais il sent, il sait déjà, que son tir a manqué de précision. S'entraîner sur un point de mire est une chose, viser un homme est bien plus délicat, cet art nécessite la maîtrise de soi. Vite recharger !

L'orée du bois est quasiment à portée de main, nous courons en croisant nos courses pour déstabiliser un éventuel tireur embusqué. Douleur vive au niveau de mon épaule droite, je ne ralentis pas. Akka crie : « Attention sur le grand chêne ! »

Et je le vois... empêtré dans ses gestes pourtant mille fois répétés, sa flèche lui glisse des doigts, il la récupère par miracle, je me mets à hurler, imiter par les pygmées, le Garde lève un bras, comme pour se protéger, puis jette un regard désespéré vers cette menace bruyante et mouvante qui se précipite vers lui. Nouvelle erreur... dans sa position avantageuse, il aurait encore largement le temps de décocher d'autres traits mortels, mais dans sa terreur, il a déjà renoncé à vivre. Tikki et Akka jettent leurs lances rudimentaires. L'une d'elle, touche le jeune Garde au thorax, et rebondit. La blessure, loin d'être

---

1 Comprenne qui voudra

mortelle, tout juste douloureuse, amplifie encore l'affolement du malheureux qui perd l'équilibre et tombe lourdement, quasiment à nos pieds. Le bruit d'une branche qui casse, le cou fait à présent un angle bizarre avec le reste de son corps. Ses yeux sont grands ouverts et encore remplis d'effroi. Il est mort sur le coup... sur le cou aussi. « C'est si triste de mourir à vingt ans[1]. »

Notre tapage a rameuté le reste de l'équipe de poursuivants. Le deuxième Garde, comme pétrifié, à moins de cent mètres, indécis, l'arme bandée à la main... mais le dard mortel pointé en direction du sol. Il a peur...

Tikki déleste le mort de l'arc et de son carquois rempli. Avant de fuir, un doute à lever. Je dévêts l'épaule du malheureux, le « *E* » trône bien à sa place. Je récupère sa plaque d'identification. Une poignée de terre, Ordo vivendi : « Tu étais Équilibre et tu redeviendras Équilibre. » Ses yeux sont fixés vers le soleil qui émet enfin ses premiers rayons au-dessus du mont *maudit*. « *Si tu t'étais montré plus tôt, peut-être aurais-je survécu ?* », semble suggérer le regard fixe du Garde, dirigé vers le dieu Ra.

Nous nous éclipsons dans le sous-bois au moment où une flèche se fiche profondément dans le tronc du chêne-piège, une deuxième siffle à nos oreilles. Il était temps. Le deuxième Garde, de retour des limbes, et un Pisteur, certes sans nimbe, ont décoché leurs traits, plus dans le but de nous éloigner de leur camarade au sol que dans l'espoir de nous atteindre à cette distance.

---

1 Alexandre Lafon, édition Privat

Toluh et Bila arrivent quelques secondes après leurs deux comparses sur les lieux du crime. Pour la deuxième fois, l'embuscade se retourne contre eux. Outre cette tête faisant un angle droit surprenant, les yeux du malchanceux décrivent bien toute la terreur ressentie. Un silence pesant voire glacial. Chacun d'eux jette une poignée de terre sur la dépouille de leur ancien compagnon d'infortune. « Tu étais Équilibre et tu redeviendras Équilibre », énoncent-ils avec un bel ensemble. Le macchabée restera là et nourrira insectes, corbeaux, renards, ours ou tout autre charognard. Telle est la loi de l'Équilibre.

*« Il faut que je remotive les troupes. Mais pourquoi les Prédateurs ont-ils emporté sa plaque d'identification ? s'inter-*roge le Traqueur. *Il est triste. C'est la première fois qu'il perd des hommes en mission. Même s'il ne s'agissait pas réellement de ses propres hommes, des liens s'étaient tissés avec les deux Gardes trépassés. Face à des adversaires bien plus coriaces qu'il ne l'avait envisagé, et de surcroît à présent armés, la prudence devra être de mise, et la stratégie adaptée à cette nouvelle donne. »* Toluh doute… Il sait qu'il a été une nouvelle fois vaincu par plus stratège que lui. *« Qui sont ces prédateurs qui se comportent assurément comme une véritable équipe de Traqueurs ? Peut-être aurais-je dû accepter d'entrer en communication avec eux ? »* cogite- t- il.

Doute et Indécision sont parents naturels de mère Défaite.

Nous avons couru plusieurs minutes, fiers de notre action d'éclat. Un adversaire de moins, un arc qui sera redoutable dans les mains expertes de Tikki, et en plus, même au moment le plus tragique, j'ai réussi sans trop de difficulté à maintenir le drone sous contrôle. Akka m'examine, inquiet. Outre ma tête déformée et un œil affreusement douloureux, la flèche a effleuré la coiffe de mon épaule. Cette dernière saigne abondamment. Je m'en souviendrai de mon voyage au Sanctuaire...

Tikki est déjà en pleine cueillette de plantes médicinales. J'ai droit sur la plaie ouverte à un peu ragoutant mélange verdâtre, longuement mastiqué par le Mbuti, et son éternel sureau- alchémille sur mon œil, qu'il contemple en faisant la grimace : « Pas très joli », dit-il, laconique.

Akka approche à son tour, sa moue est peu rassurante.

Pas le temps de nous apitoyer, nous devons à présent nous occuper des derniers Défroqués. Avantage certain, nul besoin de leur courir après, se sentant toujours en position de force, ils poursuivront la Traque. Il nous suffit donc de les attendre ! Mon côté rapace savoure déjà…

Toluh a tenté de remettre son équipe en ordre de marche. Une consigne claire : rester groupé car le nombre et l'armement seront décisifs dans cette bataille. Son bâton- électrique à la main, flèches dans leur encoche chez les deux Pisteurs et le dernier Garde, ils suivent méticuleusement les rares indices laissés par les Prédateurs. La tension est palpable. Chaque coup de vent, chaque battement d'ailes, chaque course d'animal, provoquent une décharge d'adrénaline. Sua[1], le deuxième Pisteur, a même décoché son trait sur un arbre qui avait commis l'erreur d'avoir crissé sous l'effet de l'élévation de température liée au soleil du matin. La peur a gagné l'équipe. Du fait du manque de conviction et de certitudes de leur leader, les loups sans pitié se transforment petit à petit en agneaux juste bons à croquer…

---

1 Un des ensembles culturels Mbuti.

Arrivés aux abords d'une petite clairière, Bila fait signe et se plaque au sol. À une cinquantaine de mètres face à eux, au fond de la trouée, un des prédateurs en pleine cueillette. Il a le bras en bandoulière et boite bas. Il porte d'ailleurs un bandage autour de la cuisse. Désarmé, probablement blessé par notre Garde, et trop handicapé pour accompagner ses compères, ils l'ont abandonné là. L'occasion est vraiment trop belle…

À peine un peu trop loin pour l'atteindre avec nos flèches, il constitue pourtant une proie de choix pour un groupe en plein doute. Toluh lance la curée. Le prédateur relève la tête, apeuré, et tout en traînant la patte, entre péniblement se réfugier dans le sous-bois.

Le fuyard se glisse entre deux buissons, Sua, quasiment sur ses talons. Le pleutre ne va pas lui échapper, dix mètres de lui, un jeu d'enfant pour un tireur de son niveau. Une branche qui fouette l'air, un choc. Sua n'arrive plus à courir, il regarde les pointes de bois enfoncées profondément dans son ventre. Il n'a pas encore mal, juste de l'étonnement. La branche souple tendue à l'extrême, et dans laquelle Tikki avait fiché les piques aiguisées pendant la nuit, s'est détendue avec violence pour reprendre sa position initiale, lorsque Akka l'a relâchée. Le piège n'a laissé aucune chance au malheureux crucifié, au mauvais endroit au mauvais moment. Retenu par son carcan mortel, il reste debout, tête penchée sur son torse, et se vide de son sang. Spectacle ô combien étrange…

Tikki a attendu que le deuxième Pisteur se trouve à bonne distance. Sa flèche siffle et transperce le cou de Bila qui tombe sans grâce. À chaque pulsation cardiaque, un puissant geyser de sève vitale gicle de la blessure ; au sol, son corps tressaute quelques instants puis vite reste immobile. Voilà le résultat de quelques grammes de bois avalés de travers. Il n'y a décidément qu'un pas infime entre la vie à la mort…

Au dernier moment, Toluh a senti le piège. Las ! Il était déjà trop tard. Avec effroi, il a vu Sua puis Bila, tomber. Le dernier Garde, devant tant d'horreur et en pleine panique, s'est lancé droit devant lui dans une course effrénée. Une nouvelle flèche sans pitié, l'a fauché lui aussi. Tikki Tell est vraiment doué.

Toluh doit sa survie à une racine sur laquelle il trébuche, à l'instant même où un nouveau trait mortel le poursuivait. Cela siffle, cinquantaine centimètres au-dessus de sa tête. Épouvanté, il se relève et disparaît dans un bosquet. Il est seul à présent…

J'ai retiré ma fausse attelle improvisée puis rapidement ai ramassé au sol un des arcs des trucidés. Akka en fait de même, Tikki est déjà sur la trace…

Nouvelle tentative de prise de contact avec le fuyard, j'aimerais comprendre avant l'inéluctable dénouement… Aucune réponse.

La peur donne des ailes mais peut aussi brouiller les prises de décision. Toluh a, entre autres, refusé le contact télépathique. Galopant des kilomètres plein Nord, il bute bientôt sur le mont rocheux qui nous a servi d'abri cette nuit. Il le contourne direction Est. De temps en temps, nous l'apercevons, bâton électrique toujours en main. Certes bon coureur, il se retourne trop souvent pour être réellement efficace, et perd donc du temps. La meute est sûre de son fait. Une descente abrupte, le murmure d'un cours d'eau qui se transforme bientôt en grondement plus conséquent. « *Valserine* [1]», annonce mon neuro-transmetteur.

Le torrent, érodant les diastases, a percé des gorges profondes, les fissures dans le calcaire sont un véritable labyrinthe dans lequel le fuyard tente de nous échapper. Dans le canyon, l'eau tombe en cascade dans des marmites géantes creusées au fil des siècles par les galets et le courant. « Ouille, plutôt, oulles[2] ! » s'écrie Akka, se tenant la main. Caché derrière un bloc, Toluh a tenté sa chance. Malheureusement pour lui, la décharge d'énergie n'a frappé que l'arc et s'est propagée à la main du Mbuti, sans toucher le moindre organe vital. Néanmoins, la puissance fut telle que le pauvre Akka en gardera peut-être quelques séquelles.

Réponse instantanée, ma flèche se fiche dans la cuisse du Défroqué. Il tente de décamper, prend son élan pour franchir la rivière. Las ! Avec le long dard dans la jambe, son appui manque d'assurance. Le saut est un peu court, il atterrit sur le bout de ses orteils. On a l'impression qu'il va réussir, pourtant, comme dans un ralenti, lentement, inexorablement, son corps choisit le côté où il va choir. Ses bras battent l'air et, sans un cri, tombe en arrière dans l'eau tumultueuse. À notre grande stupéfaction, quelques mètres plus loin, le torrent et notre proie sont littéralement avalés par la roche.

« Où est-il passé… et la rivière ? bégaie Tikki.

– Une rivière souterraine. On va se rendre au niveau de la résurgence. » Merci neuro-transmetteur.

De biais, je regarde Akka, qui tient sa main endolorie contre l'estomac, mais cela ne lui enlève pas le sourire…

---

1 Rivière sauvage du Jura et de l'Ain. Lieu typique des Pertes de la Valserine
2 Comprenne qui pourra, mais pour t'aider, recherche dans encyclopédie, fera.

« Tu vas bien ?

– Un peu mieux que toi ! » rétorque-t-il en lorgnant sur mon œil, ma pommette et mon épaule. Il est vrai que je suis particulièrement amoché.

Environ cinquante mètres en aval, la roche vomit le torrent, et le transforme en un plan d'eau placide, comme si son passage sous terre l'avait tranquillisé.

Le Traqueur nous attend là, lui aussi apaisé, flottant mollement sur le ventre, bras en croix. Mort noyé, mort broyé…

Nous hissons son corps totalement désarticulé sur la berge. Tchao pantin[1] !

Nous récupérons évidemment la plaque d'identification - il s'agit bien d'un Traqueur - et dans une de ses poches, nous en trouvons une deuxième, appartenant visiblement à un Garde. Vêtement - coutou, chaussures, ceinture - sacoche, lui sont retirés. Par contre, son bâton - électrique a disparu dans les flots.

Vautour ? Juste un principe de base de l'Équilibre : « Rien ne se perd, rien ne se crée, tout se transforme. »[2]

Un bruit léger : le drone ! S'il ne pouvait communiquer, il recevait néanmoins les ondes de son Traqueur. Comme dicté par son programme, il se pose délicatement sur le corps à présent muet, et déjà presque froid. Je récupère l'objet ailé.

Ordo vivendi, poignées de terre sur le corps, le calme après la tempête. Nous en profitons pour faire un bilan plus attentif de nos blessures.

---

1 Tchao Michel Colucci
2 Ô Lavoisier, comment as-tu pu perdre la tête après telle conclusion révolutionnaire ? Ah ça ira, ça ira, ça ira...

L'auriculaire d'Akka pend bizarrement, ses deux dernières phalanges, glacées et insensibles au toucher, ont subi une forte décharge d'énergie. Deux autres doigts sont particulièrement brûlés et endoloris, mais a priori, ceux-là n'auront pas de séquelles. Akka doit souffrir le martyre mais il ne le montre que peu. Tikki saura agir.

Mon épaule est, certes sensible, mais la blessure est nette, la décoction aide à cicatrisation. Tikki retire les différents baumes et feuilles qui adhèrent encore aux plaies de ma joue ; il sourit et semble satisfait. « Une cloison nasale de travers et une cicatrice pas trop vilaine zébrant le visage, tu seras moins beau mais aucune infection à craindre », ajoute-t-il.

À présent, il nettoie à l'eau claire, l'orbite et le pourtour de mon œil. Soulevant délicatement ma paupière, fermée par réflexe d'autoprotection, il grimace. L'œdème a diminué mais l'œil est engorgé de sang et paraît gonflé.

Penché sur le plan d'eau, j'essaie de visualiser les dégâts, mais ce miroir improvisé n'est pas assez précis.

Petit à petit, je parviens à maintenir la paupière ouverte, enfin, seulement à moitié, tant mon œil est larmoyant et douloureux. La lumière m'agresse mais ma crainte principale s'envole car... « Je vois ! m'écrié-je, soulagé, je vois ! »

À l'écoute de mes cris joyeux, mes amis se détendent et sourient. Les voilà rassurés aussi. Assis en tailleur, tout en rires et en joie, nous savourons notre victoire, et la quiétude après la tension extrême de ces dernières heures. Nous retraçons notre nouvelle épopée, nos doutes et nos peurs déjà oubliés. Si les chasseurs avaient été dix voire plus, le résultat aurait été sans nul doute le même. Le sentiment d'invincibilité est puissant, mais bientôt vient le temps des interrogations.

Pourquoi cette équipe de Traque souhaitait notre mort ? D'après leurs plaques, ils étaient affectés au Sanctuaire. Mais que faisaient-ils si loin de leur base ? Probablement une équipe de Défroqués, seule explication rationnelle. Mais que pensaient-ils que nous détenions pour nous poursuivre avec autant de détermination ? Aurons-nous un jour une explication rationnelle ?

Une nuée de mouches virevoltent autour de moi, et commencent à m'énerver sérieusement. Je tente de m'en débarrasser d'un revers de main. Inefficace ! Je croise carrément des bras devant le visage. Le résultat est identique : aucun effet ! Mes deux amis me regardent, perplexes.

« Que fais-tu ? lâche enfin Tikki.

— Ces mouches m'énervent. Je bats l'air une nouvelle fois.

— Khaur, il n'y a aucune mouche, réponds Tikki doucement.

— Mais si bien sûr, regarde !

— Non Khaur, aucune mouche », confirme Akka.

Je fixe mes amis, leur regard est triste. Je lève la tête, dans le ciel des dizaines de points noirs, des corbeaux probablement… Je ferme la paupière gauche, les oiseaux disparaissent et réapparaissent immédiatement lorsque j'ouvre à nouveau l'œil blessé. Je réitère plusieurs fois l'opération avant d'en tirer l'évidente conclusion. Mes amis ont raison, il n'y a pas ni mouches ni corbeaux, hormis dans ma tête.

« Les mouches apparaissent dans le champ de vision de cet œil », dis-je en désignant méchamment mon organe blessé.

— Ne t'inquiète pas, c'est probablement lié au choc, cela passera avec le temps, affirme Tikki, le meilleur soigneur du groupe.

— En es-tu certain ? Ressentant un besoin urgent d'être rassuré.

— Oui, ne t'inquiète pas ! Dans quelques jours tout redeviendra normal, même si ton nez restera tordu », ajoute Tikki tout en tirant la langue.

Akka s'esclaffe, imité en cela par son compère Mbuti. Un brin rassuré, je ne tarde pas à les rejoindre dans le plaisir du rire ensemble. Notre vie n'est décidément qu'une suite de tensions et d'amusement.

Après cet intermède violent, il nous faut faire un large détour pour retrouver le chemin du Sanctuaire et au préalable, récupérer les plaques d'identification de nos agresseurs. Cela aidera peut-être à la compréhension du mystérieux guet-apens. Sur nos frêles et naïves épaules, beaucoup de perplexité et de questionnement.

Le ciel s'encombre de lourds nuages noirs qui se bloquent contre le relief. En quelques heures nous perdons plusieurs degrés. La ligne droite est, paraît-il, le chemin le plus court, mais en voulant éviter les larges détours pris par le Traqueur lors de sa fuite, nous nous retrouvons enlisés dans une végétation dense, touffue, inextricable, qui rend notre avancée lente et pénible. Quant aux ronces qui s'agrippent à nos vêtements ou griffent mains et visages, elles ont le don de prodigieusement nous irriter. Il ne manquerait plus que l'hydre, dans ce véritable marais de Lerne végétal.

Quel soulagement de nous retrouver enfin dans une clairière. Malgré la température en chute libre et la bruine glaciale qui commence à tomber, les efforts consentis nous ont fait transpirer abondamment. Assis, mode récupération, le froid engourdit peu à peu nos membres. Horreur, des papillons blancs se mélangent à présent aux mouches noires devant mes yeux...

« Il neige ! » s'enthousiasme Akka d'une voix enfantine. Il me rassure par là même.

Rapidement, les flocons se mettent à tomber dru. La nature, revêtant son habit hivernal, souhaite d'un seul coup nous faire oublier la saison passée. Une ouate blanche enveloppe le monde d'un silence apaisant.

Départ immédiat... Il ne manquerait plus que nous soyons bloqués par les intempéries. Le sous-bois est toujours au sec, les flocons n'ont pas encore réussi à forcer le passage des branches et des feuilles jaunies par l'automne.

Tikki ouvre la route, il s'arrête brusquement. Devant nos yeux ébahis, tout semble au ralenti : *Ô temps, suspends ton vol*[1]... Deux humains au teint diaphane, vieux, très vieux, tordus, très tordus, avancent péniblement. Ils ne marchent pas, ils traînent leurs jambes, tout en transportant sur leur dos courbé par les années, leurs misérables fagots. Nous n'avions jamais vu telle décadence, nous n'avions d'ailleurs jamais vu non plus tels vieillards... Ils *rampent* en direction de plusieurs huttes de bois et de terre que l'on aperçoit à une centaine de mètres de là. Ils ne nous ont pas remarqués. Fatigués, usés, ils ont hâte de retrouver leur abri, si lointain encore ; une éternité, tant leurs pas semblent une parodie.

Autour des cabanes, plusieurs autres pauvres hères des deux sexes se pressent lentement. Ils ont senti la neige et agissent en conséquence, les moins grabataires aidant les

---

1 Alphonse de Lamartine.

plus handicapés. Spectacle édifiant pour trois adolescents à la force de l'âge, jusqu'alors préservés de l'horreur de la vision de la déchéance de fin de vie.

En Haeckelie, l'homme rendu définitivement inutile pour l'Équilibre est expulsé et condamné à l'exil. Ainsi il n'y a pas aucun handicapé physique ou mental, ni aucun vieux dans les différentes zones d'habitage. Il est formellement interdit de porter assistante, de nourrir ou de cacher ces persona non grata. Celui qui se risquerait à transgresser cette loi encourrait Pitance.

Je me souviens avoir assisté, alors que j'étais tout jeune, à l'attaque, par une meute de chiens sauvages, d'une femme devenue folle, et de fait, expulsée de Tanslé. Elle errait sans but aux alentours de son ancienne zone d'habitage, refoulée chaque fois qu'elle tentait d'y retourner. Sans soin, sans nourriture, elle avait fini par perdre ses dernières maigres forces. Les chiens n'en avaient fait qu'une bouchée, sous nos yeux plus intrigués que choqués. Telle est la règle de l'Équilibre.

Mais s'il nous est interdit d'aider les membres expulsés, ont-ils le droit, eux, de s'entraider ? Moi, Gardien de l'Équilibre, n'ai pas la réponse à cette question, surtout que j'étais persuadé qu'ils ne survivaient pas suffisamment longtemps pour pouvoir se regrouper.

Comment imaginer une telle concentration de vieillards dans ces monts isolés ? J'évoquerai ce point précis avec un Vérificateur à notre arrivée au Sanctuaire.

Tikki, perplexe : « Khaur, dis-moi : je ne pense pas qu'ils aient le droit de construire des habitations hors d'une zone autorisée. Les règles de l'Équilibre l'interdisent, cela ne nous impose-t-il pas de détruire ce camp ? »

Voilà un point réglementaire auquel je n'avais pas songé, mais après réflexion : « Les textes concernent les membres de l'Équilibre, or, ces individus en ont été exclus. De fait, ils ne peuvent entrer, à mon sens, dans le champ d'application de la loi. Ce ne sont donc que des Cousins-humains ! Condamne-t-on un Cousin-lion pour avoir tué une Cousine-gazelle ? Pour conforter cette réponse, j'exposerai cette théorie à un Vérificateur. »

Tikki adhère à mon raisonnement argumenté, même s'il s'apparente, de fait, à de la manipulation intellectuelle. Akka, de son côté, s'est totalement désintéressé de l'affaire, il s'amuse, happant en plein vol les quelques flocons flottants.

En moi, une étrange sensation… pour je ne sais quelle raison, il m'aurait été difficile de détruire les abris précaires, et de fait, accélérer la mort des vieillards. J'apprendrai plus tard que l'on appelle cela, *empathie*.

Une nuit cauchemardesque sous un auguste sapin, abri providentiel contre les intempéries. Malheureusement, nos pauvres gabardines ne sont qu'un rempart fragile face au froid polaire de cette première véritable nuit d'hiver. Au moment de fermer les yeux, nous rêvons tous d'une bruyante hutte-pony, pourtant unanimement rejetée jusqu'à présent. Pour quelques dollars[1] euh… degrés de plus !

Sogno, elle-même, probablement quelque part pétrifiée par le gel, n'a su trouver grâce en mon cerveau- permafrost. Durant la nuit, quelques étonnants éclairs lumineux blancs,

---

1 Sergio Leone 1965.

quasi surnaturels, illuminent la pénombre sous ma paupière gauche close…

Il a cessé de neiger depuis longtemps, le ciel est à nouveau dégagé. Fatigués et frigorifiés, le petit matin glacial est néanmoins vécu comme une résurrection. Nous allons pouvoir marcher et de fait, nous réchauffer quelque peu. Nos premiers pas, gourds et empruntés, sont torture et soulagement à la fois. Notre respiration dégage de magnifiques et amusantes volutes de fumée, mais la sensation de brûlure dans nos poumons et gorges, oblige à couvrir notre bouche du revers de la gabardine. Le rythme s'accélère, les sourires retrouvent leur place sur nos lèvres, la force de la jeunesse reprend bientôt ses droits.

Sur le champ de bataille de la veille, les Cousins charognards ont déjà largement entamé les corps. Nécessité oblige… il leur faut rapidement accumuler des réserves pour survivre à l'hiver imminent. Notre prédation n'est pas de même nature : armes, vêtements, plaques d'identification et réserves changent de propriétaire.

Après avoir énoncé la remise de leur corps à l'Équilibre, la descente vers le chemin quitté dans la précipitation deux jours auparavant, a été rapide. À notre grand étonnement, nos pathétiques affaires personnelles sont à l'endroit où nous les avions jetées. Quel bonheur de retrouver ces petits trésors, pourtant misérables. Dans nos besaces, outre nos vêtements de rechange, chacun conserve des souvenirs de ses précédentes missions ou de sa propre histoire. Pour moi mon éternel pipeau mais aussi un morceau de marbre gris veiné de blanc. Le vieux et étrange Saltimbanque-poète qui me l'avait offert, prétendait que, d'après la Prophétie, cette

Pierre d'Aruri[1], sur laquelle la forme d'une larme interpelle, porte bonheur. Akka conserve lui un oliphant d'ovidé. Tikki a ramassé un coquillage sur la *plage du Ricain,* il a rejoint sa collection de fossiles. À présent, chargés comme des mules - même si cette expression n'a plus cours depuis que les bêtes de somme ont été libérées de leur joug - notre marche manque de légèreté, mais reste efficace.

À proximité de la zone d'habitage Genf[2]...

« Et si on s'arrêtait pour signaler les huttes et les vieillards au Vérificateur de cette zone ? » Tikki insiste...

« *Pourquoi en vouloir à ces vieux des monts ? Tikki aurait-il ses propres vieux démons à combattre ?* » me demandé-je. Puis à haute voix : « Si nous l'évoquions, nous serions dans l'obligation de raconter toute l'affaire. Que déciderait alors le Vérificateur ? Surtout avec notre chargement, toutes ces affaires qui ne nous appartiennent pas... Il pourrait même nous accuser d'avoir provoqué cette tuerie pour les détrousser. Nous serions de toute façon retardés, je préfère arriver au Sanctuaire pour m'expliquer.

– Tu as probablement raison », affirme-t-il mollement. Un regret transparaît dans sa voix. Réminiscence de sa douloureuse expérience ?

Le jour nous a abandonné depuis longtemps lorsque nous atteignons la hutte –pony. Quelques rondins, de la terre, de la paille, un toit unipente en alose, vingt mètres carrés au

---

1 Aruri, ancien nom d'un bourg des Pyrénées-Atlantiques, Arudy, célèbre pour sa pierre, tombée un peu en désuétude aujourd'hui. Dans cette commune, la sorcellerie était, paraît-il, autrefois pratiquée par les bruèissas de Ste-Colome.
2 Genève en langue allemande.

maximum, sans ouverture. Rudimentaire, certes, mais efficace pour protéger des intempéries et du froid. C'est avec soulagement que nous y ferons étape pour la nuit.

Un Saltimbanque-poète et un Coursier-messager, seuls occupants, observent notre arrivée. Dans leurs yeux, peut-être de la crainte, mais aussi probablement beaucoup de perplexité. *Que fait ici cette équipe, a priori de Traqueurs, totalement inconnue dans la contrée ? Ils transportent beaucoup d'affaires, toutes ne leur appartiennent visiblement pas. De plus, celui-là a le faciès tuméfié. Un visage patibulaire, mais presque*[1] !

Notre salutation amicale en vigueur chez les membres de l'Équilibre, main devant le cœur, paume face à nos interlocuteurs, les quatre premiers doigts repliés, le pouce ouvert parallèle au torse[2], complétée par un : « Nous, membres de l'Équilibre, vous saluons ! », détend immédiatement l'atmosphère.

Mésoc, joyeux drille aux cheveux longs et à la barbe hirsute, nous enchante de ses vers, et peut-être, pour nous convaincre encore plus de son talent, accompagne chacune de ses tirades d'une rasade de liqueur démoniaque nommée *jeune épi*[3]. La bouteille tourne, l'atmosphère fait plus que se réchauffer, elle devient carrément *chaud bouillant*.

Je me souviens vaguement d'une folle sarabande[4], et même d'une chenille qui partait à l'heure ; je me souviens avoir chanté ou plutôt braillé ; je me souviens être tombé, avoir beaucoup ri, mais aussi avoir raconté quelques-unes

---

1 Thank's Coluche
2 E en langage des signes. (Décrit peut-être de façon maladroite)
3 Génépi ?
4 Danse populaire espagnole à trois temps vifs

de nos aventures ; je me souviens que nous avons entonné ensemble et émus :

C'est la chaîne, c'est la chaîne de la vie
De la graine au muguet
De l'arbre à la forêt
C'est la chaîne, c'est la chaîne de la vie.

N'arrêtez pas la chaîne
Elle doit passer par vous
Chacun ses joies, ses peines
Ensemble, malgré tout. »

Je me souviens que Rabe, le Coursier, a affirmé, pouvoir dans son état, parcourir mille lieues en courant, et pour le prouver a commencé sa course autour de la pièce unique, bousculant et renversant tout sur son passage. Il a fini par trébucher et dans nos bras s'écrouler, faisant exploser de rire la communauté : « *Il est des nôtres, il a bu son verre comme les autres...* »

Mais bientôt, nos jeunes gosiers, peu habitués à tels breuvages, ont vite fait de nous faire crier gare. Nous nous garons ou plus exactement nous nous endormons, heureux et confiants, avec en nous le syndrome *Peter Pan*[1]. J'ai oublié mes *mouches* pourtant toujours présentes ; Sogno, dépitée, a dû préférer vaquer à d'autres occupations ; et les éclairs blancs sont revenus dans la nuit...

Nuit d'Ivresse[2] qui chante, *Matin Chagrin* qui déchante... Un tambour résonne dans ma tête, ma langue est rouge,

---

1 Nous ne voulons pas grandir.
2 Merci à Josiane Balasko et Henri Dès pour leurs textes.

gonflée, à l'enduit épais et blanc. Et mes amis ne sont pas mieux lotis.

Ah, elle est belle la jeunesse d'aujourd'hui !

Probablement plus en forme que nous, le Saltimbanque Mésoc a déjà levé le camp pour aller de zone en zone jouer voire jongler avec les mots. Lui et son *jeune Épi* nous ont conquis.

En boule dans le coin de sa couche, malheureux, frigorifié et fatigué, en un mot, alcoolisé, le Coursier manque pour le moins d'allure. Il est vrai qu'il a continué la soirée avec le Poète alors que nous avions, tous les trois, déjà abandonné. Je devine dans ses yeux groggy que le malheureux croise les doigts, dans l'espoir que nul collègue ne lui apporte un message à transporter jusqu'au prochain point relais, loin, très loin, trop loin… au moins à vingt kilomètres d'ici. Rabe[1] jura, mais un peu tard, qu'on ne l'y prendrait plus[2].

Lorsque je fixe le ciel, outre les mouches noires, un voile brouille ma vision monoculaire. En haut à gauche, la forme d'une feuille de palmier de couleur ocre, apparaît en bordure de mon champ visuel. J'imagine qu'il s'agit là aussi, des effets de l'alcool, cela passera dans la journée.

J'oublie les diptères, j'oublie l'arecaceae, car les trompettes ont remplacé le tambour dans ma tête. Horrible !

Trois malheureux hères reprennent la route après avoir longuement embrassé notre nouvel ami, compagnon d'infortune en ce petit matin frais.

---

1 Rabe en allemand = corbeau
2 Seule et unique origine contrôlée, attention au plagia ! Il paraîtrait qu'un certain Jean de la Fontaine s'y soit amusé.

Une heure de marche a eu la peau de notre gueule de bois, et bientôt nos souvenirs éthyliques se transforment en fous rires et en anecdotes savoureuses. Cette première véritable *biture* restera longtemps gravée dans nos mémoires.

Arrivée en fin de journée à proximité de Vaugstaadt, zone d'habitage dont étaient originaires les horribles Temseppil et Ruovanza, heureusement, châtiés par Stowhlen. Une stèle à la mémoire de notre héros trône au centre de la petite agglomération, universellement connue. Le culte de la personnalité étant interdit en Haeckelie, l'épitaphe du cénotaphe glorifie les Traqueurs de façon générale et non uniquement, leur illustre prédécesseur. De ce fait, nous savons que nous y serions accueillies avec gaité - la réputation festive de cette zone n'est plus à faire -, mais pour éviter les questions dérangeantes et surtout un nouveau piège éthylique, nous préférons poursuivre notre route jusqu'à la prochaine hutte- pony.

Tout en marchant, un léger doute s'insinue en moi… elle concerne bizarrement la valeureuse épopée de Stowhlen.

« Les Pygmées, croyez-vous que Stowhlen ait été aussi brave et valeureux qu'on le prétend ? Comment aurait-il pu sans arme ni préparation, se défaire de deux dangereux individus armés jusqu'aux dents, et de leurs chiens ?

– Nous sommes des Mbutis ! » explosent- ils en cœur, souriant à pleines dents. Ils ont compris, depuis longtemps, mes provocations gratuites et ô combien amicales.

« Voyons Khaur, quelle question étonnante ! Évidemment que tout est vrai. D'ailleurs, on sait cela depuis notre enfance, tous les livres le concernant chantent ses louanges, je n'ai jamais entendu personne remettre en cause cette Vérité. » Tikki me regarde de travers.

« *Le choc lui aurait-il fait perdre la tête ?* » pense- t-il, inquiet.

« Il ne faudra pas évoquer cela en arrivant au Sanctuaire, tu deviendrais suspect. As-tu mal encore à l'œil ? Toujours des problèmes de vue ? Ajoute- t-il, m'examinant de haut en bas.

— Juste une idée saugrenue qui m'a effleuré l'esprit, laisse tomber ! Les mouches sont toujours là, mais j'ai l'impression qu'elles sont moins nombreuses. »

Ce qui est pur mensonge, elles flottent encore par centaines. De plus, je n'ose évoquer le *palmier* bien présent en bordure de mon champ de vision. Manque de confiance, ou peut-être simplement, le dérisoire espoir de conjurer le mauvais sort en ne partageant pas mes inquiétudes. Je ne suis pas forcément très fier de mon attitude, surtout après tout ce que nous avons vécu ensemble.

III) LE SANCTUAIRE : L'ENQUÊTE BOURRELIENNE

Grandiose et toujours surprenant...

Nous surplombons un immense et magnifique lac bleu, le Guoz[1] ; véritable joyau entouré d'un écrin plus chaotiquement discutable. Sur la rive septentrionale, une immense agglomération, ou plus exactement, comme l'avait spécifié la présentation que l'on m'en avait faite lors de mon précédent passage : « ... *une mosaïque de zones d'habitage, collées les unes aux autres, et dans lesquelles vivent quinze mille âmes. Chacune de ces zones respecte des règles identiques à celles qui ont cours dans toute l'Haeckelie. Juste quelques métiers spécifiques car le Sanctuaire fournit à tout le pays, l'ensemble des outils de nos travailleurs et cultivateurs, la totalité des ustensiles de cuisine ou plats, pots et jarres en terre cuite, et bien évidemment les vêtements. En Hackelie, hormis les habits de Traque, chacun possède quatre tenues, deux d'été et deux d'hiver, de forme et de couleur similaires pour tous, la matière en est particulièrement grossière. Pas de dérogation au Sanctuaire. Cela satisfait tout le monde...* » avait précisé notre accompagnatrice, qui avait alors poursuivi son exposé :

« *Des millions d'objets de toutes natures, particulièrement du Temps d'Avant, sont entreposés avant d'être transformés ou le cas échéant, pour en récupérer la matière première. L'extraction*

---

1 Verlan tu es, verlan tu resteras... et tu trouveras

minière a été interdite depuis des décennies. Aussi, des quantités énormes de différents minéraux, matériaux ou fibres ont été mises en réserve au Sanctuaire. Chaque gramme importe, ce qui explique l'absolue nécessité de tout recycler. Tel est l'Équilibre. »

Ces mots restent évidemment de bon sens aujourd'hui.

À perte de vue, jardins, cultures et élevages d'insectes occupent la plaine. On devine en son centre, les fameuses serres et le jardin botanique avec des millions de plantes, arbres et arbustes préservés, conservés là pour la postérité de la biodiversité.

Sur la rive méridionale, le spectacle est hallucinant… plusieurs dizaines de gigantesques *huttes* métalliques aux façades de couleur blanche et aux toits qui scintillent au soleil. Elles occupent des hectares de terrain. « *Des hangars et entrepôts* », m'informe scolairement le neuro-transmetteur.

Lors de ma précédente visite au Sanctuaire, je n'avais pas pris conscience de l'immensité, il est vrai que j'étais bien plus jeune et tellement plus excité. Assurément, c'était pour la *fête du Renouveau*…

Tikki et Akka tout aussi médusés que moi, nous avions oublié… Familiarisés aux minuscules zones d'habitage comptant deux cents âmes, l'amplitude et la densité de la présence humaine bouleversent notre conception de l'Équilibre. Il ne peut y avoir de place pour nos Cousins-animaux à des dizaines de kilomètres à la ronde. Choquant !

La crainte d'être écrasés par ce territoire tentaculaire, la peur de ne pas trouver notre place dans une cité sans repère, un brin de timidité, un peu de lâcheté, le désir de ne pas décevoir, et surtout un doute sur nos capacités à évoluer dans ce milieu inconnu voire hostile, nous inquiètent. Cela fait beaucoup pour trois petits *cambrousards*.

Quelques centaines de mètres plus au nord, une colline domine la grande plaine. Elle est couronnée par de hautes murailles qui protègent plusieurs dizaines de bâtiments en pierre et torchis : la Maison du Gouvernement, notre destination.

Comme il est étrange de marcher entre la fameuse hutte de pisé, des dortoirs et des cabanes, similaires à ceux rencontrés dans toute l'Haeckelie, sans y ressentir la même substance de vie. Déroutant d'avoir le sentiment d'être dans un environnement connu, tout en ayant conscience des différences fondamentales qui le distinguent. Cela a la couleur d'une zone d'habitage, cela a la forme d'une zone d'habitage, mais ce n'est pas une zone d'habitage. Une reproduction, sans âme et sans rire, de tout ce que nous connaissions par ailleurs, et dans laquelle l'humain y a, semble-t-il, perdu son âme. Les gens, surpris, ne répondent que très rarement à nos salutations, pire se retournent moqueurs et ironiques après notre passage. Dans nos contrées, le sourire est généralement permanent, ici la tristesse prédomine. Au Sanctuaire, le rire n'est plus le propre de l'homme[1], ni de la femme du reste. Gens de la ville qui déchantent, et gens des champs tout en chants[2].

Cette atmosphère étonnante, presque lugubre, rend nos pas plus lourds et gourds. Zone après zone, la traversée se fait dans un silence oppressant. Nous, glorieux guerriers,

---

1 Cet aphorisme serait dû à François Rabelais, dans l'*Avis aux lecteurs* ouvrant *Gargantua*
2 ... et gens du jardin, l'artiste.

comme des enfants apeurés, marchons groupés, la proximité physique rassurant l'ensemble.

Quel soulagement lorsque les entrepôts se substituent aux zones d'habitage. Sortant de l'intimité dérangeante de ces vies amorphes et sans joie, nous nous mêlons aux gens qui comme nous, rejoignent le Sanctuaire.

« *L'arbre ignore la nostalgie. Dès l'aube il éparpille sagement son pollen dans le silence et les écorces qui s'entrouvrent. Il goûte l'humidité de la brume qui traîne ici et là avant de se disperser. Il a grandi sans regret ignorant les grandes forêts, les steppes immenses et les collines du bord de mer. Il ne jalouse pas le cerisier blanc et le pommier aux fleurs délicates. Il peut être témoin des pires avanies, rien ne pourra le changer et il ira au bout de son chemin*[1]. »

Cette voix nous fait tous trois réagir comme un seul homme : « Mésoc ! »

Assis sur un banc, il déclame nonchalamment au vent ses vers éclatants, dans l'indifférence générale.

Quel bonheur de rencontrer un visage connu en cette ville de grande solitude. Le voilà entouré de trois fans. Aucun mot, juste ses yeux qui s'éclairent et nous indiquent ainsi le plaisir de ses retrouvailles, puis d'une voix profonde :

---

1 Ce poème de Michel Cosem est extrait de son dernier recueil : Gorgées de braises. La Chevallerais : Sac à mots éditions, 2006. (Excusez-moi Michel, si je vous ai imaginé cheveux longs et barbe hirsute, cela ne change en rien votre talent)

« Du printemps qui fleurit
À l'hiver qui s'en vient
C'est la chaîne, c'est la chaîne de la vie
Des rochers, à la plante rabougrie,
Du frère, au minuscule cousin
C'est la chaîne, c'est la chaîne de la vie. »
Complices, nous entonnons avec lui...

« De la source au torrent
Du fleuve à l'océan
C'est la chaîne, c'est la chaîne de la vie
De la graine au muguet
De l'arbre à la forêt
C'est la chaîne, c'est la chaîne de la vie.

N'arrêtez pas la chaîne
Elle doit passer par vous
Chacun ses joies, ses peines
Ensemble, malgré tout. »

Nous explosons d'un rire communicatif. Certains badauds se sont arrêtés quelques instants pour chanter avec nous. La grisaille a relevé un coin de son manteau...« Que faites-vous ici les Traqueurs ? demande-t-il chaleureusement. – Nous sommes affectés au Sanctuaire. » Ma réponse ne transpire pas la joie, le Poète le ressent bien.

« Pas d'inquiétude, le Sanctuaire semble, de prime abord, un lieu sans âme ni joie, mais vous verrez, vous vous y plairez. Clin d'œil complice, il poursuit : je vous aiderai à connaître... Personnellement, je viens amuser le peuple du Sanctuaire pendant les prochaines saisons, j'ai été nommé,

ici, Saltimbanque. Et je sais où me fournir en Jeune-épi ! »
Il explose de rire.

Rassérénés par cette rencontre, nous nous esclaffons aussi.
Tout en chantant à tue -tête, nous nous dirigeons, bras dessus,
bras dessous, vers les portes de la Maison du Gouvernement.
Quelques hectomètres seulement…

La rumeur court probablement plus vite que nos pas.
Le comité d'accueil est largement disproportionné avec nos
velléités offensives, totalement inexistantes… Un million de
flèches, ayant pour seule cible nos corps, menacent de nous
transformer en porc-épic et pic et colégram, am stram gram…

« *Visez plutôt Mésoc, son corps est tellement plus large que
nos maigres flancs…* » Pensée peu chrétienne, j'en conviens,
mais cela tombe bien, je ne sais ce qu'est le christianisme.

Hormis pour les Gardes, toutes les armes sont proscrites
dans la Maison du Gouvernement… et il y a pléthore de
Gardes au mètre carré autour de nous. Les arcs et toutes
nos affaires mal acquises, nous ont probablement fait passer
pour des Défroqués détrousseurs. Enfin, des Défroqués peu
malins pour s'attaquer en chantant et en plein jour au centre
névralgique du pays. Mais comme ces Gardes ne semblent
pas non plus avoir été psychologiquement favorisés par Dame
Nature, nous sommes déjà les bras bien haut, un sourire
qui se veut rassurant, balbutiant des explications, certes très
intelligentes, mais forcément peu compréhensibles, tant nous
craignons l'accident ballot…

Arcs et carquois arrachés, rassurés par leur nombre, les
Gardes montrent enfin moins d'agressivité, la tension baisse.
Quel attroupement autour de nous ! Les attractions doivent
être rares… « Akka, Tikki et Khaur d'Alternatiba, nous avons
reçu ordre de rejoindre le Sanctuaire. Hornika, le Supraviseur

de l'OME, nous attend ; et ici présent, un compagnon de route, Mésoc. Il enchantera vos soirées de ses poésies. » Ma petite voix fluette et timide me surprend moi-même.

Mésoc, de son côté, semble plutôt s'amuser de la tournure des événements. Clin d'œil complice, il lance : « Je transformerai cette histoire en quelques vers épiques ou en verres jeune épi… que ! »

Fier de lui, il explose de rire, un rire franc, un rire profond, un rire communicatif, un rire prodigieusement et incompréhensiblement contagieux. Bientôt le virus passe du Barde au Garde, du Garde au badaud, du badaud à la passante, avec ou sans soucis, et de la passante aux ex - Défroqués. Alors, du plus profond de dizaines de gorges déployées, commence à monter crescendo, dans une cacophonie indescriptible devenant progressivement harmonie, le fou- rire, unique et puissant. Dans le ciel laiteux, trois pies passant par-là, se mêlent aux débats en riant et jacassant à hautes voix. Et dire que l'on pensait, au Temps Jadis, que le rire était le propre de l'homme…

La vague est passée, subsistent encore quelques spasmes de ricanement, et surtout le doux sentiment d'avoir partagé ensemble un moment rare et fort. Beaucoup s'endormiront apaisés cette nuit.

Sur le fronton de la porte principale de la Maison du Gouvernement sont gravés ces quelques mots, tant de fois entendus depuis ma petite enfance : « *La Nature ne connaît ni le Bien ni le Mal, juste l'Équilibre.* »

Le poste des Gardes… austère, froid. Les courants d'air nous transpercent de part en part. Je comprends aisément qu'ils aient eu envie de se réchauffer à nos dépens.

Tension extrême : analyse de notre chargement, et tout particulièrement des plaques d'identification récupérées sur les macchabées, l'ambiance se tend à nouveau. Plusieurs yeux se mettent en mode agressif et nous tancent, un Garde part précipitamment chercher un Supravérificateur. Les choses vont se compliquer si nous ne sommes pas suffisamment persuasifs.

Après un signe amical de la main, Mésoc est reparti de son côté, sans oublier de nous indiquer le numéro de la zone d'habitation dans laquelle nous pourrions le retrouver : « La quinze ! »

Quelle rencontre-bonheur !

Devant mon insistance, un deuxième Garde, en traînant les pieds, a finalement accepté d'aller quémander Hornica, le Supraviseur. Mais où est donc Hornica ? [1]

Autour de nous, outre nos cerbères, quelle fourmilière ! Où que porte notre regard, de l'activité, de l'agitation, du bruit. Cela bouge, cela gesticule, cela crie, bien loin des sages bourgades fréquentées jusqu'alors. Akka semble totalement désorienté, son sourire niais ne l'arrange pas.

Étonnamment, les échanges télépathiques dont je n'étais pas le destinataire, restaient jusqu'alors, totalement dans le monde du silence ; à présent, en me concentrant, le bruissement de leurs ondes me perturbe et m'inquiète… nul n'a jamais évoqué tel parasitage. Serais-je malade ?

---

1 Vous auriez été déçus si je ne l'avais pas faite, non ?

Un vautour fonce sur nous. Elle est grande, elle est maigre, des yeux ronds, fixes et durs, un nez puissant et crochu, des joues extraordinairement creusées, des serres remplacent ses doigts : Suthra, une des Vérificatrices de l'Équilibre.

Immédiatement, une bourrasque dans mon cerveau. Jamais je n'avais senti avec autant de netteté une onde télépathique : « Que s'est-il passé ? »

Le compte-rendu diffus et confus fait par le Garde ne l'a visiblement pas mise de bonne humeur. Je tente un résumé depuis notre départ d'Alternatiba, mais elle veut des faits, rien que des faits !

Le brouillard, l'embuscade, notre fuite, notre combat, notre victoire, nos trophées… Et visiblement le visage de Suthra se défait devant les faits. Néanmoins, elle contre-attaque : « N'est-ce pas plutôt vous qui les avez piégés ? » Cela manque totalement de conviction car les évidences sont là, les indices aussi. Notre notification d'affectation, une équipe de Traque accompagnée de Gardes bien loin de leur base, notre arrivée avec les reliques des victimes.

Je sais qu'elle n'attend aucune réponse à sa dernière question bien dérisoire, et je sens que mon récit la perturbe bien au-delà de ce que j'aurais pu l'imaginer. J'espérais des explications en arrivant ici, or, la bouteille d'encre semble devenir plus noire encore…

Sur ces entrefaites, le Supraviseur de l'OME, Hornika, fait son apparition. Si Suthra est plutôt de nature *vautourienne*, Hornika ressemble comme deux gouttes d'eau à un petit goret ventru. Je n'avais jamais vu d'homme gros de ma vie.

Il devine mon trouble : « Les hormones », glisse-t-il mentalement tout en réalisant une mimique amusante avec la bouche, comme s'il demandait à être pardonné pour sa sur-charge pondérale. Je ne dois pas être le premier à réagir, et sûrement pas le dernier… Puis prenant conscience de la présence de mes amis, confirme d'une voix criarde et efféminée : « Un problème d'hormones explique mon poids, et comme Dame Nature lors de la distribution n'a pas été très gentille avec moi, elle m'a en plus fait court sur pattes. »

La même mimique avec la bouche… un toc !

« *Et Dame Nature en a rajouté une couche en l'affublant d'une voix horripilante* », vilaine pensée qui s'impose à moi. Tikki et Akka, de leur côté, l'examinent scientifiquement, de la même façon qu'ils le feraient avec un extra-terrestre.

« Bienvenus au Sanctuaire, Khaur d'Alternatiba », dit-il à me désignant avec son menton bien caché sous un goitre exophtalmique, il ajoute en se retournant vers mes deux compagnons : « Par contre, qui êtes-vous ? »

« Tikki, Akka sont mes deux Pisteurs, Jomuir, la Guide, nous a ordonné de rejoindre le Sanctuaire et de nous présenter à toi.

— Tu étais pourtant seul à être muté à la Maison du Sanctuaire. Méprise inhabituelle et surprenante... »

Un long silence pesant, jusqu'à nous sentir intrus. Un brin intimidés, inconsciemment nous nous rapprochons à nous toucher. Hornika et Suthra semblent échanger télépathiquement. Que souhaitent-ils nous cacher ?

Innocemment, tout s'isolant du vacarme émis par les centaines d'ondes parasites, mon esprit *palpe* l'environnement de la pièce, avec la même concentration mise pour accéder au drone ennemi. Bientôt, je *devine* les fréquences cérébrales des deux interlocuteurs. Impossible de me *brancher*. Nul, a priori, n'a jamais pu le faire, mais comme personne n'avait jusqu'alors pu se *connecter* à un drone non affecté... et j'y suis pourtant arrivé. La tâche est là, autrement plus complexe. Autant par jeu que par défi, je poursuis mes tentatives, tout en me focalisant sur la fréquence ayant la plus grande amplitude.

Un choc, comme une secousse électrique, et un impact sonore dans mon cerveau : « ... Keur... », puis me voilà éjecté sans ménagement. Au même instant, Suthra, lève les yeux, tourne légèrement la tête et hume l'atmosphère. Elle a ressenti quelque chose, pourtant rapidement, reprend sa conversation, comme si de rien n'était. Stupeur, j'ai dû occasionner une interférence dans leur échange.

Visages graves, Suthra et Hornika ordonnent aux Gardes de sortir, puis se retournent vers nous : « Avec qui avez-vous évoqué l'embuscade ? interroge Hornika brutalement.

— Vous êtes les deux seuls informés ! » affirmé-je. Les deux Mbutis confirment en opinant du chef mécaniquement.

Le Supraviseur de l'OME poursuit : « Pas un mot sur toute cette histoire. On va vous accompagner au dortoir collectif, vous y restez jusqu'à ce qu'on vienne vous chercher. Vous deux, désignant Tikki et Akka, même si ce n'était pas initialement prévu, vous êtes à présent affectés à la Maison du Sanctuaire, et plus précisément, Compagnons – adjoints au service du Compagnon Khaur. »

Puis s'adressant à moi télépathiquement : « Es-tu sûr de tes hommes ?

— Oui, autant que de moi.

— Sois prudent ! Ce soir, une réunion aura lieu pour évoquer différents événements qui nous ont déconcertés ces derniers mois. »

Les Gardes ont conservé les effets de nos malheureux agresseurs. Nous nous retrouvons dans un dortoir austère, pourtant bien luxueux comparé à celui que nous connaissions à Alternatiba. Il y a même des caisses superposées pour déposer nos affaires personnelles.

« Une caisse par dormeur », a précisé Fmi, la Garde[1], rougeaude et sympathique, qui nous a indiqué nos couchages. On aurait eu très largement assez d'une seule pour les trois, tant nos objets et vêtements semblent ridiculement perdus dans tant d'espace.

Beaucoup de perplexité dans les yeux de mes amis, les miens ne doivent pas dépareiller. « Que se passe-t-il Khaur ? demande Tikki, avant d'ajouter : as-tu remarqué l'inquiétude et la stupeur de la Supravérificatrice ? Elle a accepté tes explications quasiment sans sourciller. Hornika semblait lui aussi totalement déstabilisé. »

Boudeur, Akka surenchérit : « Et une fois de plus on nous demande de tenir notre langue et on nous menace. On était bien à Alternatiba. Je n'aime pas le Sanctuaire ! » Pourtant son sourire permanent semble, à tort, indiquer le contraire. Il a vraiment dû embrasser un pot de glu pour conserver ainsi ses babines retroussées. Serait-il lui aussi tombé dedans lorsqu'il était petit ? Mais ça, c'est une autre histoire...

« Après la réunion de ce soir, on devrait en apprendre un peu plus », glissé-je à mes amis qui n'étaient pas dans la confidence.

Quelques heures à tuer... et interdiction de sortir.

---

1 Pas compris ? Christine ne vous en voudra pas. Mais vous pouvez l'oublier, elle sort de l'histoire et du FMI aussi...

Sur ma paillasse, enfin. J'ai hâte de m'essayer à nouveau au jeu des *grandes oreilles*.

Impression ou réalité ?

Le brouhaha est toujours aussi indescriptible. Des dizaines d'échos, des frémissements, des vrombissements, impossible d'isoler une onde dans cette cacophonie. Parfois un gribouillis confus ressemblant vaguement à un mot, mais je ne peux m'en accaparer. Il file dans le courant puissant et incessant des vibrations mentales qui traversent mon esprit. Épuisé, je m'assoupis en constatant que les *mouches* se disputent toujours mon champ visuel, de surcroît, la feuille de palmier s'est encore étoffée.

« *Bonjour Sogno. Je me languissais de toi.* »

Toujours le même bruit de cascade qui me berce, toujours le léger chuintement d'un ruisseau à nos pieds, toujours de l'herbe bien verte, bien grasse. Il fait doux, tu es à mes côtés. Ta main dans la mienne, et encore et toujours nos doigts jouant la partition du bonheur. Nous voilà déjà dans la cabane aux ouvrages polémiques. Je suis le plus heureux des hommes.

« *Sais-tu comment sont conçus les Cousins-mammifères ?* » *demande amusée, Sogno.*

Gêné, je ne sais pourquoi... une réponse timide : « *Évidemment oui !* »

Heureusement qu'elle ne m'a pas posé cette question pendant que nous nous promenions le long du ruisseau, et que le désir entravait suffisamment mes pas.

« *Évidemment, évidemment, est-ce si évident pour toi ?* » *insiste-t-elle, tout en lissant de ses deux mains ses longs cheveux noirs. Ô, que de sensualité dans ce geste de prime abord si banal.*

Je ne sais où me mettre.

« Reproduction = copulation d'un animal mâle avec un animal femelle, gestation, mise-bas, récitant là mes anciens cours, bien succincts il est vrai, et j'ajoute : tout le monde sait ça, on le voit régulièrement autour de nous, dans la forêt ou dans les prairies.

— Que deviennent les bébés animaux à leur naissance ? Toute mielleuse…

— C'est la femelle qui l'allaite pendant plusieurs mois ou années en fonction de l'espèce, je réponds du tac au tac. Incollable le Khaur ! Mais que recherche-t-elle ?

« Toi-même, comment es-tu venu au monde ? » Que de perfidie dans ce visage d'ange.

« Mise en contact d'un spermatozoïde et d'un ovule, fécondation, multiplication des cellules, développement, et me voilà ! » Je sais, j'élude pas mal de chose, mon raccourci est vraiment bien raccourci… et je commence à percevoir la voie dans laquelle elle espère m'engager, et dans ses yeux, je lis qu'elle sait que je sais.

« Certes Sogno, ce n'est pas ma génitrice qui s'est occupée de moi à ma naissance, certes, je ne connais pas celui qui a fourni le sperme, mais qu'est-ce que cela change ?

— N'y a-t-il pas là désaccord avec les règles de l'Équilibre des choses ? » dit-elle avec son sourire le plus enjôleur, le plus irrésistible, mais le plus manipulateur aussi.

Évidemment, sur ce point, les directives prônées par l'Équilibre sont un brin dissonantes avec les lois de la Nature, mais il est de bon ton d'éluder ces quelques contradictions.

Brutalement, submergé par des bras, des jambes, des têtes et des rires, Tikki et Akka ont profité de mon sommeil pour se jeter sur moi. Un visage aux longs cheveux noirs imprègne encore un court instant ma rétine puis vite retombe dans l'oubli.

Un « bande d'idiots ! » jeté à leur figure, avant de me précipiter dans la mêlée en explosant de rire.

Nos jeux d'enfants se sont peu à peu éteints, un dortoir silencieux accueille le Garde chargé de nous conduire à la réunion. Une centaine de questions et des milliers d'interrogations encombrent mon esprit.

Première désillusion à notre intégration. Bloqués par deux Gardes, dont Fmi[1], mes amis sont priés de patienter à l'extérieur de la salle de réunion. Mes plaintes et revendications n'ont pas plus d'effet que le battement d'ailes d'un papillon… Malgré tout ce que l'on peut prétendre par ailleurs, le faible seul n'arrive jamais à faire bouger les lignes, sauf à transcender la force qui est nécessairement en lui.

Aucun bruit. Cinq personnes autour d'une table massive en bois brut, visiblement en grande conversation télépathique. Des regards curieux à mon entrée mais personne ne m'ouvre son neuro-transmetteur.

Je m'assieds et observe, tout en essayant de *forcer* les portes de leurs échanges. Dans le lot, je différencie aisément la fréquence de Suthra avec son amplitude incroyable comparée autres, mais rien de véritablement concret. Mes tentatives de connexion se soldent par des grésillements ou des sons bizarres : « *Ça fait VLAM ! Ça fait SPLATCH ! Et ça fait*

---

1 Vous aurais-je menti ? Oh, voilà Christine de retour, même pas mise au tapis… juste une négligence lyonnaise.

CHTUCK ! Ou bien BOMP ! Ou HUMPF ! Parfois même PFFF ! SHEBAM ! POW ! BLOP ! WIZZ ! »[1]

La Supravérificatrice ressent quelque chose d'inhabituel. À maintes reprises, elle relève la tête à l'écoute de ses sens, et finalement se met à me fixer avidement de ses yeux d'oiseau de proie. Confus, comme un enfant pris la main dans le sac, je me retire précipitamment. Se doute-t-elle de quelque chose ?

« *Je vous présente Khaur, Compagnon novice de l'Équilibre.* »

Je tente le salut avec la main proche du cœur, mouvement interrompu car je me retrouve immédiatement en contact avec cinq esprits, chacun m'adressant télépathiquement une phrase de politesse. Habitué à converser avec au maximum, deux autres transmetteurs, mon cerveau a du mal à jongler avec cet afflux de vibrations.

Hornica aux yeux porcins poursuit : « *Khaur, je te présente Snah[2], lui aussi, Supraviseur de l'OME.* »

Un homme d'une quarantaine d'années, de grande taille et aux cheveux blonds comme du blé bien mûr, dont la fréquence, petite, hardie et très rapide, impacte mon cerveau pour indiquer qu'il s'agit de lui.

« *Wanriga[3], une des cinq Tabellions d'Haeckelie.* » Une onde douce et caressante, en provenance d'un petit bout

---

1 Merci Serge (Comic Strip).

2 Hans Jonas (Verlan). Dans la philosophie qu'il énonce vers la fin de sa vie, il veut apporter une réponse aux problèmes que pose la civilisation technicisée, à savoir les problèmes environnementaux, les questions du génie génétique.

3 Wangari Muta Maathai, militante écologiste et politique. En 2004, elle devient la première femme à recevoir le Prix Nobel de la paix pour « sa contribution en faveur du développement durable, de la démocratie et de la paix. »

de femme noire, sans âge et à l'allure décidée. Elle ajoute un petit signe de la main. « *Et voilà Barricom[1], un des trois Oracles de l'Équilibre.* »

Une vague nette, précise, disciplinée, sans aucune variation ni parasite, atteint mon cerveau : un homme grand et chauve, au beau sourire avenant.

S'adressant aux trois autres : « *Nous suivons sa progression depuis longtemps. Arrivé à maturité, la décision a été prise de l'intégrer à l'équipe du Gouvernement. Compte tenu de sa valeur, il devrait gravir les échelons pour un jour remplacer un ancien et donner sa pleine mesure au maintien de l'Équilibre. Un événement exceptionnel est survenu pendant son transfert. Khaur, raconte-nous ce qu'il est arrivé pendant ton transfert.* »

Je m'adapte rapidement à la multiplicité des interlocuteurs, simple gymnastique neuronale. Pour la deuxième fois, je raconte l'embuscade, je les sens perplexes voire goguenards, lorsque je prétends avoir mis hors service le drone.

« *Tu aurais déconnecté le drone sans brouilleur électronique ?* » Un petit sourire entendu, beaucoup de réserve voire de l'ironie dans l'exclamation de Snah, le Supraviseur.

Mais de toute évidence, ils connaissent l'existence de l'anti-récepteur H20. De plus, je ressens leur conviction du moment, sans pourtant tenter de les en dissuader : une panne du drone au moment où ce jeune fou pensait perturber la liaison. Je continue à évoquer notre *épopée*, oubliant, je ne sais pour quelle raison, l'épisode des vieux des monts… mais aussi du *jeune épi* dévastateur.

L'énumération des victimes, la confirmation qu'il s'agissait bien d'une équipe de Traqueurs et de Gardes, tous issus du

---

1 Barry Commoner. Dans son livre *The Closing Circle* de 1971, il établit un lexique des quatre lois de l'écologie…

Sanctuaire, ne manquent pas de susciter interrogations mais aussi inquiétude…

Certains interlocuteurs communiquent en aparté, puis me donnent à nouveau accès à leur neuro-transmetteur.

Pourquoi ne pas partager avec moi leurs réflexions ? Que savent-ils que je doive ignorer ?

Quelques questions complémentaires anecdotiques, je comprends bien que les données importantes s'échangent dans mon dos. Dépassé, pas dans mon élément, j'aimerais ne pas avoir quitté Alternatiba, être encore avec les miens, attendant avec impatience une nouvelle mission. Ô spleen quand tu nous tiens !

Une partie de mon esprit vagabonde, pendant que l'autre, totalement désabusée, répond mécaniquement aux quelques demandes secondaires, avec comme seul objectif de me laisser imaginer que j'existe un petit peu à leurs yeux. Je ne les intéresse plus, ils ont tiré de moi tout ce dont ils avaient besoin. De l'ombre à la lumière, la marge est infime. Est-ce que le bûcheron s'intéresse encore à l'arbre lorsque son bois a été débité ? Mes informations seront probablement disséquées, analysées, mêlées à d'autres paramètres… La tension est palpable, je dois réagir. La mélancolie n'a jamais fait avancer les choses, même si elle a parfois permis d'écrire les vers les plus beaux. Ils veulent m'isoler, je vais m'imposer !

Une rage sourde monte en moi et surprend même par son ampleur. Je vais redevenir acteur et non simplement témoin des événements de ma vie.

Ce n'est plus par jeu mais avec une colère froide que j'ouvre mes *grandes oreilles*. J'isole chacune des ondes que je différencie bientôt sans peine et m'efforce, comme j'avais pu le faire avec le drone, d'entrer en résonance. Encore une fois, l'amplitude de Suthra semble la plus accessible. Dans un premier temps, « Ça fait VLAM ! Ça fait SPLATCH ! Et ça fait CHTUCK ! Ou bien BOMP ! Ou HUMPF ! Parfois même PFFF ! SHEBAM ! POW ! BLOP ! WIZZ ! » Rejeté plusieurs fois, ma ténacité rageuse exacerbe mes capacités, et tout d'un coup, le chemin d'accès me semble à portée.

Brusquement : « ... *nécessairement vouloir comprendre et son enquête pourrait lui divulguer certaines Vérités avant qu'il ne soit réellement prêt...* »

Ô, impression surréaliste ! Je suis tellement abasourdi qu'une simple petite modulation me rejette sans ménagement. Personne ne s'adressait à moi, j'ai *i n t e r c e p t é* un message télépathique de la Supravérificatrice. Ma tête bouillonne d'excitation, j'ai envie de crier au monde la prouesse que je viens de réaliser. Mais certains exploits ont vocation à rester secret, s'il était révélé, je n'ose en imaginer les conséquences...

Déconcertée par cette étrange sensation déjà perçue dans la journée, Suthra reprend pourtant l'échange. Elle ne le sait pas, mais c'est à présent hors de portée de mes oreilles indiscrètes qu'elle poursuit son monologue :

« *De mon côté, je pense que nous devrions l'intégrer à son poste de Compagnon comme il était prévu. Rien de plus, rien de moins, tout en lui interdisant d'outrepasser les consignes strictes que nous lui donnerions.* »

« *Mais qu'est-ce qui peut le relier à notre affaire ? L'embuscade dont il a été l'objet n'est pas le fait du hasard,* ajoute Snah, Supraviseur de l'OME.

— *Souvenez-vous aussi de l'accident mortel subi par le Vérificateur Inquisitio. N'arrivait-il pas lui aussi d'Alternatiba ? Certes, je reste persuadé qu'il s'agissait d'un accident car, si les attaques de chiens sauvages sont rares, on n'a jamais signalé d'animaux dressés, de surcroît pour agresser des humains. Un meurtre dans notre communauté… je ne veux, je ne peux y croire. Néanmoins, ce concours de circonstances est pour le moins bizarre* », louvoie Wanriga, la Tabellion, pourtant pas normande.

« *Bizarre, bizarre, vous avez dit bizarre, comme c'est bizarre !* » jouvetise[1] Barricom, l'Oracle, totalement dépassé par les événements.

— *On va reprendre l'enquête sur la mort d'Inquisitio. Même si on n'a pas retrouvé grand-chose de tangible sur la dépouille, il y a peut -être des témoins ?* » Hornika, homme de décision par excellence, a décidé. Et même, s'il n'est pas le plus haut placé hiérarchiquement parmi les dignitaires présents, il possède, lui, les qualités d'un véritable meneur.

De fait, il monologue : « *Concernant Khaur, on va lui donner une formation accélérée de Compagnon. Suthra, tu commences dès demain matin. Ses tests prouvent une grande intelligence et une grande faculté à s'adapter aux règles dès lors qu'elles ne mettent pas en cause les lois essentielles de l'Équilibre. C'est d'ailleurs pour cette souplesse intellectuelle qu'il a été repéré. Du reste, on peut avoir confiance en lui, les évènements ont débuté bien avant son arrivée. Khaur est un bon Traqueur, nous savons qu'il cherchera de toute façon à comprendre le pourquoi de l'embuscade. Associons-le rapidement à l'équipe d'enquêteurs, en considérant par hypothèse, que tous les faits sont liés…*

---

1 Ne cherchez pas dans le dictionnaire mais plutôt dans votre mémoire.

Nous traversons depuis quelques mois une période trouble, de nombreuses énigmes et toujours aucune réponse. S'agit-il des pièces d'un même puzzle… ? Deux membres du Gouvernement disparus sans laisser de trace, plusieurs vols de matériaux ou de matériels stratégiques dans les entrepôts, mais aussi de nourriture dans la Maison du Gouvernement, un jeune Garde retrouvé mort sans raison apparente à la porte Est, l'embuscade contre Khaur menée par des Gardes et une équipe de Traqueurs du Sanctuaire, si nous devions ajouter à cette liste le Vérificateur Inquisitio dévoré par des chiens sauvages… nous ferions face à la plus importante menace qu'ait connue l'Haeckelie.

Mais qui en serait à l'origine et pourquoi ? Le danger vient peut-être de l'intérieur, ne montrons aucun signe d'inquiétude aux autres membres du Gouvernement. De toute façon, la majorité d'entre eux se satisfont de la quiétude et de leur confort personnel, bien loin des préoccupations du peuple et du maintien de l'Équilibre. »

Hornika, d'un fatalisme triste, sait que l'être humain apprécie avant tout l'ornière d'une vie sécurisée. De ce fait, tout messager porteur de mauvaises nouvelles est souvent plus vilipendé que la mauvaise nouvelle elle-même.

Lorsque la Supravérificatrice Suthra entre à nouveau en contact avec moi, je tressaute, tel l'enfant pris la main dans le sac. Pourtant cela fait de longues minutes que j'ai quitté son esprit. Elle me fait un résumé *fidèle* de leurs échanges, elle sera en charge de ma formation de Compagnon, puis je participerai à l'enquête sur notre embuscade. Les autres acquiescent. Hornika, toujours aussi obèse, précise que Tikki et Akka sont nommés en tant qu'adjoints, au moins le temps que l'on prenne une décision définitive les concernant. Je suis persuadé qu'ils me cachent un peu plus que des détails, mais j'ai hâte que cette réunion se termine…

Voulant enfin conforter sa position, qui se voudrait dominante, Wanriga, la Tabellion, clos la réunion après les sempiternelles recommandations de confidentialité et de prudence. Hornika m'a indiqué la position de la salle communautaire dans laquelle se passeront nos repas et nos loisirs, et a fixé notre rendez-vous du lendemain.

Quel plaisir de retrouver mes amis ! Dans leurs bras, je retrouve confiance et soulagement. Totalement déstabilisé, une seule idée obsédante : retrouver Mésoc, faire la fête, et pour un soir, oublier. Oublier le Sanctuaire, oublier ces gens remplis d'intrigues et d'inquiétude, oublier ce don surnaturel qui me portera tort, oublier ces mouches et le palmier qui troublent ma vision…

J'aimerais tant me retrouver chez moi à Alternatiba, j'aimerais partir dès ce soir en Traque avec une mission claire et bien définie, j'aimerais être tout simplement loin d'ici. La dépression me gagne, la seule posologie envisageable pour la soigner, le jeune épi…

Après un résumé succinct de la réunion, et le désintérêt complet de mes amis, la jubilation gagne lorsque j'évoque la soirée que je souhaiterais des plus alcoolisées.

Quelle douce sensation, à peine la muraille de la Maison du Gouvernement passée, de laisser derrière soi, spleen, tension, doutes et morosité. Le soleil disparaît peu à peu à l'horizon, il nous faut presser le pas et retrouver Mésoc. Zone quinze, un joyeux drille nous indique un bâtiment long d'au moins cinquante mètres, fait de pierres et de torchis, et au toit arrondi. On est bien loin des gens tristes et pathétiques que nous avions croisés lors de notre arrivée au Sanctuaire. Les habitants ont, semble-t-il, revêtu leurs habits de nuit et pourtant de lumière. Que de bruit, que de mouvement !

Devant l'entrée, un individu torse nu aux pupilles largement dilatées et un sourire à détrôner Akka. Il doit faire moins de cinq degrés ce soir. Nous lui demandons, presque timidement, confirmation de la présence du Saltimbanque à l'intérieur.

« Vous ne l'entendez pas ? Le grand Mésoc damne[1] cette soirée. »

Et pour conforter ses dires, un barrissement fait trembler tout l'édifice. Nous nous retrouvons instinctivement en position défensive, cheveux hérissés, prêts à affronter un monstre ou un troupeau de buffles au galop. Notre interlocuteur, lui, n'a pas sourcillé, aucune réaction…

Entrée en file indienne. Ô damnation ! La scène est surréaliste. Les quelques torches allumées sont écrasées par les ténèbres, la lumière diffuse et confuse qu'elles tentent de donner, fait danser les ombres et les formes de façon quasi surnaturelle. On devine, peu à peu, une longue et large table sur laquelle gesticulent et s'agitent plusieurs dizaines d'individus, plus ou moins vêtus, plus ou moins éméchés. Au milieu, assis tailleur, tel un bouddha mais un bouddha barbu et aux cheveux longs, trône notre ami. Il est objet de toutes les attentions. À portée de sa bouche, un bec prolongé par un long tube en bois de plusieurs mètres, lui-même terminé par un large pavillon qui repose sur la robuste épaule d'un

---

1 Damne… probablement une suite logique de l'expression, « mettre le feu »

géant, probablement sourd à présent. « *Un lithum alpinum*[1] »,
explique tranquillement mon neuro-transmetteur, seul, a
priori, à conserver son sang -froid dans l'antre du diable.

Le Saltimbanque prend sa respiration et se met à souffler
vaillamment dans l'instrument géant. Nouveau barrissement,
des cris, des clameurs, des hurlements, la foule déchaînée
tape dans les mains, tape avec les pieds, leurs têtes font des
mouvements étranges et rapides de haut en bas, rappelant
bizarrement un coq de bruyère faisant la cour à sa poule,
Tikki et Akka définitivement effarés par ce tumulte, si éloigné
des sages soirées d'Alternatiba. Leurs yeux en disent long, je
n'ose imaginer les miens…Mésoc, d'une voix légère et cérémonieuse, entame un chant qui fige l'assemblée, le silence
devient quasi religieux :

« Assis sur son croissant de lune

Mésoc attend

Que quelqu'un lui rende sa plume

Depuis le temps

Depuis le temps qu'on la lui vole

Pour envoyer des petits mots

Mésoc va prendre la parole

Écoutez bien Mésoc ! »[2]

« Le fantôme de Mésoc ! » s'écrie une femme à mes côtés,
les seins à l'air. Repris en cœur par des dizaines de gorges qui
s'égosillent : « Le Fantôme de Mésoc, le Fantôme de Mésoc,
le Fantôme de Mésoc… ! »

Et bientôt quelques voix tentent d'organiser une chorale
pour la réplique, et les mots prennent rapidement forme dans
une relative harmonie :

---

1 Probablement un cor des Alpes (note de l'auteur).
2 Librement inspiré du : « Fantôme de Pierrot » Le Forestier

« Descends de ton croissant de lune
Juste une fois !
Si tu ne veux pas pour des prunes
User ta voix
Rester là-haut, c'est un peu comme
Si tu criais dans un désert
Descends de là si t'es un homme
Te battre avec la Terre ! »

Tous ont à présent leur index dirigé vers un Saltimbanque rayonnant de joie et ne boudant pas son plaisir. Son sourire en dit long, ils ne l'ont pas oublié…

À son tour, Mésoc lève son doigt et le pointe tout autour de lui. Cette fois, le lithum alpinum, s'il ne me surprend plus, déclenche des hurlements qui donneraient sans nul doute un complexe d'infériorité à une meute de loups. La folie semble avoir pris possession de tous ces esprits perdus. Notre ami écarte les bras, le silence se fait immédiatement. Une voix profonde, méconnaissable : « Les gens qui veulent suivre des règles m'amusent, car il n'y a dans la vie que de l'exceptionnel. »[1] Tous méditent quelques instants ces mots assurément subversifs dans une société telle que l'Équilibre, puis exultent, y compris ceux qui n'ont rien compris… Et à nouveau le peuple, comme un seul homme, danse et entre en transe. Mésoc se lève, le show est visiblement terminé, ce qui ne dérange en rien Hercule qui ne bouge pas, le pavillon de l'instrument de musique toujours sur l'épaule.

« Alors comment avez-vous trouvé ? »

---

1 Citation de Jules Renard, en 1894, se moquant des conventions

Bousculés, malmenés, déstabilisés par cette foule en mouvement, nous n'avons pas senti le Saltimbanque s'approcher. Comment a-t-il pu remarquer notre présence dans ce désordre et cette pénombre ?

« Ambiance très particulière », est la seule réponse qui me vienne à l'esprit.

Dans l'obligation de hurler pour se faire entendre, Mésoc nous indique de le suivre au fond de la longue salle. Là, un repas roboratif est servi. Noix, racines, oignons, graines, galettes de céréale et même un pot de termites grillées sont à disposition. Même si nous les avions oubliées, probablement à cause du choc culturel lié à cette soirée, les crampes d'estomac dues à la fringale commencent à se faire sentir.

« Ils ne m'ont pas oublié, répète à l'envi Mésoc le paon, ils ne m'ont pas oublié. »

Il est tellement fier qu'il se met à notre service, tendant un épi de maïs grillé à Tikki, approchant un panier de fruits à coques à Akka, et m'indiquant de délicieuses fleurs séchées comestibles. Il attend probablement en retour quelques flatteries de bon ton. Peu habitués à ces *jeux de société* - ce n'est pas le genre de la maison Alternatiba - nous le laissons sur sa faim.

Il ne s'en formalise d'ailleurs pas, car régulièrement, un disciple convaincu, traverse la pièce pour faire courbette et mille compliments étourdissants. Paradoxalement, il en devient encore plus serviable, voire servile, vis-à-vis de nous… Enfin, la fin de la faim, et comme par magie, un gobelet d'un liquide ambré se retrouve dans nos mains. « Sikaru[1], nous indique le maître de maison, excellent ! »

---

1 Ancêtre de la bière (Sumer, IVème siècle avant JC).

J'avais déjà eu l'occasion de me délecter de cette liqueur amère, mais je n'en dis rien, tellement il est en joie de nous recevoir dans le domaine où il est roi. Les gobelets se vident et se remplissent comme par magie. Cela tombe bien, nous étions, mes amis et moi, venus chercher cela. Nous oublions ou plutôt, nous nous laissons pénétrer par le vacarme et l'alcool... enfin détendus.

« C'est tous les soirs comme ça ? demande Tikki à notre hôte.

— Ce soir est un peu particulier, car beaucoup sont là pour fêter mon retour après quatre ans de disgrâce, loin du Sanctuaire. J'ai dû, à l'époque, choisir entre l'exil dans de lointaines zones d'habitation ou le risque d'un procès. Certains du Gouvernement me trouvaient trop subversif. Heureusement, un membre influent appréciait mes odes. Il m'avait pourtant exhorté pendant des mois de moins transgresser. À la fin, il m'a évité le pire. Dans mon numéro de poète, j'étais adoré... mais je crains ce soir de m'être déjà trop lâché, dit-il tout d'un coup songeur. Emporté par l'émotion des retrouvailles avec tous ces admirateurs qui n'attendaient que moi, j'ai repris le vieux répertoire. Oh oui, ce vieux répertoire qui avait bâti ma renommée... mais aussi mon exil. Je vous remercie, transporté par mon succès, j'étais en train de perdre pied. Sans votre arrivée j'allais m'embarquer dans une voie périlleuse. Devant vos bouilles désemparées, j'ai compris qu'il fallait vite arrêter. Merci les amis... ! »

Qu'importe de ne pas réellement comprendre ce que fut notre action salutaire, du moment que les gobelets se remplissent. Surtout que notre statut d'étrangers a évolué favorablement par le fait d'être des proches du *Roi*... Ainsi, plusieurs inconnus viennent autour de nous pour pavaner et roucouler mais aussi nous alimenter. Ils sont donc pardonnés !

La soirée prend une étrange tournure. Pénombre, alcool à volonté, bruits et sens exacerbés, forment un cocktail particulièrement explosif. Devant nos yeux, toujours plus médusés, des grappes d'individus, plus ou moins dévêtus - plutôt plus d'ailleurs - prennent forme. L'ambiance vire à la frénésie sexuelle. Cela se caresse, cela s'embrasse, cela se lèche, cela se frotte. Il y a des bras, il y a des têtes, il y a des peaux claires et d'autres plus mates, il y a des hommes, il y a des femmes, et tout cela se mélange. Mésoc semble hypnotisé par le spectacle, il ajoute : « Ces fêtes bacchanales m'ont beaucoup manqué ! » Sans ajouter un seul mot, il rejoint la mêlée, et se met à embrasser fougueusement le premier freluquet passant à sa portée.

Cela en est trop pour nos yeux d'adolescents totalement désarmés, et lorsque deux jeunes femmes totalement nues, fondent vers nous tels des oiseaux de proie, nous prenons notre courage à deux mains et... fuyons lamentablement.

La fraîcheur de la nuit nous surprend, et nous aide progressivement à revenir à la réalité. Toujours le brouhaha dans les oreilles, l'alcool participant à la confusion. Quelques rires forcés, puis des anecdotes racontées sur des choses vues ou entendues, nous permettent de commencer la dédiabolisation de cette épopée noctambule. Jamais nous n'avions imaginé l'existence de telles soirées. J'explique à mes amis : « cela s'appelle *orgies,* elles existent depuis la nuit des temps. » Merci neuro-transmetteur qui sème à tout vent.

Les nuages, vainqueurs de la lune, les ténèbres nous enveloppent. De fait, c'est avec difficulté que nous retrouvons le chemin du retour. Sans un mot, chacun plongé dans l'introspection et de ses futures propres conclusions : choqués, interpellés, amusés, émoustillés ? Nous en saurons probablement plus demain…

Notre arrivée dans le dortoir collectif est saluée par moult protestations, insultes ou autres menaces. Nous avions pourtant l'impression d'être parfaitement silencieux…

À peine couché, ma tête et mon lit sont entraînés dans un manège infernal, lié aux méfaits de trop d'alcool. Sur ma gauche, un de mes amis s'est relevé précipitamment, et avec des gargouillis inquiétants, vomit tripes et boyaux sous les huées de l'assemblée des *anciens dormeurs*. Mon autre comparse ronfle déjà tel un bien heureux. Cela doit être Akka. Quelle soirée mémorable !

Yeux clos, j'attends le sommeil. Les éclats lumineux qui éclaboussent ma rétine gauche finissent par me démoraliser. Cet œil devient réellement inquiétant. Heureusement, cette nuit encore, la belle et souriante Sogno viendra me rendre visite…

Nuit d'ivresse, brumes matinales, sera la maxime du jour… Le teint blafard, les yeux éteints et le lithum alpinum dans la tête : au réveil, nous, matadors de la nuit, avons revêtu nos habits de misère.

Le regard réprobateur de la Supravérificatrice Suthra en dit long : « Pauvres types ! » Peut-on lire dans ses yeux remplis de haine, alors que nous tentons dans la douleur de conserver un brin de dignité.

« Que faites-vous encore couchés ? Khaur, ne devais-tu pas me rejoindre à la salle de l'apprentisseur, dès les premières lueurs de soleil ? En plus, j'ai eu de nombreuses plaintes liées au vacarme de la nuit, la Maison du Gouvernement ne peut tolérer tels agissements. »

Comme un seul homme, nous voilà les trois debout, quasiment en forme, le degré d'alcool dans le sang ayant brutalement chuté. Il ne faut pas trop jouer avec la discipline dans le pays d'Haeckelie.

Brèves mais douloureuses... Je supporte de moins en moins bien les séances d'apprentisseur. Les tempes en feu, mais à présent informé de l'organigramme complet du Gouvernement, mes fonctions exactes en son sein, mes collaborateurs, un plan détaillé de la Maison du Gouvernement - hormis le quartier Futura uniquement autorisée aux membres de 1ère catégorie - une vision complète et précises des zones d'habitage, des jardins et serres, et tant d'autres compléments plus ou moins futiles, plus ou moins utiles. Néanmoins, déstabilisé voire sonné de connaître à présent le contenu des entrepôts... Je retrouve avec bonheur mes Pisteurs.

« Suthra sera notre guide pour la visite du Sanctuaire cet après-midi », dis-je à mes amis, totalement éteints. Finalement, en voyant leur tête peu avenante, je peux raisonnablement m'interroger sur l'origine de mon mal de crâne. Apprentisseur ou sikaru ?

Les recommandations de Suthra sont claires et évidemment empreintes de menaces : « Rien de ce que vous verrez ou apprendrez ne devra être divulgué, arcanes exclusivement détenus par les membres du Gouvernement et de leurs aides », ajoute-t-elle en fixant durement mes amis qui se tassent immédiatement sur eux-mêmes. Quand est-ce que toutes ces sommations cesseront ?

Visite pour la forme, en ce qui me concerne, tout est précisément inscrit dans ma mémoire. Tikki et Akka, un petit peu par curiosité, mais probablement beaucoup plus du fait d'un sentiment de crainte vis-à-vis de notre accompagnatrice, montrent un intérêt exagéré à cette balade organisée.

Après avoir parcouru de long en large la Maison du Gouvernement, puis les jardins sans fin avec ses quelques baraques contenant les réserves à grains et tubercules ; les serres achalandées de ses milliers d'espèces végétales préservées ; les moulins avec leur roue à aubes sur la rivière Flublorze et les termitières et fourmilières couvrant plusieurs hectares ; nous arrivons enfin aux *huttes géantes* : d'immenses entrepôts en enfilade qui laissent bouche bée mes amis.

« Nous commencerons par les hangars à matériaux et minéraux », précise Suthra tout en déverrouillant télépathiquement la serrure d'un premier bâtiment.

« J'ai besoin de muscles pour débloquer la porte », ajoute-t-elle.

Tikki s'exécute. Un bruit de succion, l'endroit était fermé hermétiquement. Je devine l'étonnement de mon ami lorsque le panneau, entièrement métallique, se met à glisser seul, mû par un mécanisme *magique* sur rail.

Sésame ouvre-toi !

Spectaculairement, des segments entiers du mur et du toit deviennent translucides à notre passage, donnant ainsi une bonne visibilité. Des buttes vertigineuses, véritables montagnettes de différentes couleurs et consistances, emplissent la salle du sol au plafond, pourtant haut de plusieurs dizaines de mètres, notre regard littéralement écrasé par le gigantisme.

« Vous remarquerez cette poussière grise qui volette, elle couvre toutes les surfaces et est omniprésente dans tous les hangars. Elle a un fort pouvoir anti- oxydant, anti- humidité, lubrifiant et isolant », récite notre guide.

Dans un autre bâtiment, les tas sont moins impressionnants, séparés les uns des autres par des cloisons en bois. « Ce sont des matériaux rares, vitaux pour l'Haeckelie », assure la Supravérificatrice.

Plusieurs monticules composés d'une même masse informe et grisâtre, attirent nécessairement le regard, tant ils ont fait l'objet d'une attention certaine. Le sommet de chaque amas est recouvert d'un linge fin, et ce ne sont plus là des parois grossières mais des planches fines et bien jointées qui constituent l'écrin de cette substance. Immédiatement, l'aspect *toile d'araignée tissée* me ramène quelques mois en arrière : du « baotou » !

Nous ne visiterons évidemment pas chacun des vingt autres hangars contenant de nombreux autres matériaux, ni d'ailleurs ceux remplis de « *produits chimiques sans aucun intérêt* », ainsi désignés par notre guide. Nous ne saurons pas ce que sont lesdits « *produits chimiques...* »

Perdu dans mes pensées, je me laisse entraîner par le groupe. De temps en temps, Suthra jette vers moi un coup d'œil en biais, mais elle ne me fait aucune remarque et poursuit ses commentaires : « Ici sont regroupés les objets récupérés dans toute l'Haeckelie. Ils seront réparés, transformés ou démontés pour récupérer le moindre gramme de matière.

Rien ne se perd, rien ne se crée, tout se transforme », se croit-elle obligée d'ajouter, quelques siècles après la version originale[1]. L'étrange poussière grise, présente à en devenir oppressante, couvre généreusement les quantités astronomiques d'objets les plus hétéroclites, rangés, empilés et parfois jetés à même le sol...

Association d'idées étonnante, tout ceci me fait penser à la montagne de déchets plastiques découverte lors de notre dernière Traque. Comme si ce sentiment était partagé, Tikki me fait un clin d'œil complice. Akka de son côté, l'air hébété, sourit bien évidemment encore. Nos yeux ne sont pas encore au bout des surprises...

Une autre catégorie d'entrepôts, plus longs et plus larges, contiennent des trésors inimaginables.

Suthra ouvre la caverne d'Ali Baba, et même si j'ai connaissance de ce que nous allons découvrir, le choc reste puissant. Des objets les plus énigmatiques, les plus fantastiques, les plus merveilleux, les plus beaux mais aussi les plus terrifiants. Ils sont là par milliers, et remettent en cause notre éducation, nos connaissances, nos croyances, le fondement même de notre société et de la place de l'homme sur la Terre. En quelques mots, devant nos yeux, l'Équilibre lui-même vacille. Mes amis éblouis, ébahis, séduits, étourdis, ne prennent pas la mesure de cette nouvelle *Révélation*.

---

1 André Lavoisier né le 26 08 1743 la citation exacte est : « car rien ne se crée, ni dans les opérations de l'art, ni dans celles de la nature, et l'on peut poser en principe que, dans toute opération, il y a une égale quantité de matière avant et après l'opération ; que la qualité et la quantité des principes est la même, et qu'il n'y a que des changements, des modifications. »

Face à nous, un résumé des technologies du Temps d'Avant.

Mon neuro-transmetteur commence à égrainer patiemment, de bâtiment en bâtiment, d'allée en allée, de caisse en caisse, les noms et fonctions des centaines de milliers d'outils les plus divers, de matériels aux utilités diverses dans le transport, le médical, la construction, ou dans des concepts les plus incompréhensibles, mais aussi des armes de guerre, tant d'armes... trop d'armes !

Suthra, la Supravérificatrice, nous ouvrira un seul « *hangar des fous* », comme le nommera plus tard Tikki. Sous sa poussière grise, débordent les armes à feu à balles à tête chercheuse ou conventionnelles, les grenades neuroniques, les drones tueurs, les missiles, les fusils et canons laser, plusieurs robots-soldats et un arsenal complet d'objets de destruction massive les plus divers, issus de l'imagination sans borne de l'homme lorsqu'il s'agissait de tuer son contemporain. Pourquoi l'être humain du Temps d'Avant a toujours eu cette propension à créer ce qui détruit ou ce qui tue ? Je n'ai pas de réponse à cette ineptie...

Dans un autre entrepôt, apparaissent des articles plus conventionnels tels des vêtements –coutou ou autres oripeaux, entassés pêle-mêle sur plusieurs mètres d'épaisseur, des dizaines de containers remplis de bâtons électriques en vrac, ou encore, des milliers de lunettes de soleil qui rendent l'endroit féerique grâce aux éclats de lumières qui étincellent partout. Des ustensiles les plus éclectiques côtoient d'autres particulièrement esthétiques, mais qui ne sont pas forcément les moins terrifiants.

Changement de décor dans un hangar à utilitaires de transport. À l'entrée à droite, probablement le clin d'œil d'un sage avisé, trône une camionnette Citroën T23 de couleur verte, construite dans les années 30, moteur de cette Traction Avant 11 CV monté retourné. 360 000 kilomètres au compteur. Bon état général[1].

Aussi loin que porte notre regard, des rangées sur plusieurs niveaux, de kciwnefs de dimensions et de formes différentes. Surréaliste ! La poussière saupoudre le sol et les utilitaires de la même couche grise uniforme. Néanmoins, plusieurs empreintes suggèrent le passage d'individus nous ayant précédés. Suthra, surprise, suit la piste. Nous lui emboîtons le pas.

Elle nous mène jusqu'à un kciwnef bien étrange dans cette *mornitude*[2] grise. Sur l'engin, à peine une fine couche de poussière. Dans les yeux de Suthra, la perplexité, elle reste pourtant silencieuse puis décide brusquement de faire demi-tour. Au sol, deux larmes de lune scintillent délicatement…

À peine sortis de l'entrepôt, coup de coude de la part d'Akka, il a hâte de me parler. Mon doigt sur les lèvres... Il hoche positivement la tête, on attendra moment plus opportun.

Subitement, et sans aucune fioriture, Suthra met fin à la visite, sans oublier, évidemment, les sempiternelles consignes de silence et de retenue. Cela nous convient assez bien tant nous avons besoin de notre côté de réfléchir à tout ça.

---

1 Mon neuro-transmetteur est très joueur. Pas vous ? Je sais, vous tiquez concernant le « bon état général » pas très crédible. Parce que le reste l'est ? Sourire taquin.
2 Mornitude, titre d'un poème de Hubert Joalin.

« Vous avez vu, vous avez vu la croix sur l'engin ? bégaye Akka, c'est celui du

Ricain. Que fait-il ici alors que nous l'avions abandonné à la Pierre d'Achoppement, il n'a pu arriver tout seul, hein Khaur, pas tout seul ? »

Dans cet environnement devenu magique pour lui, serait-il prêt à croire à l'impossible ?

« Non, rassure-toi, ou plutôt, inquiète-toi, il y a une explication rationnelle. Il se passe des choses pour le moins étranges par ici. Qu'en penses-tu Tikki ? »

Les yeux hagards, ce dernier aurait aimé sentir plus d'assurance dans ma voix.

« Comme toi Khaur, tout n'est que spéculation, ce monde me semble étranger tout d'un coup, et tellement loin de ce que nous concevions. Et d'abord, comment l'Équilibre peut tolérer tous ces engins de mort ? » précise- t- il, l'air tout d'un coup songeur, presque distant.

Je me dois de rassurer mes amis : « Il est certain que notre univers a totalement été bouleversé, mais nous allons trouver notre place. En priorité, comprendre comment et surtout pourquoi, notre kciwnef a atterri ici. Rationnellement, le chargement du Ricain était composé de produits et objets qui provenaient de ces entrepôts. Comment aurait-il pu se les procurer sans complicité ? »

Au simple énoncé de cette évidence, des sueurs froides dégoulinent dans mon dos. Tellement inimaginable. Dans les yeux des pygmées, la perplexité, personne ne veut ou ne peut croire à cette certitude. Comment pourrait-on être complice d'un Ricain, d'une chose qui n'est même pas Équilibre, d'une chose qui ne vaut pas la dernière feuille morte de l'arbre en automne, ni la poussière que l'on foule ou même l'ouvrier-termite que l'on croque ?

Loin de mes repères habituels, il m'est difficile de réfléchir et agir, pourtant mes amis comptent sur mes prérogatives. Alors je lance à la cantonade, autant pour eux que pour moi :

« Après tout, nous, membres de la Maison du Gouvernement, avons mission d'enquêter, alors enquêtons et trouvons !

– Hourra ! » Dans un bel ensemble, poing droit levé, s'enthousiasment les Mbutis de ma prise énergique de décision. Rien de pire que l'inaction.

« Pour le moment, nous ne savons à qui pouvoir faire confiance, gardons tout cela pour nous », dis-je en fixant durement mes amis.

« Un autre secret, pouffe Tikki, et je parie que nous aurions droit à Pitance si nous le divulguions », ajoute-t-il en explosant de plus belle.

Akka ne tarde pas à se joindre à lui dans un bruit de crécelle irrésistible. Si le rire est le propre de l'homme, nous sommes donc bien trois petits hommes, enlacés, roulant dans l'herbe et s'esclaffant sans retenue. Ah les enfants !

Repas frugal à la cantine de la salle de vie, autant du fait de nos esprits agités, que de nos estomacs toujours chahutés par les excès de la nuit précédente… Sans attendre des consignes supplémentaires, nous partons à l'aventure. Mon neuro-transmetteur, inaccessible aux appels de la Supravérificatrice, la Traque commence.

Notre première visite est pour Chiourme, un des membres de l'équipe d'enquêteurs. Faisant partie de la section chargée de la surveillance de la porte d'entrée, elle n'est vraiment pas difficile à trouver.

La Garde Chiourme [1] n'a que peu d'informations sur le guet-apens dont nous avons été victimes, elle n'en a d'ailleurs eu connaissance qu'hier. Néanmoins, elle nous apprend que « *ses trois collègues ayant participé à l'attaque dépendaient directement de la Maison du Gouvernement, elle les connaissait bien et ne comprend pas ce qu'ils sont venus faire dans cette galère. L'équipe de Traque provenait, elle, de la Zone d'habitage Quinze. Ô délicieux hasard. Rien à signaler à leur propos, a priori de bons professionnels, même si l'action est rare au Sanctuaire.* »

La pie Chiourme est bavarde, fière d'être le centre d'attraction, elle poursuit son monologue :

« *Nous n'avons avancé ni sur les différents vols ni sur la disparition suspecte des deux vieux décrépis du Gouvernement. Aucune piste ! En plus, hier soir, on nous a ajouté l'enquête sur la mort d'un bonhomme du côté du lieu de Pitance, mort pourtant accidentelle, puisqu'il a été dévoré par des chiens errants. Cette cellule d'enquête n'existait pas il y a à peine six mois. Ils nous ont sélectionnés, soi-disant pour nos compétences particulières, moi je pense plutôt au hasard : trois péquins ne connaissant rien à rien. Hormis peut–être Nion, lui aussi Compagnon novice, mais ancien Traqueur, donc avec quelques appétences à l'enquête. Pff ! Suthra, la Supravérificatrice, responsable d'enquêtes, se montre plus à son aise à vérifier notre éducation qu'à étudier les indices. Surtout qu'on ne nous a pas déchargés de nos tâches habituelles. Certes, le travail ordinaire est plutôt léger, mais votre renfort est quand même le bien- venu.* »

---

1 Je sais, je suis prévisible...

Quel manque de respect ! Mes amis restent bouche bée en l'écoutant parler aussi ouvertement... Ne craint-elle pas des sanctions ?

Elle conclut : « *Voulez-vous m'accompagner pour que l'on classe une fois pour toute l'affaire du bonhomme bouffé par les chiens ? Ce sera toujours ça de moins à faire.* »

Pourquoi pas après tout, de toute façon, nous devons faire équipe avec elle.

Nous la suivons, médusés, répondant à son avalanche de mots par des hochements de tête ou quelques rares onomatopées « *hum hum* » approbatrices. Pourtant son soliloque est par trop souvent incompréhensible tant ses références sont éloignées de nos propres connaissances. Elle critique des membres du Gouvernement ; elle médit sur les compétences de plusieurs Gardes, sauf sur celles d'un certain May, avec qui, nous glisse-t-elle avec une œillade complice, elle fait des *guili-guili ;* elle parle de l'arrivée d'un Barde sulfureux ; elle évoque son plaisir de tirer à l'arc ; les joutes verbales organisées par un Saltimbanque, zone Dix ; elle n'aime pas trop le maïs et raffole de termites crus récoltés sur le terrain, ainsi que les cèpes ; elle ne supporte pas le Jeune Épi qui la rend malade - coup d'œil complice à mes amis - mais elle adoroooooooore le sikaru qu'elle pourrait boire jusqu'à la fin de la nuit, et patati et patata... Nous passons la porte Est, soûlés de paroles et d'ennui, et lorsque je m'efforce de l'interrompre pour lui poser une question, rien n'y fait, la pie jacasse, jacasse, jacasse... sous l'œil goguenard de mes amis raillant mes tentatives désespérées.

Le paysage change immédiatement, la porte donne sur un coin de nature, la colline herbeuse domine une forêt épaisse. Chiourme poursuit :

« … *mon coin à cèpes n'est pas loin d'ici, mais il faut faire attention de rester à l'orée du bois lorsqu'on est seul. Il serait alors dangereux de marcher hors des sentiers battus. Des champignons, j'en ai trouvés quelques-uns il y a un mois, je les ai amenés immédiatement au Tambouilleur, il les a préparés en catimini et on a partagé. Euh, avec le Tambouilleur pas avec catimini !* » Elle explose de rire, fière de son humour que je suis seul à avoir compris, enfin je crois. Elle poursuit, s'amusant encore de sa spiritualité : « … *et mon ami, May, le Garde, vous ai-je déjà parlé de lui ?* » On acquiesce, elle continue… « *par contre, il faut faire attention que les chiens sauvages ne traînent pas dans les environs. Normalement, ils nous craignent, mais comme le lieu de Pitance n'est pas loin, ils ont tendance à venir renifler dans le coin, en espérant pouvoir déguster de temps en temps de la viande. Pitance, Pitance… cette sanction suprême est quand même rare à présent.*

Il faut savoir que l'ensemble des condamnés de toutes les zones du Sanctuaire sont déposés pieds et mains liés ici. Les chiens, et parfois même les ours, ont alors des proies faciles à portée de leurs griffes et de leurs crocs. D'ailleurs, on raconte qu'aujourd'hui on condamne moins à Pitance car l'esprit de l'Équilibre ne serait plus respecté car, de fait, la sentence équivaudrait à une mort quasi certaine. »

Il est vrai que selon les règles de l'Équilibre, être condamné à Pitance c'est être mis à disposition de la Nature. Le condamné reste deux jours entiers, attaché et sans défense, en espérant qu'un Cousin-prédateur n'ait pas l'idée saugrenue de passer dans le coin. Dans les zones d'habitage isolées d'Haeckelie, les condamnés ne succombent que rarement à cette sanction. Quelques piqûres, parfois quelques vilaines morsures, le froid, la faim, la soif, et surtout la peur de faire une mauvaise rencontre, sont des épreuves qui marquent les esprits. Le nombre de zones dans le Sanctuaire implique une quantité importante de condamnés, les Cousins-prédateurs s'étaient probablement habitués à trouver suffisamment de nourriture pour installer leur territoire à proximité.

On traverse une clairière au milieu de laquelle trône un carcan bien évocateur…

Tout autour, des ossements humains : « l'Équilibre a décidé de leur sort », pensé-je sans aucune émotion, accompagné d'un Ordo Vivendi réflexe.

Une centaine de mètres plus loin, sous un pin conifère, la Garde-Chiourme s'arrête et d'un doigt dédaigneux désigne un squelette en bien piteux état. Il manque les os d'un avant-bras et la totalité de la jambe gauche, probablement emportés par quelques Cousins charognards. Le crâne, bien droit, repose sur un tapis de mousse à quelques mètres de là, les orbites dirigées en direction du reste de son corps, comme s'il avait décidé de contempler pour l'éternité sa carcasse en décomposition. Peu affectée par le spectacle, Chiourme arrête néanmoins ses jacasseries pour s'intéresser, enfin, à l'objet de notre déplacement.

« Voilà ce qu'il reste du bonhomme. Même si les attaques de chiens sont exceptionnelles, quelle stupidité de se promener la nuit dans ce secteur... Il n'avait rien à y faire, la leçon a été rude ! »

Peu d'empathie dans ses propos, mais la vie n'a que peu d'importance en Haeckelie. Surtout que ce fameux *bonhomme* ne représente pour elle que du travail supplémentaire.

Tikki et Akka étudient déjà les morsures et marques sur les os : « Il s'agit bien de chiens, il y a même des petits rongeurs qui ont festoyé ici. » L'enquête sera brève a priori. Tikki prend le crâne dans ses mains, tout d'un coup perplexe.

« Bizarre, marmonne-t-il.

— Qu'y a-t-il ? » interroge la Garde en haussant les épaules. Elle estime qu'on a assez perdu de temps.

« L'os pariétal droit a été enfoncé par un objet contondant. Les bordures de l'impact d'environ trois centimètres de diamètre, dirigées nettement vers l'intérieur de la boite crânienne, l'indiquent clairement. Un animal ne peut provoquer ce type de blessure létale. Il a été occis, peut-être dans un autre endroit, puis déposé ici pour que les charognards fassent disparaître toute trace », affirme Tikki.

Abasourdis, Akka et moi-même, confirmons néanmoins d'un signe de tête cette conclusion, avec toute l'implication qui l'accompagne... Tikki retire un éclat de bois, coincé entre les brisures d'os. Il me tend le minuscule morceau couleur brun jaune dont il est difficile de définir l'essence.

« Tu crois qu'il y a d'autres *Ricains* dans ces bois ? » demande timidement Akka, néanmoins tout en sourire.

Un doigt sur la bouche pour lui intimer l'ordre de se taire, le mot *Ricain* reste sensible. Chiourme, comme hébétée, nous fixe, les yeux ronds. L'enquête sur le fameux *accident* prend une autre dimension.

« Un meurtre ? » bafoue-t-elle. Puis s'emportant contre la victime plus que contre le meurtrier : « Pourquoi il n'est pas mort chez lui cet Anquissoto !!?? »

— Qu'as-tu dit ? » interpellé...

La Garde me regarde : « Je disais juste pourquoi cet Anquissoto ou Anquisato n'est pas resté chez lui plutôt que de venir nous poser des problèmes supplémentaires ?

— Comment l'appelles-tu ? » insisté-je

— Ben… Anquisato je crois, c'était un Vérificateur d'une lointaine zone d'habitage, ajoute -t-elle, de plus en plus perplexe.

— Inquisitio ? » Me retournant vers mes amis, qui avaient visiblement déjà compris.

« Oui c'est ça ! » Toute fière d'elle.

Assommés et consternés ! Ce n'était pas un accident, Inquisitio a été victime d'un meurtre, et même si c'était un homme peu avenant, le sentiment clanique est bien ancré en nous. Le mot *vengeance* empreint à présent mon cerveau, et probablement celui des Mbutis.

« Inquisitio mort, le kciwnef dans le hangar… il y a nécessairement un rapport avec le *Ricain* ! » Tikki affirmatif.

Je poursuis : « Le Vérificateur a voyagé avec le kciwnef qu'il avait récupéré à la Pierre d'Achoppement. Arrivé à proximité du Sanctuaire, il a été trucidé et dépouillé. Pour brouiller les pistes, le tueur a mis le corps dans la clairière à Pitance, secteur qui devait ne pas lui être étranger, puis il a remis la machine dans le hangar où elle avait été volée quelque temps auparavant. Et comme ces entrepôts sont toujours quasi-déserts, personne ne devait le remarquer…

— Le tueur était de mèche avec le *Ricain* que nous avons trucidé et devait nécessairement faire partie du Gouvernement pour pouvoir entrer dans les Hangars, ping-pong de Tikki.

— Compte tenu des empreintes dans la poussière, ils étaient au moins deux, précise Akka, pas si bête que ça.

— Est-ce que l'embuscade dont nous avons été victimes et le meurtre sont liés… et en quoi ? »

Les trois *Agatha* butent à présent sur cette question. Chiourme est totalement dépassée… mais il faut lui concéder qu'elle ne possède pas toutes les clés. Conséquence positive, pour une fois… elle se tait !

Tikki jette au loin le crâne qui n'a plus rien à nous apprendre. Ce dernier roule et rebondit de façon surprenante et amusante jusqu'à toucher une pigne de pin Mésogéen. Akka, joueur, saisit un fruit-cône d'un cèdre du Liban, bien rond, bien compact, et le lance… la pigne disparaît, remplacée comme par magie par le cône : carreau !

Aussitôt, hautain, le *tireur*, nous défit du regard.

Si la première pomme de pin de Chiourme passe largement au-dessus de la cible, la deuxième rebondit sur le crâne pour s'intercaler entre lui et le fruit-cône.

« C'est mieux non ? » Tout d'un coup arrogante. Mais elle me toiserait la bougresse !

Mon premier lancer de pigne est un échec patent. L'ombre de la moquerie tournoie au-dessus de ma tête. Un caillou rond, jeté rageusement de toutes mes forces, explose le crâne qui est renvoyé à plusieurs mètres.

« Hors des limites, fin de partie ! décidé-je de façon unilatérale, des affaires plus sérieuses nous attendent. »

Je prédis néanmoins un certain avenir à ce jeu[1]…

Retour au bercail dans le silence. Juste avant de l'abandonner à son poste de garde, Chiourne me regarde droit dans les yeux :

« J'ai bien compris que vous détenez des informations que vous ne souhaitez pas divulguer. Ne vous inquiétez pas, je ne parlerai à personne du fameux *Ricain* ni des autres

---

1 Toujours aussi visionnaire ce Khaur !

points évoqués dont je vous ai entendu parler en catimini. Si j'obtenais de nouvelles informations, elles seraient pour vous en priorité. Hum, toi... tu sais que tu es charmant, si tu as envie de faire guili-guili avec moi, ce sera avec plaisir », susurre-t-elle, me fixant, tout en passant avec gourmandise sa langue sur ses lèvres.

Pivoine, je ne sais où me mettre. Mes amis explosent de rire.

Je m'enfuis en baragouinant un « à *bientôt* » pathétique, impitoyablement raillé par les Pygmées.

Plus tard, appel télépathique de Suthra : « Réunion de l'équipe d'enquêteurs dans une heure, à la salle du conseil. »

La Garde Chiourme a dû s'empresser de l'informer de nos investigations... « On ne peut vraiment pas lui faire confiance, dis-je rageusement, tant pour moi que pour mes amis, elle a déjà tout raconté. »

— Pourtant j'étais persuadé de sa bonne foi », jette Tikki, il semble tomber des nues. Akka, indifférent.

Suthra préside l'assemblée. Après nous avoir présentés aux autres membres de la section, Chiourme la Garde et Nion le Compagnon - un beau jeune homme arborant un étrange chignon sur la tête -, la Supravérificatrice fait un compte rendu succinct des différentes affaires sur lesquelles il nous faudra travailler. Mon erreur devient évidente. Chiourme n'a rien dit. Tikki l'a bien compris, un coup de pied douloureux sur mon tibia en est la résultante. À l'avenir, éviter de critiquer sans savoir.

« À compter d'aujourd'hui, Chiourme et Nion vous consacrerez exclusivement à cette mission, vous aussi évidemment, affirme-t-elle, tout en nous embrassant du regard, elle prolonge : vous êtes sous mes ordres et devez me rendre compte de tout, sans en référer à personne d'autre. C'est impératif ! Tout ceci doit rester confidentiel, vous devez garder un silence absolu sur toute l'affaire... »

À mes côtés, j'entends Akka, le médium, marmonner : « ... vous connaissez le châtiment si vous parlez. »

Suthra - *perroquet* : « Vous connaissez tous le lourd châtiment que vous subiriez si vous parliez. »

Que de menaces dans notre vie ! Un Sanctuaire ? Pff des limbes de menaces, oui... Le Compagnon Nion [1] prend la parole : « Je suis allé en zone Quinze interroger tous ceux qui connaissaient les membres de l'équipe de Traque ayant participé à l'embuscade. Il s'agissait de fidèles parmi les fidèles défenseurs de l'Équilibre. Ni le Vérificateur, ni le Guide, ni même l'ensemble des membres de la communauté, ne trouvent d'explication rationnelle à leurs actes. »

Chiourme affirme qu'elle côtoyait régulièrement les jeunes Gardes concernés, ils n'avaient jamais montré des velléités particulières contre le Gouvernement ou l'Équilibre.

Je prends la décision d'avancer quelques pions, sans pour autant faire plus confiance à Suthra qu'à un autre membre du Gouvernement : « Nous sommes allés sur les lieux du soi-disant accident d'Inquisitio. »

Toutes les têtes se tournent vers moi, interpellées par le « *soi-disant* ».

« Nous avons examiné le squelette, et plus particulièrement le crâne. Aucun doute, il s'agit d'un m e u r t r e », accentuant volontairement chaque syllabe.

---

1 Moi je trouve ça mignon, non ?

Un long « *oh* » fait écho à mon annonce. Le mot m*eurtre* n'est jamais usité en Haeckelie...

« Mais es-tu fou ? » réagit instinctivement Suthra.

« Il s'agit bien d'un meurtre Supravérificatrice », confirme à son tour Tikki.

Akka opine du chef avec énergie : « Oui, j'ai moi aussi vu le crâne défoncé d'Inquisitio, cela ne peut être l'œuvre d'un cousin-animal. »

C'en est trop, Suthra s'écroule sur son siège et tente de réfléchir. Une onde télépathique... elle prend contact avec une personne extérieure à notre assemblée. J'essaie de me *brancher*, mais sans succès. Tout le monde reste silencieux. Malgré la tension palpable dans la salle, Chiourme me fait du gringue ; moi je suis gêné ; Akka sourit ; Tikki me donne des petits coups de pied complices ; imperturbable, Nion ne montre rien.

Cinq minutes plus tard, Hornika, soufflant comme un buffle, entre précipitamment. Il a dû avoir un rapport complet de la Supravérificatrice. Cette dernière, avec ses immenses bras ballants suspendus le long de son corps, son visage au nez crochu, et sa tête penchée, évoque de plus en plus un vieux vautour déplumé.

Avec sa voix efféminée, pourtant énergique, avec son corps lourdaud et ses mimiques grotesques, le Supraviseur de l'OME pourrait porter à rire, mais personne n'a envie de le faire.

« Suthra m'a informé de vos premières conclusions. Cela semble plus grave encore que ce que nous pressentions... Nous n'avons pas le choix, nous devons nous faire mutuellement confiance. Sachez qu'en complément à ce que vous avez découvert, après les vols dans les entrepôts, une logique s'impose : un, voire plusieurs membres de haut rang du Gouvernement sont impliqués dans ce que nous nommons, tentative de rupture avec les règles de l'Équilibre. »

Un regard circulaire pour vérifier l'effet produit. Aucun… rien ne peut plus nous surprendre. Il ne s'agit plus là de réelles révélations… cela prouve néanmoins que Suthra est probablement dans notre camp et non complice des méfaits évoqués. Un petit appel mental pour lui signifier que je souhaite intervenir.

« *Khaur, tu as des précisions ?* (Réponse télépathique)

— *Oui, mais je ne sais pas si je peux faire confiance à tous ici.*

— *Je me porte garant de l'ensemble de l'équipe. Tu peux parler !* »

Alors, j'évoque la longue Traque, la mise à mort du prédateur qui s'avérera être un *Ricain*, la prise de guerre du kciwnef et de tout son chargement, en particulier le baotou, les roches et matériaux rares, le fusil laser qui désagrège les troncs, le brouilleur d'ondes aveuglant les drones, mais aussi le stylo-sondeur capable de donner instantanément la composition des objets, sans oublier les lunettes permettant de voir comme un aigle. Je ménage mes effets d'annonce, gardant le meilleur pour la fin… Grâce à des technologies bizarres que mon neuro-transmetteur a appelées « *champ de force gravitationnel* à moteur nucléaire », le kciwnef vole. Oui Messieurs, Mesdames, i l v o l e !

Nion et Chiourme, dubitatifs, se refusent à y croire, les autres participants ne montrent aucune surprise. Ils connaissent visiblement ce type d'engin !

Alors je poursuis en évoquant notre retour à Alternatiba, le Vérificateur Inquisitio et son intention d'enquêter, puis enfin la découverte du kciwnef dans l'entrepôt.

« Oui Suthra, celui qui t'a paru étonnamment propre, avec des marques de pas tout autour.

— Es-tu certain qu'il s'agisse du même transporteur ? interroge Hornika, interloqué.

— Oui, oui ! » répondent en cœur Tikki et Akka.

Hornika s'assied à son tour, saoulée de coups trop rudes pour lui aussi. Ses certitudes ébranlées au fur et à mesure qu'il tente de comprendre. Qui cherche à s'en prendre ainsi à l'Équilibre ?

Des souvenirs s'imposent inexorablement à l'esprit du Supraviseur de l'OME : il était très jeune à l'époque. Un Saltimbanque, venu donner sa représentation, avait installé son petit théâtre, et face aux yeux médusés des enfants, des petites figurines s'étaient réveillées. C'était un monde extraordinaire, les héros semblaient tellement vivants, tellement heureux…

À la fin du spectacle, le Saltimbanque est sorti de l'ombre pour recueillir les applaudissements. Horreur ! De simples bouts de bois et de ficelle donnaient vie aux personnages qui l'avaient fait tant rêver. Dépité, il s'était échappé en pleurant. Aucun songe ne vient égayer ses nuits de sommeil depuis ce soir-là.

Qui tire les ficelles aujourd'hui ? La paranoïa n'est pas loin, tapie dans l'ombre du doute.

Hornika réagit : « Faisons une synthèse ! »

L'action stimule les réactions, Nion se lève avec énergie. Compagnon pragmatique et organisé, énonce :

« - Disparition de deux membres âgés du Gouvernement.
- Un Garde est retrouvé mort à la porte Est. Pas de signe de violence, mais son décès reste surprenant dans le contexte actuel.
- Vol de matériaux rares et vitaux mais aussi, disparition d'objets et d'armes du temps d'Avant.
- Vol de nourriture à l'intérieur même de la Maison du Gouvernement.
- Par ailleurs, des Traqueurs tuent un Ricain, ce dernier est en possession d'un kciwnef et d'une cargaison provenant des hangars du Sanctuaire.
- Ce Ricain semblait se diriger vers la zone interdite.
- Inquisitio décide de venir au Sanctuaire pour enquêter : il est exécuté par des inconnus.
- Le kciwnef réintègre miraculeusement sa place dans l'entrepôt. Aucune trace de son chargement.
- Alors qu'elle rejoint son nouveau poste à la Maison du Gouvernement, on tente d'éliminer l'équipe d'Alterna-tiba, nos trois amis ici présents.
- Les apprentis tueurs étaient des Gardes et Traqueurs du Sanctuaire, a priori, au- dessus de tout soupçon.

Compte rendu complet et concis, je pense...

Euh... j'ai une question supplémentaire. Les Ricains existent-ils vraiment ? Je pensais qu'ils n'existaient que dans le Continent Lointain, et que le blocus imposé par les forces de l'Équilibre ne leur permettait pas de quitter leur contrée. C'est ce que l'on apprend dans nos formations... »

Autour de moi, tout le monde acquiesce, puisque nous avons tous les mêmes certitudes. Suthra, comme montée sur

ressorts, se lève brutalement. Là, son pré carré est en jeu :
« C'est exactement ça. Mais il arrive parfois qu'un espion
puisse s'extraire du pays

Ricain, puis qu'il se réfugie momentanément, après avoir
commis ses méfaits, dans une des zones interdites. Mais à la
fin, l'Équilibre vainc, on se débarrasse toujours de l'intrus. »

Elle ne précise pas comment « on » s'en débarrasse, mais
cette explication laborieuse, corroborant nos propres informations, satisfait nos humbles velléités de vérité. Il est difficile
de s'extirper d'une éducation et de convictions profondément
ancrées.

« Aucun lien direct entre toutes ces affaires, pourtant une
telle succession de coïncidences, uniquement liées au hasard,
paraît difficilement crédible, ajoute Hornika.

— Que peut-on faire à partir de baotou, de tantalite ou
autres, dioxyde de silicium, silice, silicates, oxyde d'aluminium, uranium, lithium, oxyde de fer, dioxyde de carbone,
or, nickel, bauxite, plomb, borax, néodyme ? » récitant mécaniquement la liste des matériaux trouvés sur le kciwnef.

Trouble, échange rapide et inquiet de regards, entre Suthra
et Hornika, je ressens une liaison télépathique...

« Le baotou entre dans la composition des vêtements -
coutou. C'est une des technologies du Temps d'Avant, tolérée
car utilisée pour garantir le maintien de l'Équilibre, au même
titre que les lunettes de soleil pour les Traqueurs et Pisteurs
des portes des déserts ou les bâtons électriques. Les autres
matériaux, je n'ai aucune explication pour en justifier le vol. »
Suthra prend une nouvelle fois l'initiative de la réponse.

Hornika hoche la tête avec énergie, corroborant ainsi, les propos de la Supravérificatrice.

J'insiste : « Mais pourquoi apporter cet encombrant chargement dans une zone déserte d'humains, et dans laquelle il ne pouvait de fait en avoir la moindre utilité ? »

Visiblement embarrassé, Suthra choisit pourtant l'enlisement : « Euh... je ne vois pas ! Sûrement pensait-il que cela avait de l'intérêt. »

On ne nous dit pas tout [1] ! Une gêne palpable par tous, la confiance mutuelle se lézarde. Pourquoi des cachotteries voire des mensonges, alors que nous sommes confrontés à un problème commun ?

Comprenant que l'option de biaiser a été choisie par les deux responsables, je prends l'initiative de revenir aux faits et uniquement aux faits :

« Personne ne sait de quoi est mort le jeune Garde trouvé à la porte Est ?

— Le Supraguérisseur, un des premiers sur les lieux, n'a constaté aucun signe de violence ni d'empoisonnement. Malheureusement, vous n'aurez pas accès au corps car il a été jeté dans la fosse commune comme il est d'usage pour tous ceux qui s'éteignent dans les zones ou dans l'enceinte de la Maison du Gouvernement. On évite ainsi les épidémies.

Comme imposé par la règle, le corps d'Inquisitio, lui, est resté dans la forêt à disposition de la Nature. » poursuit la volubile Suthra, visiblement soulagée que nous nous éloignions du sujet dans lequel elle s'était emmêlée les pieds.

---

1 « On ne nous dit pas tout », sketch réussi de Anne Roumanoff.

« Existe-t-il une liste précise de tout ce qui a été volé dans les différents entrepôts ? intervient Nion, le mignon Compagnon à chignon.

— Pour être honnête, aucun inventaire de stock n'a jamais été réalisé. Nous ne connaissons de toute façon pas les quantités exactes détenues dans les hangars, donc nécessairement nous n'avons aucune idée de l'ampleur des détournements. Ce sont des indices tels des traces de pas dans la poussière, des manipulations et des objets bougés ; ou bien la quantité de certains matériaux baissant de façon significative ; une autre fois, une pelle oubliée, fichée dans un tas de minerai d'uranium, qui nous ont donné les preuves de ce que l'on soupçonnait. » Hornika, peu fier de cette confidence.

Tikki, caressant d'un doigt sa vilaine cicatrice blanche, cherche visiblement à régler des comptes : « Êtes-vous certains que le contenu de ces entrepôts respecte les règles de l'Équilibre ? J'ai l'impression que nous en sommes loin avec ces outils, ces objets, et surtout toutes ces armes, qui auraient dû être détruites. En tant que membre de l'Équilibre, je demande, comme m'y autorise la loi, qu'un Vérificateur étudie cette requête.

— Cette question a déjà été soumise. Les Supravérificateurs n'ont pu y répondre, les sages Oracles s'y sont donc penchés, eux aussi, et ont interrogé pour cela l'Équilibre. Il en a résulté une loi rédigée par les Tabellions :

Article 1 : L'utilisation des objets du Temps d'Avant est considérée comme contraire à l'Équilibre.

Article 2 : Les objets du Temps d'Avant utilisés dans le cadre du maintien de l'Équilibre sont tolérés et sortent donc du cadre d'application de l'article 1.

Article 3 : Les objets du Temps d'Avant, non nécessaires au maintien de l'Équilibre, seront soit détruits, soit enfermés jusqu'à leur utilisation dans le cadre de l'article 2.

Article 4 : Tout objet portant préjudice à l'Équilibre, hormis de façon accidentelle, sera détruit.

Cette réponse te convient-elle Tikki ? Plus tard, Suthra pourra, si tu le souhaites encore, compléter la réponse. » Hornika a repris du poil de la bête avec cette question un peu plus politique. Suthra savoure dans son coin cette victoire par KO. Il faut bien avouer que l'assaut des *contestataires* manquait vraiment d'épaisseur. Elle reprend les rênes :

« Nion, tu interrogeras à nouveau les Gardes qui côtoyaient les assaillants de nos amis, ici présents. Chiourme fouine du côté de la zone Quinze, puis vous vous croiserez tous deux vos informations. Vous trois - nous désignant mes amis et moi - serez des électrons libres ; à votre initiative, cherchez des indices, s'il y en a, autour de la mort du jeune Garde. De mon côté, j'irai fureter auprès des membres du Gouvernement. Hornika, poursuis l'enquête auprès des proches des membres du Gouvernement disparus. Ils ne se sont pas volatilisés quand même ! Nous avons un traître à démasquer, tout le monde est donc suspect. Alors souvenez-vous, confidentialité complète sur cette affaire ! Sinon…

— Comme cette menace est originale, baragouine ironiquement Akka dans sa barbe.

— Nous faisons le point demain, réunion à la même heure, impose le Supravérificateur.

Dans toutes les sociétés humaines, un même virus sévit : *la réunionite aiguë*.

Fin des débats, départ de Suthra et d'Hornika, les cinq perplexes restent ensemble, le trouble persiste mais comment l'évoquer avec des inconnus ? Tikki, toujours revanchard, décide de mettre les pieds dans le plat :

« Les règles du jeu ne sont pas claires, ils nous cachent des éléments importants. »

Nion acquiesce de la tête puis ajoute : « Les événements les inquiètent mais ils craignent en parallèle que notre enquête ne divulgue certains de leurs secrets. Totalement schizophrénique cette situation. Je suis Compagnon depuis six mois, et toujours ce même sentiment ambivalent qui domine. Ils disent vouloir m'intégrer mais ne m'informent qu'avec parcimonie. Patience, disent-ils, tu deviendras un jour catégorie deux. Frustrant ! Avez-vous réellement vu ces objets magiques dont vous parliez tout à l'heure ? »

Hochements de trois têtes convaincues. Tikki et Akka évoquent et détaillent les possibilités inimaginables et énigmatiques des objets du Temps d'Avant, corroborant ainsi ma propre présentation. Nos nouveaux amis, bouche bée, à présent totalement ébranlés par la confirmation des révélations.

Je me veux consensuel et persuasif : « Je pense que nous pouvons, et devons, nous faire confiance tous les quatre. Aussi, je vous propose une mise en commun de toutes nos informations, et de surcroît, sous couvert de l'enquête officielle, de lever le mystère sur l'ensemble des secrets qu'ils souhaitent cacher.

– J'ouvre le bal », entame Chiourme qui a déjà repris du poil de la bête, « concernant les affaires en cours, j'imagine que les Ricains cherchent à s'approprier les technologies du Temps d'Avant. Aussi, imaginons un accord entre des

Ricains, qui se seraient installés dans le Pays Interdit et un, ou plusieurs, membres du Gouvernement. Je sais, c'est la première fois que l'on signale leur présence en Haeckelie, d'ailleurs j'étais moi aussi persuadé qu'ils n'étaient que fantasme, mais une telle entente expliquerait pas mal de choses, et en particulier, l'existence du Ricain et de son chargement. Les contre- parties pour le traître doivent être au niveau des risques pris, mais je n'en trouve aucune... » Elle baisse la tête piteusement. « Je continue malgré tout ? », quémandant des yeux une autorisation. Plusieurs têtes opinent. Visiblement rassérénée, elle poursuit son exposé :

« Le jeune Garde a remarqué quelque chose de bizarre, il a été éliminé. Les deux vieux du Gouvernement, la même chose, ou alors, ils faisaient partie du complot et sont partis chez les Ricains. Le type d'Alternatiba, votre Vérificateur, a voulu alerter les dirigeants du Sanctuaire mais arrivant avec son engin et son chargement, il a fait la rencontre qu'il ne fallait pas. On l'a assassiné. Les tueurs ont maquillé le meurtre en accident, puis ont caché l'engin dans l'entrepôt. Enfin, les Gardes et les Traqueurs ont été payés pour tenter de vous tuer puisque vous étiez les derniers témoins… Je sais, c'est un peu bancal, mais moi, je vois ça comme ça ! » Tout d'un coup intimidée, trouvant son raisonnement à présent stupide, elle rougit violemment, toute en honte.

« Oh Sherlock Chiourme… Tu es géniale, cela semble parfaitement cohérent, dis-je

— Vraiment ? Fière, elle relève la tête.

— Que le, ou les, tueurs soient au bon endroit au bon moment, implique nécessairement que Inquisitio ait informé de son arrivée une personne qu'il pensait de confiance, mais faisant partie du complot, si on peut parler de complot. Holmes Tikki.

– Cela veut dire aussi qu'ils étaient avertis de notre propre approche », ajouté-je en songeant, dépité, à Jomuir.

La synergie liée à la réflexion de groupe exacerbe les idées, y compris celles que l'on aurait crues contraires aux certitudes initiales.

« Et compte tenu du nombre d'agresseurs, ils savaient que nous serions trois », précise Akka, pas si bête que ça. Il complète son idée en appuyant là où cela fait mal : « Or, Khaur, tu devais être, en toute logique, le seul à être muté au Sanctuaire. Tikki et moi, aurions dû rester à Alternatiba... »

Jomuir, ma Guide, mon amie, ma confidente, était en effet la seule à avoir pu connaître la date exacte de notre départ, ainsi que notre nombre. Il y a aussi les habitants d'Alternatiba... Refusant l'évidence, je tente de m'accrocher à cette improbable possibilité qui ne tient pas une seconde. Le choc est rude. J'aime tant Jomuir.

Je bégaie, démoralisé, effondré même : « Mais pourquoi aurait-elle fait ça ? »

La vie était tellement facile lorsqu'il n'y avait que le bien et le mal, ce qui était Équilibre et ce qui ne l'était pas.

Il y a quelques années déjà, il n'avait pas été pour moi évident de comprendre que le blanc pouvait prendre toutes les nuances, de la pureté absolue, au blanc terreux en passant par le blanc cassé ou au blanc ivoire, mais tout en restant pourtant blanc...

Je vais devoir à présent accepter de visiter toute la palette des couleurs de la vraie vie : bienvenue chez les hommes.

Tikki reste logique : « Qui a été chargé de la formation de la Guide Jomuir depuis des années ? Qui fait partie des membres du Gouvernement ayant accès à toutes les informations mais aussi aux hangars ; et en qui, Inquisitio aurait pu avoir totalement confiance ? Qui encore aurait pu suggérer que nous nous rendions tous les trois au Sanctuaire ? »

Une réponse s'impose : Hornika, Supraviseur de l'OME. Tout le monde marque le coup devant cette nouvelle possible évidence. Nion, interrogatif, rompt un silence devenu pesant : « Que peuvent espérer les comploteurs ? Plus de grains ou de tubercules à manger ? Leur estomac n'est pas suffisamment grand pour cela et le soleil n'en brillerait pas plus pour eux que pour nous ; l'air ne leur serait pas plus pur. Je ne comprends pas. »

Pragmatique, Nion aimerait une réponse logique à ses interrogations. Je me ressaisis, car l'enlisement en conjonctures inutiles est proche.

« Progressons dans nos enquêtes, nous verrons peut-être plus clair bientôt.

— Puis-je ajouter quelque chose ? » Chiourme, ayant prouvé avoir un cerveau en plus de sa langue, a toute notre attention… « Vous semblez éluder le fait qu'il se passe des choses étonnantes dans le quartier Futura. Est-ce cela que Suthra et Hornika souhaitent nous cacher ? Certaines nuits, les Gardes de permanence sont missionnés pour transporter des matériaux depuis les hangars jusqu'aux portes du quartier Futura. La torche à une main, dans l'autre des sacs très lourds, personne n'apprécie la balade. On dépose ces chargements devant l'entrée du centre, seules quelques personnes de catégorie I, ainsi que trois Maintenanciers sont habilités à en franchir le seuil. Par contre, on a eu l'occasion de remarquer dans le couloir, après la porte, des flambeaux qui donnent une lumière étonnante... elle ne danse pas, fixe comme celle du soleil. » Elle est fière de l'effet produit.

« Mais c'est impossible ! » Tikki, affirmatif. Puis réfléchissant aux différentes révélations de ces derniers mois : « Après tout, oui, c'est crédible, puisque tu l'as vu ! »

Un mystère de plus…

« Probablement un système similaire à celui qui produit la lumière blanche du fusil - laser. » Explication qui se veut rationnelle, espérant couper court à cette nouvelle énigme, à mon sens, bien moins intéressante.

Prolixe, Chiourme ne se contentera pas de ma tentative désespérée pour la stopper, et elle a bien raison.

« Que faisaient alors les deux Maintenanciers de la Maison du Gouvernement sur la toiture d'un hangar ? Il n'y avait eu ni grêle ni vent pour justifier des travaux… D'ailleurs, la réparation de ces bâtiments n'entre pas dans leur attribution, puisque dédiées aux Techniciens Spécifiques. Contre toute logique, ces derniers ont interdiction de monter sur certains toits. Pourquoi d'après vous ? »

Encore une fois, elle nous laisse cois… Quel est ce énième mystère ? Cela inspire Nion qui en rajoute : « Savez-vous que deux des quatre moulins ne moulent pas le moindre grain, pourtant leur roue à aubes tourne normalement et un bourdonnement, comme s'il y avait plusieurs essaims d'insectes à l'intérieur, se fait entendre. Je n'ai jamais vu une seule abeille entrer ou sortir du bâtiment...

— Nous irons vérifier cela sur place ! » Je me dois de reprendre le flambeau, mais à force d'accepter toutes ces missions impossibles, je vais finir par m'identifier à Jim Phelps[1].

En quittant la réunion, le sentiment d'appartenance à un groupe soudé regonfle mon optimisme, et me permet de lever mes réticences antérieures à faire confiance à des gens d'un monde différent de celui que je connaissais auparavant.

Comme s'il lisait dans mes pensées, Tikki me glisse : « Nous ne sommes pas seuls. »[2]

Il est déjà tard. Nous retrouvons Nion au réfectoire de la salle de vie commune pour le dîner. La dernière *complice* n'est évidemment pas là, puisque Chiourme, en tant que simple Garde, a ses quartiers hors de la Maison du Gouvernement.

Comme s'il pouvait déconnecter son esprit des millions de questions qui doivent obligatoirement l'encombrer, Nion nous propose de l'accompagner un peu plus tard à une soirée qui se déroulera dans une zone éloignée, la Cinquante :

« Il y a un conteur extraordinaire, vous verrez... »

Réalisant avec les mains de drôles de petits mouvements devant son corps, comme s'il époussetait ses vêtements, mais sans les toucher, tout en maintenant les doigts bizarrement écartés, notre nouvel ami se met à déclamer :

« Y'a des jours inévitables où la confiance s'évanouit
Toutes ces heures vulnérables, y'a des jours comme des nuits
Les instants où je m'arrête au beau milieu de ma route
Comme un lendemain de fête, c'est juste un jour de doute
Les jours où même le temps dehors n'est pas sûr de lui

---

1   Comprenne qui pourra... et internet te sauvera
2   Hommage à Fox Mulder et Dana Scully

Où le ciel est trempé sans une seule goutte de pluie. »[1] Il ajoute, les yeux rayonnants : « Cela slame *à donf*, vous ne connaissez évidemment pas... c'est de l'art décadent. Accompagné de psilocybes cubensis[2], cela devient vraiment psychédélique. Avant d'arriver au Sanctuaire, adepte des arts anciens, je n'imaginais pas que tel nectar artistique pouvait exister. »

La nuit précédente a laissé quelques traces, nous déclinons tous trois l'invitation. Cette fois, premiers arrivés au dortoir, nous ne nous ferons pas injurier...

Les flashs lumineux sont présents dans mon œil gauche, et toute la journée les *mouches* ne m'ont pas quitté. Garder le silence est contre-productif, j'en ai conscience, mais je n'ai pas le courage d'aller consulter. La pierre d'Aruri, mon talisman, dans la main, j'espère malmener le malin. Il reste toujours en nous un brin de superstition ancestrale.

Ô Sogno ! Comme tes visites me rassérénèrent... même si tu m'obliges toujours à m'interroger. Comment ai-je été conçu, qui sont ma génitrice et mon géniteur ? Des animaux tuent des hommes, pourquoi les hommes ne pourraient-ils pas tuer des animaux ? Pourquoi tous ces mystères, pourquoi me cache-t-on certains renseignements... ?

Elle est venue, je le sens, je le sais, et comme d'habitude, je n'en conserve aucun souvenir. Pourtant cette nuit a été repos du corps et de l'esprit. Qu'il est bon de se réveiller en pleine forme ! Le Compagnon Nion en est aux antipodes... Avachi sur sa couche au fond du dortoir collectif, teint verdâtre,

---

1 « Jour de doute », Grand Corps malade
2 Champignon hallucinogène

bouche grande ouverte à la recherche d'un oxygène bien rare a priori, notre ami est un peu moins *psychédélique* ce matin.

Nous ne l'attendons pas, à lui, car le travail nous attend, à nous.

Sortie du dortoir, une procession de plusieurs dizaines de jeunes *Nourricières* va rejoindre la pouponnière. Tous les bébés d'Haeckelie sont élevés au Sanctuaire, de la naissance au sevrage, avant d'être dispatchés dans l'ensemble les zones d'habitage. C'est la communauté qui prend alors la suite de leur éducation.

La curiosité, plus que le fait de revenir dans un lieu dont je n'ai évidemment aucun souvenir, me pousse à les suivre. Soyons honnêtes, tant de beauté et de fraîcheur font aussi de ces femmes de terribles tentatrices, bien perturbantes pour les jeunes *mâles* que nous sommes. Les yeux de mes amis, tout comme les miens, tentent de toute leur envie de sortir de leurs orbites.

Des centaines de petits lits, ressemblant étrangement à des carapaces de tortues géantes retournées[1], sont alignés de façon rectiligne sur plusieurs rangs. De façon très mécanique, se désintéressant de nos yeux gourmands, les Nourricières prennent un à un les bébés dans leurs bras puis leur donnent le sein. Une fois repus, les plus petits sont à nouveau couchés, sans délicatesse aucune, les plus grands sont amenés dans une pièce adjacente dans laquelle, un à un, ils subissent une

---

1 Rappelons que l'auteur(e) est né(e) à Pau (château et sa légende du berceau d'Henri IV en carapace de tortue).

toilette rapide, puis, sans ambages, sont entassés dans des parcs fermés par des barrières en bois brut.

Cela sent l'urine, cela sent le vomi, cela sent la merde. Des pleurs, des cris… le vacarme est indescriptible et crispant, mais n'engendre aucune réaction chez les Nourricières qui poursuivent invariablement leur mission. Dans la nature, les biches, les laies mais aussi les louves montrent beaucoup plus de douceur et d'attention à leur progéniture…

Les jeunes nymphettes ont brutalement perdu à nos yeux tout charme et attrait.

Sans un mot, presque attristés par ce spectacle affligeant, nous filons au réfectoire de la salle de vie commune prendre quelques forces.

Tikki, après avoir réfléchi : « C'était bizarre quand même. Les bébés étaient, soit tout petits et les Nourricières les remettaient immédiatement au couchage, soit bien plus grands, et alors entassés dans la deuxième pièce. Mais aucun enfant de taille intermédiaire… »

Akka et moi-même, nous désintéressons totalement de sa remarque, au problème peu existentiel à nos yeux, mais pourtant tellement judicieuse. Notre collection de mystères se complète encore.

Sous une bruine froide et pénétrante, notre traversée des jardins ressemble à un cortège funéraire. Autour du moulin, aucune vie. L'herbe folle et quelques arbustes profitent du manque d'activité humaine dans le secteur. La roue à aubes tourne normalement, entraînée par une petite chute d'eau réalisée sur un canal parallèle à la rivière Flublorze.

Le fameux *bourdonnement* évoqué hier soir par Nion, est léger mais continu. Porte évidemment close, les murs en pierres et pisé ne permettent aucune intrusion visuelle. Akka ne l'entend pas de cette oreille.

Agile comme un singe, il profite du moindre interstice pour s'agripper et inexorablement grimper le long de cette façade quasiment lisse. Il a remarqué un espace entre un chevron et le toit, il y engouffre déjà la moitié de son corps.

Une voix caverneuse se fait entendre de l'intérieur du moulin : « Il fait noir mais je devine une tige terminée par une roue dentée, qui entraîne elle-même une autre roue, puis encore une autre roue, puis... je ne vois plus rien, puis pas grand-chose mais à la fin cela rentre dans une bobine métallique fermée. C'est elle qui produit ce sifflement bizarre. »

Regard complice et amusé de Tikki... aucun de nous n'a absolument rien compris aux explications, qui se voulaient éminemment techniques. Quelle est cette machinerie extraordinaire ? Entre les commentaires surréalistes de notre ami et ses pieds qui battent avec fougue l'air - son corps ayant totalement disparu dans le bâtiment -, nous explosons de rire.

« Vous vous moquez de moi ? » demande Akka, tout en sortant la tête. Son visage est à présent recouvert de vieilles toiles d'araignée et de poussière, mais toujours barré par son légendaire sourire.

Évidente conséquence, accentuation de notre fou rire... Notre ami, pourtant dans un équilibre précaire, ne résiste pas longtemps, et se met à glousser comme une poule d'eau. Effet quasi immédiat, ce n'est pas l'œuf mais la *poule* qui chute, car elle ne vole pas non plus ! Heureusement, Akka est leste, heureusement, c'est un poids plume - normal pour une poule - et surtout, heureusement, nous sommes en bas pour amortir sa réception. Nous nous retrouvons tous au sol, sans dommage, mais toujours hilares. La peur de la blessure n'a calmé en rien notre rieuse folie. D'ailleurs durant sa chute, Akka n'a cessé de pouffer une seule seconde. Jeunesse, insouciance, aliénation mentale ?

Bien plus tard, enfin calmés, nous explorons minutieusement les pourtours du moulin, à la recherche de nouveaux indices. Les nombreuses tentatives infructueuses n'ont eu que seule conséquence de nous faire esclaffer à nouveau, les explications de la *poule d'en bas* n'ont pas donné plus de clarté que celles du *singe d'en haut*.

« Khaur viens voir ! » Tikki a dégagé la végétation tout autour du bâtiment. Une épaisse gaine rigide de couleur verte, en *plastique*, information de mon neuro-transmetteur (je l'avais oublié celui-là), est fixée le long d'un des pilotis, et s'enfonce dans le sol. Akka prend la gaine, tire de toutes ses forces et la déterre sur une vingtaine de centimètres : direction plein Est, peut-être vers la Maison du Gouvernement ? Rien de concret néanmoins dans cette première expédition.

Ce hangar est une autre cible de choix, loin des chemins principaux et de traverse, et hors des regards indiscrets. À quatre mètres environ au-dessus du sol, scellée à la façade, pend une échelle qui mène jusqu'au toit. La principale difficulté sera d'arriver au premier barreau.

Monter sur les épaules et même sur la tête de mes amis n'a servi à rien, j'étais vraiment trop court. Naïvement, ils ont tenté de me jeter en l'air. Hormis quelques ecchymoses et la poussière du sol, je n'ai rien attrapé ni mordu...

Cela fait au moins vingt minutes que Tikki est parti dans le bois situé derrière le bâtiment, a priori une idée en tête.

Il revient, tirant un vieux sapin sec derrière lui. À vue d'œil, il est évident que l'arbre ne sera jamais assez long et vraiment trop frêle pour être posé contre le hangar et s'en servir de rampe pour atteindre le premier barreau de l'échelle.

Tikki lit le doute dans mes yeux et en sourit : « Ne t'inquiète pas, cela va marcher ! »

À l'aide de son couteau, il débarrasse le tronc de la quasi-totalité des branches, et celles conservées, décalées tous les quarante centimètres environ, sont coupées à faible distance du tronc. Le pauvre sapin ressemble à présent à une vieille arête de poisson, mais visiblement en moins solide... Le *bûcheron* semble pourtant satisfait du résultat.

« Akka, aide- moi à le redresser et le tenir droit ! »

Posant son œuvre au sol, sa partie la plus large vers le haut, il ajoute : « Les branches de sapin ont des emprises très profondes à l'intérieur du tronc, ainsi elles ne peuvent quasiment pas s'arracher. Coupées court, elles devraient être assez solides pour te soutenir, et comme tu peux le constater, avec l'inversion haut-bas, les branches réalisent un V avec le tronc, tu auras de bons appuis.

— Mais comment sais-tu tout ça ??!! Estomaqué par son habileté.

— Je suis un Mbuti *missieur* ! » Clin d'œil complice.

Si ce n'était mon ami, j'aurais la vilaine impression qu'il se moque de moi.

Cela tangue un peu, mais sans réelle difficulté, j'escalade puis m'agrippe à l'échelle métallique qui immédiatement, Ô surprise, commence à descendre.

Je me retrouve face à deux têtes ahuries qui ne comprennent pas non plus. Quel étrange mécanisme ! Nous n'avions jamais vu d'échelle escamotable. Bonne nouvelle, gravir jusqu'au sommet du hangar est à présent un jeu d'enfants. Akka fera le guet depuis le bas.

La couverture du toit est revêtue d'une matière similaire à un mélange de baotou, et du coutou dont les vêtements de Traque sont constitués. Étalés sur une grande surface, malgré la couleur grise omniprésente, les cristaux scintillent de mille feux. Je prends tout d'un coup conscience que cette même substance couvre également les kciwnefs. Tikki corrobore mon impression. Le baotou ne sert donc pas à uniquement à l'élaboration des vêtements- coutou, comme a bien voulu l'affirmer Suthra, mais aussi à produire directement de l'énergie, probablement en captant les photons de la lumière ou les calories de l'air environnant, comme nos vêtements de Traque. Certaines évidences prennent corps…

Il devrait y avoir un modulateur quelque part. Le petit cube aux bords arrondis, posé dans l'angle opposé, n'est pas difficile à repérer. Il ressemble étrangement, mais en plus massif, à celui présent sur l'équipement du Traqueur. L'énergie est produite et conservée directement dans la matière elle-même, le modulateur ne sert qu'à transférer cette puissance. Un tube plastique gris cendre sortant de l'appareil, descend le long de la façade jusqu'au sol. Le hangar voisin et quelques toitures environnantes disposent d'un dispositif similaire. Nous en savons assez, il est temps de redescendre.

« Regarde ! » dit Tikki, indiquant en même temps une direction avec son doigt.

Le sommet de l'entrepôt donne sur un pan du toit de la Maison du Gouvernement, habituellement hors de vue. Plusieurs rotors composés de deux demi-cylindres tournent résolument sur un même axe et ce, malgré la faiblesse de la brise.

« Toutes ces roses de vents ! » s'enthousiasme Tikki.

Le neuro-transmetteur continue à œuvrer. « En fait, il s'agirait d'éoliennes Savonius. Mais ne me demande surtout pas à quoi cela peut bien servir, mon *informateur* reste résolument muet à ce sujet. »

Nous retrouvons la Garde sur une petite place, juste à côté de la salle de réunion de la veille. Il s'est remis à pleuvoir, le froid humide pénètre. Chiourme n'a eu aucune information complémentaire. L'équipe de Traque, c'est confirmé, était exemplaire. Le plus convaincu à ce sujet semble leur Guide, totalement affirmatif, jamais ses membres n'auraient fait quoique ce soit contre l'Équilibre Mais peut-on faire confiance à un Guide ?

Singulièrement tordu, traînant avec peine sa carcasse, un grand corps malade[1] approche : Nion !

« Oh que c'est dur ! » articule-t-il avec peine… Quelques hoquets, quelques régurgitations, quelques spasmes plus tard, il poursuit : « J'ai abusé de champignons hier soir, mais vous auriez dû venir, c'était excellemment décadent. »

Face à nos yeux sans pitié, il comprend que ce ne sont pas forcément les informations que nous attendions de sa part : « Euh, oui… concernant les Gardes ayant participé à l'embuscade, rien ! Par contre, un témoin - un autre Garde - a

---

1 Salut l'artiste

prétendument vu son jeune collègue au sol et aurait remarqué des traces violacées autour de son cou. »

Voilà une étrange révélation...

Nion ajoute : « … Il se propose de nous accompagner là où le corps a été déposé, il a fait partie de l'équipe chargée de l'enterrer. D'après lui, pas de problème pour retrouver les ossements. »

Probablement une virée pour rien. Après nous avoir présenté le *fossoyeur*, le Compagnon Nion décline l'invitation au voyage[1].

« Une heure de sieste et je serai d'aplomb ! » ajoute-t-il avant que lui, et son grand corps malade, ne disparaissent.

Le fossoyeur occasionnel nous explique que le jour de l'inhumation, la météo était exécrable, alors, avec son compagnon d'infortune, ils n'ont pas creusé beaucoup… Quatre enquêteurs et un indicateur dans un champ macabre, malheureusement, cette marche funèbre[2] n'a pas franchi les siècles. L'intention était a priori d'éviter les épidémies : raté !

Des dizaines de crânes, d'os et de diverses parties de squelettes humains recouvrent le pré. On devine des tombes creusées à la va-vite et quelques fosses plus profondes comblées partiellement. Pies, corneilles, choucas, et même quelques rats, s'écartent mollement à notre passage. Le fossoyeur d'opérette nous regarde en biais, la crainte

Probablement que nous nous formalisions de la négligence de ces *enterrements*. Pourquoi le ferait-on ? À Alternative, les corps sont jetés directement dans les fossés et mis à disposition

---

1 Merci Charles Baudelaire car « là, tout n'est qu'ordre et beauté, luxe, calme et volupté ».

2 Chopin ou Beethoven ?

des charognards, sans aucune forme de cérémonie. À partir du moment où l'Ordi Vivendi a été prononcé, les dépouilles appartiennent à la Nature.

Il y a eu ripaille sur le cadavre du « *jeune Garde-de-la-porte-Est* ». Les quelques pelletées de terre, jetées avec parcimonie, n'y ont rien changé. Plus de chair, plus de tendon. Ne subsiste qu'un squelette à peu près complet, mais étrangement blanc. Aucune trace de fracture sur la tête ou ailleurs.

Il nous reste cette vague affirmation de présence de marques sur le cou du malheureux, un nouvel indice à prendre néanmoins au sérieux. Il faudra interroger le Supraguérisseur sur ce point précis. Notre ami le fossoyeur semble attendre quelque chose... « Une *récompense*, finit-il par avouer en rosissant car, *Nion lui a promis, s'il apportait son concours à l'enquête, une affectation dans une zone d'habitage, car il ne supporte pas ce poste à la Maison du Gouvernement.* »

Comment pourrais-je réaliser son vœu, ne connaissant rien aux arcanes du Sanctuaire ? Sa récompense sera donc... de ne pas être dénoncé pour avoir exécuté des ordres avec si peu d'implication. Voilà une affaire rondement menée. Certes, je n'en suis pas fier, certes, le *fossoyeur* est parti furieux, certes, *il jura, mais un peu tard, qu'on ne lui reprendrait plus*[1], mais de mon côté, je peux au moins passer à autre chose. Je n'oublierai néanmoins pas de remercier Nion...

Une idée m'obsède : « Écoutez-moi, il doit y avoir un lieu pour entreposer le produit des vols avant d'être expédié. Chiourme, Tikki et Akka, vous allez parcourir les environs à la recherche d'une telle cache. Commencez par la forêt

---

1 Des siècles plus tard, ils se font encore avoir. Les classiques, les classiques, il n'y a que ça.

derrière la porte Est, et surtout restez groupés ! Je vais pour ma part aller interroger le Guérisseur. »

Mes amis Mbuttis sont heureux d'avoir une mission plus en adéquation avec leur formation, et Chiourme semble, elle, ravie d'être associée aux Pisteurs. Elle a quelque part l'impression d'être devenue une Traqueuse, elle qui était jusqu'alors cantonnée à un rôle subalterne.

Alors qu'ils partaient déjà, le cœur léger, vers de l'action, rien que de l'action, toujours de l'action, je refroidis leur ardeur. « Attendez, cela peut être dangereux, on va vous procurer des armes. »

Refus bureaucratique de fournir des arcs : seuls les Gardes ou les Traqueurs, lorsqu'ils sont en mission, sont habilités à être armés dans le Sanctuaire. Vous n'êtes ni Gardes ni Traqueurs en mission, puisque vous êtes Enquêteurs... logique implacable !

L'administration a encore de beaux jours devant elle... Nous voilà totalement démunis, un sentiment d'abandon profond.

« Suivez-moi ! »

La serrure reste d'abord silencieuse. Comme un malvoyant sur les trottoirs encombrés et inaccessibles pour eux, de trop nombreuses villes (dans le Temps d'Avant s'entend), mon esprit tâtonne dans l'obscurité. Soudain, une légère vibration. Rapidement, je détecte la fréquence d'un signal périodique, un véritable jeu d'enfant, la porte est déjà ouverte... et trois paires d'yeux me fixent, les corps sont figés, comme si j'avais transformé l'eau en Jeune Épi.

« Entrons et refermez vite ! »

C'est bien parce que mes ordres sont stricts que les statues réagissent.

Équipés de fusils et de cartouches traditionnelles, me voilà rassuré, mes trois amis sont prêts à affronter toute adversité. Je leur explique sommairement le maniement des *bâtons de feu*, espérant qu'ils n'en aient pas besoin...

« Si vous croisez des Cousins belliqueux, tirez en l'air cela les effraiera. Attention, soyez prudents, en aucun cas vous ne devez blesser et encore moins tuer un animal. »

Ce rappel des règles de base de l'Équilibre est destiné à Chiourme, peu habituée aux Traques. Je sens que les Mbutis auraient préféré leurs armes traditionnelles, mais l'entrepôt où elles sont entassées est vraiment trop en vue. Et comme les bâtons- électriques n'obéissent qu'aux neuro-transmetteurs...

J'étais Traqueur, me voilà voleur, mais *un voleur honnête*[1], et mes complices, trois Pieds Nickelés malhabiles, les bras embarrassés par cette artillerie méconnue.

Chiourme, mutine, se retourne en clignant des yeux : « Je suis tranquille car en cas de danger, tu viendrais me sauver. »

Tikki et Akka rient de bon cœur, à peine, mais à peine alors moqueurs...

Le Supraguérisseur Maingelé, aucunement surpris, attendait visiblement ma visite. Petit et brun, une mèche couvre partiellement son front, il arbore une moustache *brosse à dents* au-dessus de sa lèvre supérieure. Salutations d'usage avec la main gauche paume ouverte à hauteur du cœur, qu'il monte lui, étrangement au niveau de l'épaule. Son onde stricte et

---

1 Fiodor Dostoïevski : « Le voleur honnête ».

directive pénètre mon esprit : « *Suthra m'a signalé que tu avais subi un choc sévère à l'œil, je dois t'ausculter.* »

Il est debout, je m'approche sans rien dire. Après tout, cette entrée en matière me convient bien. Il examine mon nez puis mes pommettes : « *Les cicatrices ne sont pas très esthétiques mais aucune infection. Avec quoi as-tu soigné cela ?*

— *Mon Pisteur Mbuti m'a préparé plusieurs décoctions, mais aucune idée de leur composition.*

— *Ah les Mbutis, ils ont parfois des remèdes miraculeux… qui parfois achèvent le malade !* » Il sourit, probablement satisfait de cet humour macabre.

« *Ton œil est encore rempli de sang, cela disparaîtra dans quelques jours. Pas de symptôme particulier ou de douleur ?*

— *Heu non !* »

Je m'enfonce. Pourquoi encore et toujours refuser d'évoquer mes sinistres *mouches* et l'inquiétante zone d'ombre qui progresse de jour en jour.

Le Supra-Guérisseur ne fait aucune remarque, a-t-il ressenti mon trouble ? Soulagé de changer de sujet, je lui explique être en charge de l'enquête.

« *Tu as examiné le corps de l'homme trouvé à la porte Est, rien de suspect ?*

— *Mort étrange en effet pour un individu aussi jeune, il devait avoir une malformation congénitale ou héréditaire. Peut-être aurais-je pu le sauver si j'étais arrivé un peu plus tôt, j'étais le premier sur les lieux. Mais l'Équilibre en a décidé autrement.*

— *Un Garde a constaté des traces de strangulation sur le cou de la victime…* » avançant là mon unique pion.

Maingelé hausse les épaules en jetant un *pff* méprisant : « *Un Garde, et pourquoi pas un Tambouilleur ou un Termiteur voire un oiseau de la forêt ? Qu'est-ce qu'il connaît ton Garde à*

la médecine, sait-il au moins reconnaître une main d'un pied ?
C'était tout simplement la marque laissée par un col trop serré !
Pff, un Garde… » Échec et Mat !

Il ne porte visiblement que peu d'estime à nombre de ses contemporains, ou s'imagine-t-il tout simplement représentant d'une race supérieure[1] ?

Je n'aime pas Maingelé ! Et de surcroît, il n'amène aucun élément à mon enquête. Salutation pour prendre congé.

Accrochée à la poignée de la porte, une splendide canne d'apparat dont le pommeau représente une tête de loup, sculptée visiblement dans du bois d'orme, « *arbre ayant reconquis les futaies après avoir quasiment disparu au Temps d'Avant, à cause de la graphiose* », précise mon neuro-transmetteur.

« *Elle est belle, non ? Maingelé s'approche dans mon dos, elle a été fabriquée pour moi par le meilleur Tailleur de bois d'Haeckelie. Elle donnerait presque envie d'avoir besoin d'une canne pour marcher. Mais il n'y a pas de place pour les estropiés.* »

Ce ton lugubre, et son regard insistant sur mon œil abîmé… Sueurs froides[2] ! Je suis à présent persuadé qu'il sait…

Choisissant la parole plutôt que la télépathie, d'une voix étrangement nasillarde mais sur un ton volontairement enjoué et badin, il ajoute : « Je prends plaisir à me promener avec cette canne, juste pour jouer au *dandy*, la badine à la main. Je sature tant de nos tristes vêtements ni seyants ni gais, et nos attitudes sans originalité… Bonne journée Khaur et surtout, prends bien soin de ton œil ! »

---

1 Il ne faut pourtant jamais oublier, cela pourrait revenir. Heil !
2 Vertigo

En voilà un autre qui s'autorise certaines libertés avec la loi. Nous savons tous que si l'Équilibre a voulu l'uniformité, c'est justement pour nous éviter la jalousie et l'envie. Et cette voix désagréable et pleine de sous-entendus concernant l'état de mon œil… Vraiment, Maingelé, le médecin nasi-llard, est la concentration de ce que j'abhorre[1].

Appel télépathique à Nion. Aucune réponse. Dort-il encore ? Les autres, partis pour plusieurs heures, me voilà seul pour la première fois depuis longtemps. Je m'assieds sur un vieux tronc couché servant de banc. Je n'ai pas aimé l'insistance avec laquelle le Guérisseur a regardé mon œil, mais n'est-ce pas plutôt ce que pourrait impliquer cette blessure qui m'inquiète ? Le ciel est chargé, mais la pluie a cessé de tomber. Fixant le plafond gris, tout en fermant l'œil valide, j'examine attentivement l'évolution des symptômes. Les *mouches* se bousculent dans mon champ de vision, sans avoir l'impression qu'elles soient plus nombreuses. Le *palmier* a encore pris de l'ampleur, les feuilles ocre semblent se rejoindre à présent. Si ma vision centrale est loin d'être affectée, la périphérique a perdu beaucoup de son efficacité. Mais cela va aller, il le faut.

Par désœuvrement plus que par intention réelle, mes *grandes oreilles* s'ouvrent. La cacophonie initiale devient rapidement multiples ondes définies. S'il m'est assez facile de déterminer le propriétaire de chacune d'elle, le chaland qui passe, ne laisse par contre qu'une trace vibratoire vite oubliée. Derrière moi, au travers du mur, le signal télépathique d'une personne immobile. Le challenge est amusant. Une fréquence

---

1 Comprenne qui pourra

d'onde rapidement contrôlée, quasiment aucune interférence, et me voilà connecté à son neuro-connecteur. Il n'a pas réagi, il n'a semble-t-il rien ressenti.

Certes, ces échanges interceptés, d'ordre pratique, n'ont que peu d'intérêt mais je suis impressionné par mes progrès. A contrario, si *j'entends* les communications sortantes de ma *victime*, les réponses de l'interlocuteur restent, elles, inaudibles. Toutes mes tentatives sont vaines, surtout que je ne sais absolument pas où chercher dans cet esprit cloisonnant émission et réception. Cependant, l'immensité de ce nouveau pouvoir s'impose à moi, et quelque part m'effraie…

Tiens, mon *ami* le Supraguérisseur part en balade. Le *dandy* a mis un foulard rose autour de son cou, et marche tranquillement tout en balançant fièrement sa canne à tête de loup. Je prends la décision de le suivre, de toute façon, à part gamberger, je n'ai rien d'autre à faire.

Mon instinct de Traqueur prend immédiatement le dessus. Je deviens rapidement invisible, adaptant mon pas au sien, anticipant le moment où il se retourne tout en me fondant dans le décor. Étonnamment, il semble prendre de nombreuses précautions pour ne pas être suivi… Quelque chose à cacher ? Mon inclination à la chasse repère rapidement une imperceptible claudication dans sa marche.

Régulièrement, son œil traîne derrière lui. Décidément, il ne souhaite vraiment pas être filé… Juste dix mètres en retrait, mais sur l'autre côté de ce large passage très fréquenté bordé par les entrepôts, je reste dans son angle mort visuel. Arrivés dans les zones d'habitation, le suivre devient un jeu d'enfant.

La zone Quinze ! Pourquoi le pressentais-je ?

Il devait attendre son arrivée car à peine Maingelé en vue, Mésoc accourt à sa rencontre. Que de tendresse et de désir dans leur étreinte ! Ils s'embrassent à présent fougueusement sur la bouche. Fausse piste, il ne s'agissait pas là de félonie, juste de fellation[1]. Plein d'appétit et d'excitation, ils rentrent à présent dans le dortoir satisfaire leurs envies. La sexualité est très libre en Haeckelie.

Retour évidemment la queue basse, presque honteux d'avoir pris sur le fait les deux amants. Le Supraguérisseur-Hypnotiseur devait être probablement le fameux *membre influent* ayant sauvé notre ami Mésoc, il y a quelques années. Il ne s'intéressait visiblement pas uniquement à son art... Cette pensée un brin mesquine a le don de me redonner le sourire.

Mon appel télépathique trouve écho chez le compagnon Nion, enfin réveillé, mais pas forcément au summum de sa forme.

Il est blême, tremblotant, se jurant de ne plus jamais recommencer, « Ah c'est certain ! Mais ce ne sont ni les psilocybes cubensis ni le sikaru qui sont responsables de son état, c'est évident. Il a dû manger quelque chose avarié... »

Alcool et drogues n'ont jamais été responsables de rien, c'est connu : ainsi commence la nécessaire *reconstruction* pour être à nouveau capable de festoyer sans aucune retenue. L'oubli a souvent besoin de prendre des chemins tortueux.

Résumé succinct de la situation... les ossements du Garde n'ont rien apporté, Maingelé a confirmé ses propres

---

1 Je sais, j'aurais pu m'en passer, mais bon...

conclusions, et ma filature jusqu'à Mésoc. Je mets de côté l'embrassade virile, laissant plutôt supposer, dans mon commentaire, des liens amicaux, ce qui a le don de faire exploser de rire mon interlocuteur :

« Que tu es naïf, ils sont à présent en train de jouer levrette ! »

Et devant mon air dubitatif, il se bidonne voire se moque ouvertement : « Tu ne comprends pas… ? Avec sa petite moustache et ses petites manières, ses foulards tout en couleur, Maingelé est homosexuel, c'est connu de tous ! »

Homosexuel, je l'avais deviné, mais *levrette* voilà un mot inconnu dans mon vocabulaire, même s'il est suffisamment expressif.

Bien plus tard, les néo-enquêteurs sont de retour. Ils ont couvert une large zone sans rien remarquer, demain, un autre secteur sera exploré. Les armes ont été cachées dans un terrier de blaireau abandonné. Mon récit est autrement plus captivant. À l'évocation de l'épisode *passionnel* des deux hommes, les yeux des deux Mbutis ont du mal à ne pas sortir de leurs orbites. La Garde Chiourme reste de marbre : « *Ben oui, Maingelé est homosexuel, et alors ?* » Elle nous trouve bien fermés d'esprit. Sa journée a été longue, elle décide de réintégrer ses quartiers.

« Ce soir, il y aura du monde à la salle de vie commune, Madrazo expose », et devant nos mines déconfites, « Oh, même pas vrai… vous ne connaissez pas le grand Madrazo ? Ses œuvres sont tout simplement g é n i a l e s ! De la *scultpeinture* avant-gardiste », s'enthousiasme Nion, a priori meilleur critique d'art qu'enquêteur.

Nous promettons de nous joindre à lui ce soir.

Comme il est agréable de nous retrouver entre amis, juste tous les trois. J'ai l'âme à la confidence… « Vous avez vu comme j'ai contrôlé le drone et ouvert la serrure, et bien, j'arrive aussi à écouter les conversations télépathiques, enfin juste l'émission. » Comme si je cherchais à minimiser l'importance de la révélation.

« Pour dire vrai, nous en avions parlé tous les deux, et on se doutait de quelque chose comme ça. » Akka confirme en hochant la tête.

« C'est tout ce que cela vous fait, vous n'êtes même pas surpris !? Surtout si cela se savait, je risquerais Pitance, j'en suis persuadé.

— Tu nous étonnes tant depuis longtemps. Et puis tu es notre ami alors nous te protégerions. De toute façon, hormis nous, tes frères d'arme et d'âme, qui pourrait croire à telle énormité ? »

Akka deviendrait prolixe ? C'est bien la première fois que je l'entends prononcer trois phrases consécutives. L'émotion me submerge et bientôt trois amis s'enlacent, s'embrassent, se serrent, se pressent, et le langage de leur corps montre leur amour pur sans tâche.

Deux larmes se perdent le long de mes joues. Que d'émotion ! Le besoin de partager le fardeau de mon âme et de mes peurs, le besoin d'être écouté, d'être rassuré et probablement cajolé, je poursuis mes révélations :

« Je suis en train de perdre mon œil ! Depuis ma blessure, je vois plein de mouches qui volent, et une ombre mange peu à peu mon champ visuel. »

Quelques secondes de silence puis Tikki : « Il faut en parler au Supraguérisseur, c'est sûrement le plus compétent d'Haeckelie puisqu'il forme l'ensemble des Guérisseurs, il trouvera un remède pour ton œil, c'est garanti !

— Mais, a contrario, s'il ne pouvait le sauver, il saurait alors que je suis handicapé… je serais alors rétrogradé dans une fonction acceptant les borgnes. » Cela fait du bien de formuler mon angoisse, car, paradoxalement ce n'est pas la perte de l'œil qui m'inquiète le plus, mais ses conséquences : de nouvelles fonctions et l'obligation de quitter mes amis.

« Un Compagnon avec un seul œil… cela doit passer ! Il ne risque guère à la Maison du Gouvernement de prendre une flèche dans celui qui reste », affirme tranquillement Akka, devenu finalement le plus sage des trois, malgré son énigmatique sourire. Il est probablement dans le vrai… Je le prends dans mes bras et le serre fort, très fort.

« Merci, merci les amis !

— Par contre, tu promets, même avec un seul œil, de toujours nous regarder en   face ? glisse avec humour Tikki.

— Et de ne jamais écouter dans nos têtes tout le mal que l'on pense de toi ? » ajoute Akka.

Entouré de mes deux amis, main dans la main, nous entrons plein d'entrain à la cantine. J'ai faim !

Bien plus tard, nous rejoignons l'homme au chignon et au sourire radieux, visiblement ravi de notre présence. « Vous allez voir, c'est extraordinaire ! » Pour être convaincu, il est convaincu.

Beaucoup de monde pour ce vernissage. Quel drôle de nom pour une exposition d'art. Les œuvres, mi -sculpture, mi- peinture, sont amenées cérémonieusement, l'une après l'autre, devant les spectateurs. Un joueur de pipeau accompagne d'une musique douce dédiée, chaque composition présentée par l'artiste.

Si nous étions d'abord perplexes, nous sommes rapidement sublimés par la magie de la « *Grandeur Picturale Tridimensionnelle Vivante* », comme la nomme humblement Madrazo.

Les « *oh* » admiratifs, à l'arrivée de chaque œuvre artistique représentant des humains ô combien réalistes, deviennent des « *ah* » quasi-frénétiques, lorsqu'on fait tourner la représentation sur elle-même et que la vie semble s'emparer du visage tridimensionnel du personnage. À tout moment, on s'attend à ce que les yeux clignent ou qu'une voix ténébreuse s'exprime.

La musique hypnotique participe à cette fête quasi mystique.

L'apothéose, l'atteinte de l'absolu, une œuvre nommée : « *Aline Masson, bourgeoise parisienne* [1] », un visage légèrement poudré et hautain, des paupières lourdes, des yeux mi-clos qui semblent pourtant me fixer. Un léger sourire, presque ironique, dessiné par des lèvres d'un rouge éclatant qui s'ouvrent sur des dents d'un blanc pur. Elle porte un étonnant chapeau à fleurs, comme une couronne à son extraordinaire beauté.

Tous les mâles de la salle, et probablement quelques femelles, tombent immédiatement amoureux. Aussi, lorsqu'on cherche à retirer leur nouvelle déesse de l'amour, cela gesticule, cela gronde, cela fulmine… « *Laissez-nous la encore !* » Aline Masson leur appartient, ou plutôt, ils appartiennent à Aline Masson.

---

1 « Aline Masson » Raimondo de Madrazo y Garreta. Musée du Prado, Madrid

Madrazo ne boude pas son plaisir. Un geste d'apaisement, il fait signe à ses aides de ne pas encore sortir sa grandiose réussite, sa perfection. Demain, on ne parlera que de lui dans toutes les zones du Sanctuaire, et dans le microcosme des Artistes et Saltimbanques, il sera jalousé voire haï pour cet immense succès.

Probablement moins captivé que je ne le suis moi-même, Tikki me fait signe qu'il est temps de partir. Nous nous inclinons devant l'Artiste-paon, remercions chaleureusement critique- Nion, et sortons. Du travail nous attend !

Nous sommes passés devant les salles des tortues, comme les nomme Akka, avec peut-être moins de cris et de pleurs, mais l'odeur toujours aussi oppressante. Les quelques Nourricières encore présentes ne nous ont pas remarqués. Long couloir dans l'obscurité, la torche de fortune que nous avons fabriquée, suffit largement pour progresser dans une relative clarté. Voilà la porte qui mène au quartier Futura.

Mon idée, plébiscitée par mes amis, est de tenter grâce à mes *pouvoirs* de forcer la serrure et découvrir ce que l'on cherche à nous cacher. C'est dangereux, voire suicidaire. Je préfère ne même pas imaginer ce qu'il se passerait si nous étions pris sur le fait... Lorsque j'ai tenté de l'évoquer avec mes amis, Akka a immédiatement explosé de rire, ajoutant : « Oui on le devine, et justement on en a assez des menaces, agissons à présent ! »

Ceci dit, forcer un hangar est une chose, mais cette porte qui protège les plus grands secrets du Sanctuaire, devrait se montrer autrement plus ardu.

Rien, il ne se passe rien. Je ne l'entends pas, je ne la ressens pas, aucune vibration, aucune information… Et pourtant il n'y a pas d'autre dispositif visible, c'est par les ondes qu'elle doit nécessairement s'ouvrir. « Cela t'arrange bien de ne pas l'ouvrir hein… Tu commences à douter, et tu te dis qu'il serait probablement mieux pour ta carrière de ne rien savoir. Tu deviendras un jour, membre de catégorie 2 puis, comme tu es intelligent, de catégorie 1. Alors au fond de toi, tu es persuadé qu'il vaut mieux laisser tomber cette enquête. » Tikki, haineux, m'agresse.

« Mais ce n'est pas vrai, tu ne penses pas ça ? Perplexe, déçu, inquiet…

— Allez, arrête tes faux-semblants ! De toute façon, tu n'en as rien à faire de nous, seul compte ton petit confort. Et oui, le fameux Traqueur Khaur a peur de perdre un œil donc craint de se retrouver à cultiver des navets ou des radis », affirme Tikki, de plus en plus venimeux.

— Tu es injuste ! Pourquoi dis-tu des choses aussi méchantes et abjectes !? Je lui fais face, une fureur noire monte en moi.

— Si tu dis vrai, espèce de borgne, ouvre cette satanée porte ! » crache-t-il quasiment à mon visage.

Le poing fermé, prêt à le frapper, une rage indescriptible monte en moi ; et soudain, un léger « *clic* ». Trois paires d'yeux regardent, dubitatives, la porte entre-ouverte à présent.

« Cela a marché, cela a marché ! s'enthousiasme Tikki, puis poursuit. Excuse-moi Khaur, je ne pense pas une seule de ces horreurs, mais j'ai tenté le tout pour le tout. Tu nous as expliqué que tes pouvoirs s'étaient décuplés lorsque tu t'es énervé après le comportement des membres du Gouvernement. Je t'ai malmené, espérant amplifier ta puissance. Cela a marché,

cela a marché ! » Puis me prenant dans ses bras. « Pardonne-moi ! » Toujours à moitié sonné, je le serre fort, très fort :
« Tu es simplement génial Tikki, vraiment trop génial ! »

Au fur et à mesure de notre avancée dans le couloir, une lumière blanche, semblant sortir directement du plafond, éclaire nos pas, puis s'éteint après notre passage. De la magie, encore...

L'allée dessert différents boxes ayant a priori chacun leurs propres fonctions. Petits murets de séparation, l'éclairage sélectif ne permet de les visiter que compartiment après compartiment. Dans le premier, dans des bacs métalliques, sont rangés des matériaux, des roches, et quelques objets brillants inconnus. Le second contient du matériel médical et chirurgical, avec entre autres, des microscalpels laser, des agrafes chimiques, ou des stylos-scanner, et même de l'acide à tatouage. Liste évidemment communiquée par mon neuro-transmetteur.

Dans une salle blanche tout en long, une série de « *tables d'opération mobiles en plastique polycarbonate* ». Plusieurs bras métalliques, ressemblant aux tentacules d'une pieuvre, pendent au-dessus de chaque lit. Des armoires remplies de divers instruments chirurgicaux, produits désinfectants à base de souci, pour éviter de futurs soucis, et même des compresses et bandes à base de chou, véritables bijoux.

Ce mélange de technologie d'un autre temps et de méde-cine traditionnelle ne manque pas de surprendre. À peine notre sortie de la salle, un chuintement... de la vapeur sous pression jaillit de plusieurs endroits du plafond. Un parfum, mélange étonnant d'eucalyptus et de thym[1], se répand dans la pièce.

À quoi tout ceci peut-il bien servir ?

Boulimiques d'informations, nous souhaitons réaliser la visite la plus complète possible. Après avoir traversé tout le secteur, nous nous retrouvons face à une porte métallique, derrière laquelle un bourdonnement sourd et continu se fait entendre. Miraculeusement à notre arrivée, l'entrée s'ouvre toute seule, ou plutôt, littéralement glisse sur le côté sans un bruit.

Toutes les formes d'énergie concentrées en un seul lieu : ce qui nous frappe dans un premier temps, c'est une rangée de plusieurs barreaux magnétiques cylindriques de la hauteur d'un homme, faisant face à des bobines de fil métallique de couleur rouge, reliées à des *condensateurs* et d'autres appareils étranges. Une petite affiche alerte : « *Danger, générateur magnétique* ». Un peu plus loin, quatre énormes kciwnefs - deux fois plus imposants que celui du Ricain -, branchés en batterie par des câbles, puis connectés à une gigantesque armoire métallique massive et bruyante. Cette dernière, telle une Gorgone, semble avoir sur le sommet, une chevelure composée de plusieurs dizaines de gaines, tubes, fibres optiques ou ioniques, ainsi que de fils électriques, raccordés au plafond et au mur supérieur. Si nous sommes pétrifiés par

---

1 Souci, chou, thym et eucalyptus possèdent des pouvoirs cicatrisants, anti-infectieux, anti-fongicides ou antiseptiques pour les deux premiers ou désinfectants naturels pour les deux derniers.

cette vision, nous ne serons néanmoins pas transformés en pierre[1]. Quelle est encore cette étrange machinerie ?

Perplexes, nous errons interrogatifs autour des cylindres magnétiques, des quatre engins et de la montagne métallique rugissante. Les deux gaines vertes ressemblent étrangement à celle déterrée au pied du moulin et ces nombreux tubes gris cendre, sont similaires à ceux qui descendent de la toiture des hangars, et je suis à présent persuadé que les fameuses roses des vents de Tikki, en réalité des éoliennes Savonius, ont aussi un rapport direct avec cette salle. Les mini réacteurs nucléaires des kciwnefs viennent corroborer mes quasi-certitudes : ce mammouth métallique doit être un centralisateur d'énergie. Mais pourquoi produire autant d'énergie au Sanctuaire ?

La salle *FIV*[2], comme inscrit au-dessus de l'entrée, immense et à peine éclairée d'une faible lumière bleutée, est saturée de centaines de cuves en verre, alignées les unes contre les autres. Depuis leur couvercle, des tubes rallient le plafond. Les réservoirs ne semblent contenir qu'un liquide gazéifié, plus ou moins transparent, véritable bain effervescent dans un festival de millions de bulles.

Tikki fait signe de nous baisser. Dans un silence absolu, une forme avance dans l'allée suivante, s'arrêtant quelques instants au niveau de chaque cuve. La curiosité l'emporte sur la prudence. Trois têtes, comme trois pommes superposées, contemplent, ébahies, une étonnante *machine* se mouvant

---

1 Mythologie. Une des trois sœurs Gorgone, Méduse, à la chevelure composée de serpents entrelacés, avait pouvoir de transformer tout mortel en pierre.
2 Fécondation In Vitro ?

avec souplesse. Elle possède des sortes de tentacules qui caressent certains des pictogrammes imprimés sur les parois en verre. Le *robot*, ainsi nommé par mon neuro-transmetteur, œuvre jusqu'au bout de son allée puis, son travail semble-t-il terminé, va se repositionner dans un coin de la salle. Le point lumineux vert qui scintillait sur son *front* s'éteint. Nous sommes, une nouvelle fois, bluffés par le monde que nous découvrons.

« Avez-vous vu ? » chuchote Akka en désignant du doigt, au fond de la cuve, une coupelle contenant un amas grossier. Haussement des épaules pour signifier mon ignorance.

La salle *Matrice*, identique à la première, avec son lot de réservoirs en verre et son inévitable robot endormi.

Nous n'étions pas préparés à vivre telle secousse… Semblant nager au milieu du liquide bouillonnant, des embryons à forme humaine ont remplacé les masses informes désignées auparavant par Akka. Cherchant dans le regard de l'autre le moindre réconfort, nous n'y trouvons que les mêmes incompréhension et désarroi.

Comme cette vie à Alternatiba nous semblait simple et légère ! Totalement désarmés par toutes ces révélations, nos esprits vont exploser, ce qui serait probablement un soulagement. Mon idée première, nous enfuir loin d'ici, loin du Sanctuaire, et revenir chez nous, à Alternatiba, et tout oublier. Mais c'est évidemment impossible. Akka, nez contre la vitre, examine, avec étonnement, cette minuscule copie parodique d'un être humain, raccordée à la machine par un nombril ridicule. Il semble le jouet des bulles qui le ballottent de tous côtés.

Soudainement, l'embryon ouvre les yeux, semblant reprocher à Akka de l'avoir réveillé. Surpris, dans un geste maladroit de recul ou de défense, le Mbuti pose malencontreusement une main sur les pictogrammes. Effet immédiat, les bulles disparaissent. L'avorton nageur nous regarde l'air étonné, puis commence à ouvrir et fermer la bouche comme un poisson sorti de l'eau. Oups ! Cela ressemble à une asphyxie… Une lumière rouge se met à clignoter. N'écoutant une fois de plus que notre courage, nous fuyons nos responsabilités !

Un coup d'œil derrière au moment de quitter la salle, le robot-sauveur est au soin, face au petit homme. Ce dernier aura déjà compris, à son âge, qu'il vaut souvent mieux faire confiance à une machine qu'à ses congénères…[1]

Aucun bruit, aucune alerte, aucune course de Gardes armés… a priori, notre forfait n'a pas attiré d'autre attention que celle du robot. Que faire ? La curiosité nous pousse à poursuivre nos investigations. Décision prise à l'unanimité, moins deux voix, car je ne demande pas l'avis de mes amis.

Nous laissons le *Laboratoire* sur notre gauche pour nous diriger vers une entrée portant l'indication : « *Centre informatique de l'Équilibre* ». Plus aucun étonnement lorsque la porte glisse sans bruit. À notre entrée, un point lumineux s'allume sur le front d'un robot-tentacules qui fait face à une console et un large écran mural noir.

Quelques secondes plus tard, une voix féminine d'origine inconnue nous fait sursauter : « Bonjour, quelle est la requête ? » Le panneau est à présent éclairé.

Par pur réflexe, trois individus déconcertés se retrouvent à saluer, la main devant le cœur, doigts repliés, paume ouverte dirigée vers l'écran. Mais aucune autre présence que la nôtre

---

1 *« Faire confiance aux hommes, c'est déjà se faire tuer un peu »* Céline

dans la salle, juste un silence pesant voire inquiétant. Nous attendons la suite, il n'y en aura pas.

La panique commence à prendre le dessus. Avec bien moins de dignité que nous aurions espéré en montrer, nous sortons dans la bousculade de la pièce, jetant quelques regards inquiets par-dessus notre épaule. Il est temps pour nos cœurs de quitter Futura.

Mon couchage, mon havre de paix tant espéré… enfin ! Pourtant, pendant des heures, je tourne, je vire, des millions de questions m'empêchent de trouver le sommeil.

Un crâne à la calotte trouée, placé sur un piédestal de couleur rose, tourne sur lui-même. Mais au moment où devrait apparaître le massif facial, c'est le visage d'un bébé aux yeux rougis qui apparaît. Il happe avidement l'air en quête d'oxygène, tout chuchotant : « Je m'appelle Khaur et suis né dans un bocal. »

Le Guérisseur Maingelé sourit, il tend sa canne en direction de mon œil : « Approche, je vais te soigner. » Tentative désespérée de m'échapper, mes pieds restent évidemment collés… Je me retrouve tout d'un coup dans un endroit nauséabond, pris par des tentacules qui m'entraînent vers le fond. Je tente de me libérer de l'étreinte ; bousculé, ballotté, je crie…

« Que se passe-t-il ? » Tikki, réveillé par mes cris, est en train de me secouer. Deux minutes pour reprendre mes esprits… « Désolé, un cauchemar ».

Comme cela arrive parfois, un souvenir assez précis de ce mauvais rêve, m'obsède et... « Bon sang mais c'est bien sûr ! »[1]

Mon esprit a gambergé pendant ce sommeil agité : le piédestal ou plutôt, le poteau rose[2], qui tourne avec son crâne dessus, rose comme celui du foulard du Supraguérisseur, est la clé de la plupart des interrogations : Inquisitio, le jeune Garde, les bébés- nageurs dans l'antre, hantée par Maingelé, les robots et probablement aussi les vols dans les hangars, et pourquoi pas les Ricains d'ailleurs ?

Réfectoire de la salle de vie commune, seule manque à l'appel, la Garde Chiourme, elle nous rejoindra un peu plus tard. Le buffet est encore bien garni. Nous sommes bien loin des portions congrues, trop souvent insuffisantes auxquelles nous étions habitués à Alternatiba. Résumé de mes *visons nocturnes* et de ma conclusion diurne sans appel : « Le Guérisseur est la plaque tournante du complot, et j'ajoute, j'ai en plus une drôle d'impression. Ne serait-ce pas sa lourde canne qui aurait fracassé le crâne du malheureux Inquisitio ? »

Mes amis meurent d'envie de lorgner Maingelé qui prend sa collation à quelques mètres de nous. Il est accompagné de ses deux Compagnons-Guérisseurs. Chacun de nous fait bonne figure. Subitement, sans un mot, Akka se lève et se dirige droit vers les trois hommes. Ni Nion, ni Tikki, ni moi, n'osons tourner la tête, soufflés par le coup de folie de notre

---

1 Merci commissaire Bourrel. Je tente dans toute cette enquête de retrouver l'atmosphère lente, très lente de vos aventures

2 Je crains de contredire mes chers amis linguistes mais le fameux « pot aux roses » devrait plutôt s'écrire « poteau rose », vous en avez l'évidente preuve aujourd'hui

ami. Le pistant du coin de l'œil, craignant le pire, nous hésitons entre la prière ou la fuite. À notre grand étonnement, Akka passe juste à côté de la table où sont installés les trois Guérisseurs : il est simplement allé se chercher un complément de nourriture. L'oxygène pensait reprendre possession de nos poumons dont il avait été expulsé, quand… choc, chute et cris.

Au retour, les mains chargées de faines, notre ami s'est pris les pieds contre la canne du Supraguérisseur, posée au sol. Trébuchant, il a entraîné dans sa chute un des Guérisseurs qui tenait lui-même un carafon à la main. Akka, Compagnon et son tabouret, cruche et ses deux litres d'eau, faines et canne, se retrouvent tous au sol, dans la position du nageur de brasse…

Un cri puissant voire bestial ! Après la surprise, la colère de Maingelé explose, il lève sa main comme pour frapper le maladroit, et on entend un : « Grouaahhahhhhaiiiiih espèce d'idiot, triple… », il s'arrête brutalement.

Akka déjà redressé, les deux bras écartés du corps, le faisant ressembler à un cormoran séchant ses plumes, la canne d'apparat tenue à bout de doigts, comme pour ne pas l'abîmer, dans l'autre main quelques graines détrempées qui gouttent, et sur ses lèvres, son sourire de débile léger… le spectacle est apocalyptique.

Un rire profond, inextinguible, communicatif, sort d'un coup des entrailles de Maingelé. Bientôt ce sont dix, vingt, trente individus qui explosent à leur tour. Le Compagnon-Guérisseur toujours au sol, tente à de se relever, mais glisse et s'étale à nouveau de tout son long dans un « *splach* » significatif. La salle, ivre de rires, n'est plus qu'un vacarme hystérique. Sur la droite, une hyène rieuse ricane, un peu plus loin un baudet, plié sur la table, hennit à s'en décrocher les mâchoires, trois poules gloussent sans espérer pondre, plusieurs crécelles crépitent et les pies jasent. Maingelé, en larmes, récupère sa canne, et lorsque le malheureux Compagnon s'assied enfin, le Supraguérisseur explose une nouvelle fois. Souvenirs et fous rires ont toujours été intimement liés.

C'est un Akka au sourire énigmatique, voire conquérant, qui nous rejoint. Il n'a pourtant pas de quoi être fier.

« Toi, tu as été Pisteur ? s'enquiert Nion, dubitatif.

— Oh, parfois un peu tête en l'air, mais c'est le meilleur ! Tikki défend son ami.

— Et comme je suis le meilleur, je peux même vous certifier que le loup a perdu une oreille », Akka nous toise tout en énonçant cette mystérieuse information.

Trois têtes se tournent vers lui, perplexes. Nous attendons la suite... Il fait évidemment durer le plaisir, grignote graine après graine, indiscernable, presque hautain. Tous les feux de la rampe sont sur lui, il savoure par anticipation son futur moment de gloire. Ô faiblesse humaine !

On s'impatiente, il se délecte.

On s'énerve, il jouit.

On menace d'un ton péremptoire : « Nous avons les moyens de vous faire parler ! »[1]

Il parle : « La tête de loup sur la canne... oreille ébréchée, preuve d'un choc violent. Et comme la forme du pommeau aurait pu correspondre à l'impact sur le crâne d'Inquisitio,

---

1 Imaginez Francis Blanche dans « Babette s'en va en guerre ». Néanmoins, rendons à César... L'origine de cette réplique culte est Mohammed Khan dans le film : « Les trois lanciers du Bengale »

j'ai fait le nécessaire pour avoir la canne de Maingelé à la main et vérifier. »

Trois individus soufflés par l'intelligence stratégique de leur ami, avec l'envie quasi irrépressible de le prendre dans les bras, mais cela pourrait sembler suspect aux yeux du Supraguérisseur. « Tu es génial ! » affirme à présent Nion. De l'ombre à la lumière, il n'y a qu'un pas...

Tikki et moi sommes fiers comme des paons... par procuration. Ce qui appartient notre ami, quelque part nous appartient aussi.

Notre complicité renforcée, nous sortons retrouver la Garde-Chiourme, qui nous attend déjà. La bise glacée qui s'est levée pendant notre collation, nous fait frissonner ; de plus, le plafond nuageux bas et lourd, presque oppressant, a commencé à déverser une pluie fine, froide et pénétrante.

La bouche de Chiourme dessine un *O* en écoutant le récit des événements... et éructe un « *oh oh* » admiratif à l'exploit de notre ami dont l'*égo* gonfle. La grenouille finira bien par exploser.

Et maintenant ? Tant de zones d'ombre encore. Pour accentuer s'il le fallait, nos doutes et incertitudes, le Supraguérisseur Maingelé passe à quelques dizaines mètres de nous, bras dessus, bras dessous, avec... Hornika !

« Pff on dirait un cochon et sa truie ! » crache avec haine Chiourme, inspirée probablement par le physique peu engageant du Supraviseur de l'OME.

« Sois plus gentille, s'il te plaît, avec les Cousins - suidés ! » décrète Nion, plein d'humour.

Ils sont complices. S'il en était encore besoin, l'évidence saute à la figure. Maingelé, Hornika, Jomuir... combien d'autres membres dans le complot ?

Perdus dans nos réflexions, message télépathique de la Vérificatrice Suthra. Elle organise une réunion à seize heures afin de faire un point sur nos investigations. Elle aurait, de son côté, des informations qui pourraient être déterminantes. Nion a évidemment reçu le même message. J'en avise les autres. En attendant, pourquoi ne pas poursuivre nos recherches dans les bois et tenter ainsi de trouver l'éventuelle cache. C'est plus sur le mode interrogatif qu'un ordre définitif, mais nul n'a d'idée plus lumineuse, alors tous acquiescent.

Nous récupérons nos armes dans le terrier devant un Nion, surpris certes, mais qui ne pose aucune question. Les groupes sont définis. Le Compagnon Nion et Akka d'un côté, Tikki particulièrement satisfait de se retrouver tout seul, et Chiourme fera équipe avec moi.

Dès notre départ, la Garde devient chatte. Aurait-elle perçu comme invite, la répartition logique des équipes ?

La neige commence à tomber à gros flocons, cela ne calme en rien ses ardeurs câlines. Sa main traîne contre la mienne, puis glisse *malencontreusement* sur mes fesses. Plus tard, elle dandine les siennes devant mes yeux interloqués. Soudain, elle trébuche, mes bras amortissent sa chute, elle tente alors de m'entraîner au sol, en vain. Aurait-elle fait exprès ? Elle se relève en râlant : « Goujat ! »

Elle boude quelques instants mais revient vite à la charge. « Tu es craquant avec cette fossette sur le menton, hum... Tu n'aurais pas envie de faire *guili-guili* ? » L'effrontée me fixe droit dans les yeux.

« Il y a plus urgent à faire ! Parcourir la hêtraie… » Ma réponse dénote un manque évident de conviction, elle le sait, elle le sent.

« Cela ne nous prendra que quelques minutes. Tu es irrésistible ! »

Je ne sais où me mettre, rouge jusqu'aux oreilles. « Il neige ! » Réponse totalement grotesque. Chiourme explose de rire. Je suis vraiment ridicule.

« Tu es puceau chez les adultes ? Rien depuis la cérémonie du Renouveau ? »

Sa question directe m'estomaque… Du rouge, je vire au cramoisi.

« Hummmmm tu es puceau, elle passe sa langue sur ses lèvres et se lance à l'abordage : tu n'as pas envie que ma bouche s'occupe de toi ? »

Elle louche sur mon entrejambe avec gourmandise. Elle est folle ! Mais ses sollicitations perverses commencent à faire de l'effet.

« Sais-tu qu'au Sanctuaire les jeunes hommes sont dépucelés en tant qu'adulte dans la semaine qui suit la cérémonie du Renouveau ? J'aime m'occuper de ces jeunes. Hum, la chair fraîche des novices, un délice. Allez, sois -pas timide, laisse-toi faire ! »

Elle accompagne ses mots d'une forme de danse lascive, puis soulève ses vêtements pour montrer un ventre bien blanc et plat, avec une pierre scintillante logé dans le nombril. Je n'avais jamais vu telle bizarrerie… bien émoustillante, il faut bien l'avouer.

« Un *ombilicparé*, m'informe l'effrontée, juste un bloc de pyrite[1] collé avec de la résine de sapin. C'est très à la mode au Sanctuaire. Tu aimes ? »

Compte tenu de la déformation de mon pantalon, la réponse est bien visible. Sans plus attendre, elle saisit à pleine main l'évidente protubérance, et commence à m'entraîner vers ce que j'avais pris pour un énorme arbre mort, mais qui s'avère être une misérable hutte pour les travailleurs de la forêt. Chiourme n'est pas très jolie mais elle sait se montrer désirable.

« Laisse-toi faire ! » chuchote-t-elle doucement, presque tendrement.

Terrifié, et impatient... joli dilemme.

Elle me plaque contre la paroi intérieure du minuscule cabanon, à présent quasiment à l'abri. Comme si elle avait fait ça toute sa vie, mon pantalon est déjà sur mes chevilles, Chiourme à genoux. Nu, troublé, tendu, tremblotant comme une feuille, je n'ose bouger, je n'ose espérer...

« Chuuttt... calme-toi, cela va aller ! »

Un fourreau doux et chaud s'empare de mon sexe, suivi d'un mouvement de va-et-vient horriblement délicieux. Et lorsqu'elle attrape mes testicules entre ses doigts pour les caresser et les serrer, je crois défaillir. Quelle impudeur, quel... bonheur ! Le paradis doit ressembler à ça. Elle sait par expérience que je ne pourrais résister longtemps à tel supplice des dieux, non pas par caprice[2].

---

1 Pyrite, autrement appelé l'or des fous pour sa ressemblance avec le métal précieux.
2 Certes, je n'en suis pas forcément très fier, mais essayez de faire de l'humour dans de telles circonstances.

Prémices des spasmes... l'experte prend les choses en main. Avec son pouce, son index et son majeur, elle entoure puis serre quelques secondes fort, très fort, mon sexe juste en dessous du gland. La pression éjaculatoire redescend d'un coup. Elle lève la tête, me regarde droit dans les yeux, un clin d'œil coquin. Quelques coups de langue, et à nouveau ma verge disparaît entre ses lèvres. Retour au paradis. Comment ai-je pu attendre aussi longtemps pour savourer telle merveille ? D'un égoïsme bien masculin, pas une seconde je ne m'inquiète de son plaisir, à elle.

Cela dure deux minutes, cela dure un siècle, cela dure une éternité... Les étoiles dans les yeux, mon corps transporté dans des jouissances jamais éprouvées, mon sexe n'est que plaisir, n'est que désir, n'est que bouillonnement.

Chiourme se relève, m'embrasse à pleine bouche, puis susurre à mon oreille : « Tu aimes ? »

Sa main toujours contre mon entrejambe. Si j'aime ? Le mot semble ridiculement faible. Ce n'est pas juste apprécier, c'est oublier que je ne suis qu'un simple humain, c'est planer au-dessus de l'Olympe et savourer les nectars des dieux, c'est sortir de son corps et n'être qu'émotion et passion, c'est tout simplement n'être qu'une explosion de sensations qui me transformeront en lumière.

Nos baisers fiévreux, un brin carnassiers, ne font qu'accentuer mon vertige grandissant et mon désir de jouir. Nos dents s'entrechoquent, nos langues se lient dans une folle farandole, nos salives se mélangent, nos souffles s'accélèrent. Son bassin se frotte à présent vigoureusement contre mon sexe dur et tendu, totalement affolé. Je fais glisser son pantalon qui ne demandait visiblement que ça. Avec la timide émotion de l'explorateur inexpérimenté, je pose ma main sur son ventre.

Je m'attarde quelques secondes sur son *ombilicparé*, puis je descends lentement, peu rassuré. Ma maîtresse se cambre, ferme les yeux, soupire d'aise. Je dois m'être trompé, aucune ligne de poils pour arrêter ma progression. Les femmes que j'ai pu voir nues à Alternatiba - pas de pudeur en Haeckelie - avaient toutes une toison pubienne développée.

« Continue ! » ordonne-t-elle tout en me mordant l'oreille.

Douloureux mais étrangement troublant.

Mes doigts poursuivent leur exploration, cela gratte légèrement, comme une barbe d'un jour, mais rien d'autre. Voilà son mont de Vénus, nu comme celui d'une fille pré- pubère, tellement loin de l'*origine du Monde*[1] attendue. Avec émotion et délicatesse, je parcours le renflement de l'os pubien.

« Continue ! »

Je me sens gourd, je me sens rustre... Sa main saisit la mienne, et m'indique le chemin à prendre. Elle écarte encore plus ses jambes. C'est chaud, c'est humide. Naturellement, je fais glisser mes doigts entre ses lèvres. Avec sa main, avec ses mots, avec ses soupirs, elle me fait comprendre ce qu'elle attend de moi, là où elle souhaite que j'insiste, là où elle désire que je m'introduise, le moment où je dois l'embrasser, l'instant où je dois lécher son visage ou mordre sa bouche, son oreille. Elle a saisi ma main libre et la plaque contre ses seins, ses tétons sont tendus à exploser. Bonne professeur, elle m'aide à imprimer le rythme souhaité, les mouvements et caresses espérés. Ses soupirs deviennent rauques, elle se frotte de plus en plus fort contre ma main placée contre son calice au parfum enivrant, elle accélère, nos bouches se percutent, on se lape, on se suce, on se mordille... Un râle

---

1 « l'origine du monde » Gustave Courbet, nu expressif

profond quasi- animal sort de sa gorge... je crains d'abord lui avoir fait mal. Un premier spasme brutal, puis quelques soubresauts puissants. Sans un mot de sa part, je sens que je dois amplifier ma présence entre ses lèvres détrempées et brûlantes. Un quatrième doigt déchaîne une furie. Elle serre fort ses jambes, ses yeux se révulsent puis... je suis mordu, je suis griffé, je suis ballotté, je suis submergé, je suis... fier !

Et son hurlement sans fin n'est qu'un hymne à ma gloire masculine.

Elle revient peu à peu à elle, elle s'ébroue, s'étire comme si elle se réveillait : « Hum, c'était magique ! Tu es magique... »

Mon égo n'en demandait pas tant.

Sa main saisit mon sexe, toujours tendu, toujours dans l'attente, même s'il a failli défaillir plusieurs fois pendant nos ébats. Douce sensation, profonde émotion, elle s'empale sur mon sexe en marbre d'Arudy. Je n'ose bouger de peur d'éjaculer immédiatement. Elle a compris. Elle se retire, étrangle à nouveau quelques instants ce morceau de chair turgescent. À nouveau en elle, plus serein, mes premiers coups de reins restent réservés, puis s'accentuent au fur et à mesure où je me sens sécurisé.

Rapidement, Chiourme gémit, m'embrasse, et accompagne du bassin mes mouvements. Impossible de résister plus longtemps au désir qui bouillonne, toute la lave qui embrasait mon corps s'évacue en de longs jets saccadés. Le plaisir est énorme, le plaisir est incomparable, le plaisir est indescriptible, mais finalement le plaisir est... bref !

Ne m'occupant que de moi, je ne me suis pas rendu compte que ma partenaire jouissait à nouveau ; et les grif-fures, dont elle me gratifie à présent, sont finalement bien moins excitantes qu'avant mon éjaculation. Elle fait mal la bougresse...

Voilà le moment tant redouté par de nombreux hommes. L'acte passé, revenons à la réalité :
a) Vite se rhabiller.
b) Espérer que personne ne nous ait vus.
c) Éviter de poursuivre les mamours qui ne servent plus à rien.
d) Quitter les lieux.
e) Souhaiter qu'elle soit discrète car, à présent, elle est évidemment bien moins belle que quelques minutes auparavant...

Autrement dit, une fois encore : courage, fuyons !!

Heureusement, dans les faits, Chiourme n'est pas réellement *chatte*, elle a assouvi une envie, elle passe à présent à autre chose. « Tu vois, on n'a pas perdu beaucoup de temps, et c'était bien, non ? »

Gêné - quoique ? - je souhaite à présent que l'on se recentre sur notre mission. D'où une réponse : « *hum hum oui* », ni explicite, ni reconnaissante.

Bientôt, depuis les tréfonds de mon être, une onde insidieuse commence à irradier mon esprit. La fierté d'être devenu un Homme diffuse peu à peu en moi, et avec elle, l'envie d'en faire part à mes amis. Ne pourrait-on pas appeler ça, la Gloriole... ?

La neige a cessé de tomber. Une trouée dans les nuages, un cône de lumière éclaire précisément notre abri provisoire, comme un véritable projecteur sur nos ébats. Si je croyais en Ra, je le trouverais très joueur d'avoir réalisé ce tour de force.

Une petite clairière s'ouvre devant nos yeux. L'Équilibre, par la bouche des Oracles, a autorisé l'humain à réaliser des coupes d'arbres. Les éclaircies réalisées engendrent des nouvelles zones de vies pour nombre de Cousins-animaux et de plantes. Conditions sine qua non, la saignée doit rester raisonnable et les souches des arbres, ainsi qu'une bonne partie de leurs branches, doivent rester pourrir surplace. Ainsi, un biotope de régénérescence est créé, l'homme y trouve son compte, évidemment... Outre le fait qu'il récupère une bonne partie d'un bois, vital pour lui, certains se sont spécialisés dans la culture de shiitakes[1] très appréciés par la communauté.

Akka et Tikki m'ont senti *changé*, mais pour l'instant le *paon* qui sommeille en moi n'a rien révélé.

Après une réunion instructive, à laquelle participait toute l'équipe d'enquêteurs, à sa tête Suthra, mais en la présence de Hornika aussi, je décide d'aller me confronter une nouvelle fois au Supraguérisseur Maingelé.

À ces yeux, je comprends qu'il sait que je sais ou du moins qu'il le suppute, mais aussi, que je sais qu'il sait que je sais... Il ne semble pourtant pas me craindre. Garde-t-il une carte majeure en main ? Qui est le chat, qui est la souris ?

---

1 Shiitake ou lentin des chênes, champignon comestible poussant sur les bois de certains feuillus et particulièrement sur le tronc des arbres coupés juste au début de l'automne au moment où la sève coule encore et est particulièrement sucrée.

Pour sauver les apparences, il m'offre une infusion. Pour les mêmes raisons, j'accepte l'invitation.

Pas de télépathie. Il parle, il parle, parle... Ses yeux s'arrondissent et grossissent, grossissent, grossissent... mes paupières deviennent lourdes, très lourdes, très lourdes. Une phrase se grave dans mon subconscient : « Lorsque tu entendras les mots : *grand est mon projet*, tu m'obéiras sans rechigner. »

Mon corps s'engourdit...

Réveil glacial sous un appentis en bois. Pieds et poings liés à un poteau rose[1], couleur éminemment étonnante en ces lieux, je feins encore l'inconscience. Paupières imperceptiblement ouvertes, j'analyse mon environnement. La cloison est réalisée de façon grossière, avec des troncs d'arbres de diamètres et d'essences différents. Cette construction n'a probablement pas vocation à perdurer. À quelques mètres, en face, une autre cabane toute en longueur, terminée elle aussi par le même type d'appentis. Afin de se fondre dans le décor, elle est recouverte et dissimulée par du buis et des branches de résineux.

Derrière moi, un kciwnef contre lequel sont posés deux fusils laser. Sur la gauche, plusieurs sacs fermés, deux caisses en bois et un capharnaüm de matériaux et de roches multicolores, jetés à même le sol. Je grelotte. Trois hommes, en pleine conversation télépathique, arrivent.

Quasiment instantanément, j'entre en résonance avec leurs ondes ; je progresse vite dans cet art.

« *... pas si critique que ça, si je n'arrivais pas à le retourner, on se débarrasserait de lui, ainsi que de toute son équipe*

---

1 J'insiste, vraiment les linguistes vont devoir revoir leur copie. Poteau rose et non pot aux roses !!!

de fouineurs. *Les membres du Gouvernement... je dois encore pouvoir les contrôler.* » Je reconnais là, l'onde stricte de Maingelé.

« *Cela paraîtrait trop suspect, s'il devait y avoir des accidents supplémentaires,* affirme un des hommes.

— *Pour anticiper le pire, on va accélérer le transfert de tout ce que l'on a amassé ici, De plus, on ne retrouvera jamais leurs corps... et toi, Maingelé, tu imposeras à tous l'idée qu'ils ont déserté. Tes mises en scène d'accident ou de mort naturelle ne m'ont jamais plu.* » Autoritaire, sûr de lui, ce dernier doit être le chef du groupe.

Maingelé qui ne compte pas se laisser faire, ajoute : « *Si ton cousin ne s'était pas fait avoir, rien ne serait arrivé ! On est tranquille jusqu'au printemps, personne ne viendra fouiner de ce côté, beaucoup craignent les prédateurs du secteur. Je garde la situation en mains. Je suis indispensable à la cause, sans moi vous n'êtes rien. D'ailleurs, les membres du Sanctuaire me mangent aussi dans les mains. J'ai pouvoir de vie et de mort, et si j'arrivais à prendre possession de l'Équilibre, je serais l'égal des Dieux.* »

La vanité dégouline de chaque pore de cet individu. Il poursuit, me désignant négligemment de la main : « *Je vais à présent prendre possession de son esprit et de son âme, et en faire un allié, détachez-le ! Soyez tranquilles, il est toujours soumis à ma volonté. Vous avez bien vu comment il m'a suivi jusqu'ici sans rechigner.* »

Il se retourne vers moi, et de sa voix nasillarde : « Khaur, écoute-moi. Je suis parole de vérité. L'Équilibre n'est pas respecté, le Gouvernement n'obéit pas aux règles de la Nature. Dans la Nature il y a des animaux forts, il y a des faibles. Dans la Nature, les animaux naissent et meurent selon des règles immuables. Les géniteurs s'occupent de l'éducation de leur progéniture car là est la règle naturelle. L'homme est supérieur aux animaux, il pense, il réfléchit, il crée, il est donc normal qu'il domine. Il existe quelque part des hommes libres qui partagent les mêmes idées que les nôtres. Les membres du Gouvernement veulent les éliminer pour conserver leurs privilèges et refusent d'accepter d'autres idées. Certains de ces hommes sont devenus libres en rejetant le système, ceux que tu nommes *Défroqués*. D'autres vivent ailleurs et n'ont jamais fait partie de la société que tu connais, ils sont appelés *Ricains*. Ce sont nos amis. Tu vas perdre ton œil, le Gouvernement ne veut pas que tu guérisses au nom de principes imbéciles que fondamentalement l'Équilibre ne cautionne pas. Quand tu auras perdu cet œil, tu seras condamné à l'exil et peut-être même à Pitance. Ce n'est pas normal. Les membres dirigeants actuels refusent de suivre les lois authentiques de l'Équilibre. Tu vas nous aider à rétablir la vérité, la seule vérité. Nous instituerons un nouveau Gouvernement plus respectueux de l'Équilibre ; un Gouvernement qui permettra de soigner ton œil et soigner les maladies ; un Gouvernement qui permettra à l'homme de manger à sa faim, d'utiliser l'espace vital pour qu'il puisse se développer et croître ; un Gouvernement qui autorisera l'utilisation de technologies modernes ; mais aussi un Gouvernement qui tolèrera les armes du Temps d'Avant pour se défendre. Tu comprends Khaur ?

– Oui, je comprends, dis-je sans même réfléchir », car tout ce qu'il dit me semble incontestable.

« Alors répète après moi : le Gouvernement nous ment, on ne nous dit pas tout[1].

---

1 Encore Anne Roumanoff : « On ne nous dit pas tout ».

– Le gouvernement nous ment, on ne nous dit pas tout, ânonné-je.

– Il est normal que l'humain domine tout sur terre.

– Il est normal que l'humain domine tout sur terre.

– Pourquoi perdre l'œil que l'on pourrait soigner ?

– Pourquoi perdre l'œil que l'on pourrait soigner ? » Indubitablement, je n'ai aucune envie de perdre mon œil...

« Les Défroqués et les Ricains seront mes amis.

– Les Défroqués et les Ricains seront mes amis.

– Le Supraguérisseur Maingelé me guidera jusqu'à ce que nos idées s'imposent. J'ai confiance en Maingelé et en ses amis.

– Le Supraguérisseur Maingelé me guidera jusqu'à ce que nos idées s'imposent. J'ai confiance en Maingelé et en ses amis.

– À présent, quand je claquerai trois fois des doigts, tu te réveilleras, tu siégeras à ma droite et tu m'aideras à faire le bien de l'humanité. Je claque des doigts une fois, tu commences à percevoir la lumière. Je claque des doigts une deuxième fois, tu prends conscience de ton environnement. Je claque des doigts une troisième fois, tu es avec moi. »

J'ouvre mes yeux, regarde autour de moi, tout étonné.

« Bonjour Khaur ! » Maingelé, face à moi, souriant et avenant. Un peu en retrait, deux hommes. Le premier, un géant immense, lourd et massif, une barbe de plusieurs jours, des yeux durs. Le second, au contraire, tout en longueur et fluet, il arbore un sourire bénin, bien trompeur.

« Mais que fais-je ici ? » dis-je en tournant la tête de gauche à droite, comme perdu et effrayé à la fois.

« Tu es ici pour le grand destin qui te tend les bras. Je suis ton ami, tu le sais ? demande-t-il en me fixant.

– Oui, Maingelé, tu es mon ami. »

Petit sourire de connivence à l'attention de ses deux acolytes. « Khaur, je te présente Amongöth et Bartheinz[1], deux Ricains, fidèles parmi les fidèles. Ils poursuivent le même objectif que le nôtre : l'homme doit retrouver sa place naturelle au sommet de l'échelle et respecter ainsi les valeurs de l'Équilibre, tronquées par des usurpateurs. Nous souhaitons un monde meilleur pour l'être humain, pour cela nous devons reprendre les rênes du pouvoir. Les malades seront soignés, les vieillards seront accompagnés dans la dignité jusqu'à leur mort, les travailleurs seront justement récompensés et mangeront à leur faim. Nous avons besoin de technologie, nous avons besoin d'armes, nous avons besoin de sciences et de recherches, nous avons besoin de médicaments. Moi, Maingelé, je découvrirai les molécules qui nous permettront de soigner toutes les maladies. Grâce à moi, Maingelé, nous ne vieillirons plus. Moi, Maingelé, je serai le guide de l'humanité pour l'éternité. Moi, Maingelé, je détiendrai les clés de la météorologie car je ferai la pluie et beau temps. Moi, Maingelé, je serai adoré et adulé comme un dieu, car je suis Dieu ! »

Les bras en croix, les yeux exorbités, dirigés vers le ciel, son incantation l'a semble-t-il mis en transe. Cette poussée délirante, bien au-delà de la mégalomanie, laisse de marbre les deux Ricains, a priori habitués à telle folie des grandeurs. Ils ont besoin du Supraguérisseur alors, pragmatiques, ils composent avec ses envolées qui se veulent lyriques.

Appuyant là où cela fait mal, Maingelé poursuit : « Grâce à moi tu ne perdras pas ton œil. »

1 Amongöth et Bartheinz. Nous pouvons supposer : GÖTH Amon et BARTH Heinz, deux criminels de guerre célèbres.

Mon air dubitatif a le don de le rendre plus loquace encore...

« Tu ne me crois pas ? Comme tu me vois, si j'avais respecté les règles édictées par ce Gouvernement, la Terre devrait aujourd'hui se passer d'un homme tel que moi. Je souffre depuis de nombreuses années d'une grave maladie dégénérative très invalidante, la sclérose en plaques. Sans aucune intervention, mon handicap m'aurait valu disgrâce et exclusion. Te rends-tu compte, mon intelligence mise à la poubelle parce que mon corps ne fonctionne pas normalement. Moi, Maingelé, grâce à un vieux computer du Temps d'avant, récupéré dans un hangar, j'ai réussi à décrypter une nano-mémoire contenant toutes les informations nécessaires pour dupliquer de nombreux médicaments. J'ai soigné Amongöth de la *maladie des tiques*, appelée autrefois, Borréliose de Lyme, qui fait toujours autant de dégât chez les hommes fréquentant les bois. » Le principal concerné acquiesce de la tête. « La Sclérose en plaques agit en poussées invalidantes dont je contrôle l'évolution grâce à un remède que j'ai réussi à synthétiser dans le laboratoire de Futura. Ma canne cache un des symptômes résiduels, le temps que les molécules chimiques finissent par mater les perturbations motrices, sensitives ou cognitives. J'aimerais trouver le médicament qui débarrassera définitivement le monde de cette maladie comme je suis arrivé à créer celui qui éradiquera la Borréliose. Je suis un génie, rien ne saurait me résister.

— En combien de temps pourrais-tu sauver mon œil ? J'ai une zone d'ombre qui gagne du terrain et des *mouches* noires qui flottent en grand nombre. » sollicité-je humblement.

Maingelé sourit d'aise, son stratagème fonctionne. Après l'hypnose, la manipulation mentale est son arme favorite.

Il pense : « *Pour influencer un homme dans la durée il faut un cerveau préparé ayant une raison valable pour adhérer aux idées de son gourou. Ce jeune Khaur est plein d'incertitudes et de doutes, plein d'illusions et de crainte. La perte de son œil, la perte de son statut, la peur de la déchéance, autant d'éléments qui le rendent réceptif à mon charisme et à ma puissance mentale.* »

Puis à haute voix : « Dès que j'aurai pris le contrôle du laboratoire et de la totalité de ses possibilités, ce ne sera qu'une question de semaines. Futura était, au Temps d'Avant, un centre de santé et de recherche, les robots-médecins et chirurgiens sont capables de prouesses inimaginables. »

Petite érection du gourou, tant il se sent puissant et invincible. Il sera bientôt le maître du monde. Il ajoute : « Khaur, j'aurais besoin de toi pour rendre ce pays plus beau, plus grand, plus juste. Accepterais-tu de devenir mon bras droit ? »

Maingelé s'enflamme, de cet ennemi qui voulait sa peau, quelle victoire d'en faire son fidèle et servile allié.

« S'il s'agit de rétablir la vérité, de revenir aux vraies recommandations de l'Équilibre, et de donner un monde meilleur aux humains, oui, je veux bien combattre à tes côtés et t'aider à te débarrasser de tous ceux qui se mettront en travers de ton chemin. » Affirmé-je tout en adhésion.

Le Supraguérisseur n'en peut plus de joie, son excitation devient à présent visible. Je poursuis : « Je comprends à présent pourquoi on a tenté de m'éliminer lors de mon arrivée au Sanctuaire. Je ne t'en veux pas, j'aurais fait la même chose. Inquisitio était lui aussi trop dangereux et trop obtus pour comprendre la noblesse et l'importance fondamentale de cette cause. Les membres de l'équipe de Traque que nous avons remis à l'Équilibre faisaient-ils partie de la rébellion ? »

Maingelé, qui n'en espérait pas autant, se lâche : « Oui mon petit, vous étiez une menace, j'ai donc décidé de faire disparaître tous ceux qui pouvaient mettre à mal mon projet. Heureusement que cette bande d'idiots a échoué... »

Il se met à rire, ou plutôt à ricaner, tant il est fier, mais au moment où il allait reprendre sa *dissertation*, un ordre télépathique impérieux le coupe dans son élan : « *Arrête ! Tu en dis trop !* » Les Ricains n'apprécient pas, mais alors pas du tout, qu'il dévoile ainsi tous les secrets.

Maingelé se contente de hausser dédaigneusement les épaules et, évidemment, poursuit : « ... des idiots qui pensaient que vous étiez de dangereux Défroqués. Leur Guérisseur a lui aussi de sacrés dons pour... euh enfin bref, passons ! »

Il a failli trop parler, il s'est rendu compte suffisamment tôt qu'il avait face à lui, un autre *idiot*, lui aussi dirigé par hypnose et art manipulatoire. Malgré tout, il faut éviter de trop tirer sur la ficelle.

Il revient sur le fil des événements qu'il a dirigés de main de maître... « Et ce bon Inquisitio, il se sentait investi d'une noble et grande tâche. Révéler ses certitudes et doutes. Il a rapidement compris que quelque chose se tramait au sein du Gouvernement mais quelle ne fut pas sa surprise de se retrouver kidnappé par mes amis et amené ici. Il ne voulait rien entendre. Cela m'a énervé, ma canne s'est abattue sur lui. Ah... j'aurais tant aimé le persuader de rejoindre notre groupe comme j'ai pu persuader Perblaize, le Guérisseur d'Alternatiba, de le faire.

— Oh, Perblaize est avec nous... Je l'aime beaucoup !

– Perblaize est un de mes premiers disciples, d'ailleurs déjà convaincu avant même que je n'aborde cette question avec lui lors d'un séminaire. C'est grâce à lui que nous avons appris le meurtre du regretté cousin d'Amongöth. » Il se retourne vers l'homme élancé, qui conserve un sourire bienveillant, malgré la douloureuse évocation.

« Vraiment désolé », bégayé-je.

Maingelé secoue la tête : « Tu ne pouvais savoir. Ton éducation t'a formaté. Et l'autre crétin, pourquoi n'a-t-il pas non plus vérifié son kciwnef avant de partir ? Il en avait plusieurs à disposition, il faut qu'il prenne celui qui ne fonctionne pas. Et en plus, se sentir obligé de chasser du gibier alors qu'il avait déjà de la nourriture à profusion. Ses erreurs lui ont coûté la vie et auraient pu nous coûter cher à nous aussi. Même le Traqueur le plus rapide, s'il avait eu un engin en bon état, n'aurait pu, n'aurait dû, le rattraper. Et alors rien ne serait arrivé. Pour en revenir à Perblaize... »

Nouvel appel télépathique : « *Stop ! Tais-toi à présent, sinon...* » Amongöth conserve son sourire mais son esprit bouillonne de rage.

« *Sinon quoi ?* répond d'une onde cassante Maingelé qui poursuit, *tu désires retourner à Pyrène et expliquer comment tu m'as fait taire... ?*

– *Tu ne peux être certain de le contrôler, il faut l'abattre !* » Amongöth ne plaisante pas avec la sécurité lorsqu'il s'agit de la cause.

« *Si tu as un doute sur mes pouvoirs, la route pour Pyrène est par là,* tout en indiquant la porte, *mais tu ne lui toucheras pas un cheveu, il m'appartient, c'est mon objet, c'est ma chose, grâce à lui, je vais pouvoir accélérer la conquête de l'Haeckelie. Et souviens-toi surtout des dernières recommandations le concernant...* »

Le Supraguérisseur me sourit, et reprend à haute voix le récit de ce qu'il considère son *épopée* :

« Pour en revenir à Perblaize, il nous a alertés, grâce aux informations qu'il t'avait soutirées, de l'arrivée imminente d'Inquisitio, puis il a forcé la main, ou plutôt l'esprit, de la Guide d'Alternatiba en lui suggérant qu'il était temps d'activer ta nomination au Sanctuaire. Facile, puisque tel était de toute façon ton destin. J'ai alors fait modifier l'ordre de mutation pour y intégrer tes deux amis. Pour nous, il était essentiel de nous débarrasser de tous les témoins, et ainsi effacer les derniers indices laissés par le cousin de notre ami, ci- derrière. »

Il se retourne, l'œil mauvais, vers Amongöth qui, derrière son sourire figé, enrage.

« Perblaize a appris de ta bouche la date de votre départ, les Coursiers ont été très utiles pour que l'on reçoive l'information suffisamment tôt, relance Maingelé.

– Comment grâce à moi ? Je ne lui ai rien dit... » je m'insurge contre ce récit qui ne correspond pas à ma réalité.

« Tu as été très loquace avec le Guérisseur d'Alternatiba », glisse Maingelé avec un sourire énigmatique.

Et dans mon esprit le mot *hypnose* s'inscrit en grand. Je suis donc responsable de la mort d'Inquisitio et de l'équipe de Traqueurs... Si je ne m'étais pas confié, même à mon insu, ils seraient tous vivants. Je respire un bon coup et tente la question directe : « Ô grand Maingelé, avec toi l'avenir sera souriant pour l'humanité. Je t'obéirai aveuglément car tu montres le juste chemin à suivre. Avons-nous d'autres amis dans le Gouvernement ? »

Malgré sa mégalomanie, Maingelé hésite quelques micros-secondes, mais son envie de paraître est la plus forte :

« Depuis les départs de Luce et Risveglio, je suis seul à préparer notre avenir au sein même du Gouvernement. J'y supervise la vie mais aussi la mort. À la fin du sevrage, moi seul, suis habilité à faire le tri parmi les enfants. Ceux, exempts de défaut, vivront et auront leur « *E* » apposé à l'épaule. Les défectueux, avec handicaps, sont irrémédiablement jetés et servent de repas aux charognards. Tu remarqueras Khaur, comme aujourd'hui, ta vie a un jour été suspendue de ma seule décision...

— Je suis persuadé que tes choix sont toujours judicieux. »

Je brosse dans le sens du poil. Les Ricains maugréent devant tant de flagorneries, et le Supraguérisseur savoure tous mes éloges ô combien mérités... Fat et hautain, pour montrer sa belle voix, il ouvre un large... pan des secrets qu'il détient :

« Sans que nul n'ait jamais rien soupçonné, depuis de nombreuses années, lors des tris semestriels, je subtilise les enfants les plus forts qui vont alors grossir les rangs de nos partisans, et summum de mon génie suprême, à leur préadolescence, certains reviennent pour être équipés du neuro-transmetteur. Oui ! Des dizaines de Ricains équipés au bloc opératoire de Futura avec des neuro-transmetteurs provenant des entrepôts du Sanctuaire... Je suis G É N I A L !!! »

Il explose d'un rire totalement délirant et répète plusieurs fois : « G É N I A L ! » en accentuant chaque syllabe... [1]

---

1 Le Maingeliesque monologue est enfin terminée. Mais que voulez-vous, les mégalos ont l'apanage du long discours nombriliste. N'est-ce pas feu Fidel ? Reconnaissons néanmoins qu'il a permis de faire rapidement progresser la trame...

Les Ricains connaissent sa folie et en suivent l'évolution, mais ils ont encore besoin de lui, même s'il devient de plus en plus difficile à contrôler. À présent, ils vont devoir décider du sort du confident, même s'ils ont reçu consigne de ne s'en débarrasser qu'en dernier ressort.

« *Va chercher Mésoc !* » ordonne télépathiquement Amongöth au géant Bartheinz qui obéit sans rechigner.

Poussé sans ménagement, les mains liées dans le dos, avec ses longs cheveux caractéristiques, il s'agit bien de notre ami le Saltimbanque. Le géant lui retire le bandeau lui obstruant les yeux. Il nous sourit.

« *Maintenant tu la fermes et tu nous laisses agir ! On verra bien si Khaur souhaite réellement se joindre à nous* », crache avec rage Amongöth, s'adressant télépathiquement à Maingelé. Son ton ne laisse aucune possibilité de contestation. Le Supravérificateur pressent, malgré sa grandiloquente folie, qu'il vaut mieux faire profil bas. Le Ricain poursuit à haute voix : « J'ai surpris ce fouineur autour des cabanes, il faut s'en débarrasser ! Khaur, puisque tu prétends vouloir nous rejoindre, c'est à toi qu'il incombe de le faire. »

Il récupère les deux fusils laser, en distribue un à Bartheinz. Il ouvre une caisse en bois, sort une carabine, la jette à mes pieds et, péremptoire, m'ordonne en désignant Mésoc du doigt : « Ramasse cette arme et tue-le ! »

Deux fusils laser à présent braqués sur moi.

Mésoc supplie : « Je venais juste chercher des champignons hallucinogènes, je ne dirai rien, d'ailleurs je ne sais rien ! Maingelé, on s'aime bien tous les deux, non ? »

Ses yeux restent étrangement calmes malgré la situation des plus critiques pour lui... pour moi aussi d'ailleurs.

« Il le faut Mésoc, je suis désolé mais les enjeux sont vraiment trop importants. » Je saisis l'arme, dirige le canon vers mon ami le Saltimbanque. Des sifflements connus. Une flèche planée entre les deux yeux d'Amongöth tombe à la renverse, mort sur le coup. Nartheinz en reçoit une dans le thorax, l'autre dans l'épaule. Sa force est hors du commun, il arrache rageusement le misérable dard en bois - un morceau de chair en même temps - et s'aidant des deux mains brise en deux, celui fiché dans son torse. L'ogre ne tombe toujours pas, et avance même en direction de ses ennemis invisibles, hurlant d'une voix tonitruante. À mon tour de terminer le travail, j'appuie sur la détente… la carabine fait long feu : enrayée !

Heureusement, le tireur mystérieux fait à nouveau mouche. Son trait entre dans la bouche grande ouverte du géant et se fiche au fond de la gorge. Il semble avoir du mal à digérer cette dernière flèche. Son cri se transforme en gargouillement puis l'homme se tait, il arrête sa progression, se retourne vers Maingelé, le regard triste, et s'effondre de tout son poids dans un fracas extraordinaire. Il devait bien peser un quintal et demi.

Un silence assourdissant, la poussière soulevée par la chute du géant retombe lentement : une scène toute fantasmagorique.

Le Supraguérisseur Maingelé semble perdu, Mésoc, qui vient d'échapper à la mort, est totalement interloqué. Quatre visages souriants sortent de l'ombre, Akka, Tikki, Chiourme et Nion, leurs arcs toujours en main. Ils papotent tranquillement comme s'ils se rendaient à une soirée : « J'ai bien fait de vous dire de viser tous les deux Goliath, quelle force de la nature ce gars ! » affirme Nion qui a visiblement pris en main la responsabilité de l'équipe. Il ajoute : « J'avais affirmé pouvoir réussir à éliminer l'autre d'un seul jet. En plein milieu du front ! C'est bien moi le meilleur. »

Tikki ne peut accepter cette contre-vérité : « Moi c'est dans la bouche que je l'ai logée, et en plus il était en mouvement ! »

Devant mes yeux réprobateurs, cette conversation puérile cesse immédiatement.

« Bien joué les gars ! » Devant les gros yeux de Chiourme, il devient nécessaire d'ajouter : « Et bien joué la fille aussi ! » Jusqu'où va se loger le féminisme...

Maingelé comprend qu'il est tombé dans un piège, il tente la fuite, mais le poing ferme d'Akka le cueille au plexus. Arrêt buffet, bouche grande ouverte à la recherche d'un oxygène qui se refuse de rejoindre ses poumons, Maingelé rejoint à terre ses amis Ricains[1]*.

Bras dessus, bras dessous, danse de la victoire, rires, chants, embrassades et sauts... Après la tension, la fête !

Léger raclement de gorge derrière nous : « Euh... je ne voudrais pas déranger mais... » Mésoc, les mains toujours liées dans le dos. Bientôt détaché, notre ami participe enfin à la liesse.

Tout en gesticulant, tout en criant, je hurle un bref compte-rendu à destination du

Saltimbanque : « Nous étions persuadés que Maingelé faisait partie d'un complot, mais nous avions de nombreuses incertitudes en ce qui concernait le pourquoi, le comment, et, surtout, le avec qui ? J'ai joué le cheval de Troie - sans

---

1 Et ne pensez surtout pas qu'un ami Ricain est forcément un Américain ! Pas d'anti- américanisme primaire ici, même s'il est vrai que c'est le peuple le plus dispendieux au monde.

connaître l'origine de cette expression distillée par mon neuro-transmetteur -. j'ai pris un antidote de la mandragore, plante utilisée par les Guérisseurs pour faciliter l'hypnose, puis j'ai fait semblant d'accepter les idées de Maingelé afin qu'il se confie. Notre plan a fonctionné bien au-delà de nos espérances. Nous avions repéré ce lieu ce matin, il ne manquait plus qu'à préparer l'embuscade... par contre, nous n'avions pas du tout anticipé ta présence ici.

— Sans vous j'étais perdu ! » Mésoc reconnaissant, mais sans réel enthousiasme, toujours aussi déconcertant...

« Que personne ne bouge ! » tonne une voix au ton impérieux derrière nous. Une femme au visage poupon nous met en joue avec son fusil laser. Nous sommes faits !

Nion comprend son erreur coupable... Chef d'équipe, il aurait dû laisser quelqu'un pour surveiller ses arrières. Maingelé, au sol, à la recherche de son souffle, se lève péniblement. Il a du mal à récupérer, tant son corps reste fragilisé par la maladie. Il se place derrière son sauveur et ordonne : « Tue-les ! »

Nion, tout en culpabilité, se précipite sur l'arme, son corps devient rempart. Une lumière blanche jaillit, en une seconde, sa hanche n'est plus qu'un morceau de viande et d'os carbonisés. Notre ami s'écroule en hurlant de douleur, mais déjà trois paires de bras ont agrippé la Ricaine, son deuxième tir ne déchire que le toit de l'appentis. Mésoc, en tentant de se cacher m'a involontairement bousculé, je n'ai pu participer à l'assaut. Maingelé cherche à s'approprier d'un fusil laser au sol. « À ta place je n'en ferais rien ! » Je le braque avec un arc récupéré au sol, flèche déjà encochée.

La lutte à mort avec la Ricaine est brutale voire bestiale, la femme est vraiment puissante. Par contre, elle devient nettement moins combative, le couteau de Tikki enfoncé dans son ventre jusqu'à la garde. Un dernier gargouillis funeste, l'escarmouche est terminée.

Le visage de Nion est méconnaissable tant la douleur est vive. Mésoc s'est recroquevillé derrière un sac. Il a pris conscience que la mort rôdait par ici. Je n'ai pas le choix et ordonne : « Maingelé, fais quelque chose pour lui ! » désignant mon ami au sol.

Ce dernier, hébété, a du mal à sortir de la torpeur dans laquelle l'ont jeté les derniers rebondissements. Il était Dieu, le voilà âme perdue à Pandémonium.

Il semblait à l'Ouest mais d'un coup, il reprend ses esprits sans perdre le Nord : « Qu'est-ce que cela me rapportera ?

— De ne pas être étranglé immédiatement de mes mains ! » Ma voix et mon regard sont assez expressifs pour qu'il prenne peur.

« Déshabillez-le ! » dit-il en s'adressant à Tikki et Akka, déjà penchés sur le malheureux qui hurle sans discontinuer. Chiourme, de son côté, fait le guet... cette naïve imprudence nous a déjà coûté assez cher.

Impressionnant et déroutant ! Là où devrait se trouver le côté droit de son bassin, il ne reste qu'un morceau de chair roussi et informe. Une bonne partie de la fesse et de la hanche ont littéralement disparu.

Maingelé, sincèrement désolé, mais pas forcément pour la meilleure des raisons, me fait un signe négatif, confirmant mon impression visuelle. « Je ne peux rien faire. Le côté positif, avec ce type de blessure, la cicatrisation est immédiate ; de plus, aucun organe vital n'a été touché. »

Heureusement, Nion s'est évanoui, la douleur était vraiment trop vive.

« Chargez-le vite sur le kciwnef ! » Ordre cinglant, aucune contestation possible.

Maingelé cherche à se racheter une conduite et se montre de fait, très, trop collaboratif. Son avenir est pourtant déjà scellé à n'en pas douter. Il le suppose, mais espère quand même. Tant qu'il y a de la vie... Et au fond du Supraguérisseur, une pensée s'impose peu à peu : « *Un homme tel que MOI est trop important. Certes ils me puniront, mais ils ne m'élimineront pas.* »

Retour à la Maison du Gouvernement. Le diagnostic des deux Compagnons-Guérisseurs corrobore celui de Maingelé. Pour la forme, ils badigeonnent les plaies de différents onguents, mais on voit bien qu'ils n'y croient pas eux-mêmes. Ils glissent dans la bouche du blessé un cocktail liquide de plantes psychotropes afin d'atténuer la douleur, surtout lorsqu'il émergera de son évanouissement, pour l'instant salvateur.

Nous laissons le Compagnon Nion entre les mains amies des jeunes Guérisseurs dont nous pouvons déjà imaginer le prochain avenir : espérer devenir le futur « *Supra* », remplaçant un Maingelé destitué, et de fait, devoir regarder avec hostilité l'ancien collègue devenu concurrent... L'ambition est un poison insidieux ne possédant que peu d'antidotes.

Mésoc a réintégré la zone Quinze, Maingelé, jeté dans une geôle, attend, avec de plus en plus de sérénité et de confiance en son avenir, la réunion-procès qui décidera de son sort. La mégalomanie est souvent mère d'un optimisme délirant.

Plusieurs heures auparavant... Pendant la réunion des enquêteurs, Hornika, nous a totalement pris au dépourvu[1] en nous révélant sans détour que Maingelé faisait probablement partie du complot. L'arrivée des deux Mbutis au Sanctuaire l'avait étonné car il ne pouvait imaginer la Guide d'Alternatiba prendre seule une telle décision, d'autant plus que cette même Jomuir avait, semble-t-il, demandé à ce que le Gouvernement procède à la mutation rapide de Khaur, et de lui seul.

Hornika avait alors enquêté et retrouvé le Coursier -Messager chargé de transporter l'ordre de mutation de Khaur. Il a très vite avoué avoir été soudoyé pour substituer la missive initiale par une autre. Le Supraguérisseur lui a offert des substances et médicaments qui devaient soulager ses maux et lui permettre ainsi de poursuivre son activité, certes gratifiante, mais ô combien épuisante. Plus tard, Hornika avait tenté de sonder Maingelé, sans résultat probant. Une conclusion s'imposait : Hornika ne faisait évidemment pas partie du complot...

De fait, j'ai moi aussi joué cartes sur table, en brossant un tableau assez complet de l'avancée de notre propre enquête, en omettant, évidemment, d'évoquer le don des *Grandes Oreilles*. Troublés par notre visite à Futura, et nos interrogations légitimes, le Supravérificateur a fait appeler Wanriga, le Tabellion, ainsi que l'Oracle Barricom, dépositaires de toutes les informations de catégorie deux.

À peine arrivés, Hornika et Suthra firent télépathiquement un résumé de la situation ainsi que de l'état de nos

---

[1] ... quand la bise fut venue ! Puisqu'elle est bien venue... allez vérifier, c'est à notre sortie de la collation dont le héros fut Akka, vous verrez si je dis la vérité ! Merci la Cigale.

connaissances. Le Supraviseur de l'OME fut d'avis de ne plus rien nous cacher. Les révélations :

Organisation et fonctionnement de la gouvernance de l'Haeckelie :

Régime absolu avec un pouvoir concentré à la Maison du gouvernement autour de directives imposées par l'Équilibre[1].

Les Oracles sont les yeux, les oreilles et la bouche de l'Équilibre, le seul lien entre les hommes et la Pensée Suprême qui nous guide.

Les Tabellions retranscrivent en lois les directives communiquées par les Oracles qui descendent en cascade jusqu'aux zones d'habitage pour application immédiate.

Suite de l'organigramme, déjà plus connue, avec les « *Supra* » chargés de la formation et de l'évolution de leurs représentants dans les zones d'habitage.

Afin de respecter la règle de la densité humaine au kilomètre/carré, un contrôle strict des naissances a été mis en place. Si la sexualité est libre en Haeckelie, la procréation naturelle est bannie. Si cela arrivait, le fœtus serait détruit, les géniteurs et génitrices, eux, risqueraient Pitance. Le Sanctuaire gère seul le renouvellement de la population. Lors de la cérémonie du Renouveau, des robots-chirurgiens prélèvent spermatozoïdes ou ovocytes aux jeunes pubères, préalablement endormis par les Guérisseurs puis stérilisés par ligatures chimiques (hormis les futures Nourricières, pour des raisons évidentes). Les semences sont conservées en chambre de cryogénisation. Certains œufs sont fécondés de façon

---

1 Pouvoir concentré, pensée unique, population surveillée par les Vérificateurs, culte par la personnalisation de l'Équilibre : de nos jours on nommerait ce type d'organisation, un régime totalitaire ou plus simplement une dictature.

aléatoire, puis les embryons sont, soit congelés, soit placés en matrice dans laquelle ils se développent jusqu'à leur maturité. Les nouveaux- nés sont alors confiés à la pouponnière.

Plusieurs sources permettent de produire l'énergie nécessaire à Futura et particulièrement à son centre de fécondation et de conservation très énergivore. À noter : on n'utilise la puissance nucléaire produite par les kciwnefs qu'en dernier recours, car elle est jugée non renouvelable et polluante.

Ces informations sont évidemment strictement confidentielles. La population ne pourrait comprendre que le Gouvernement utilise des technologies semblant - sans analyse fine - ne pas tout à fait répondre aux principes de l'Équilibre. Mais, a contrario, et de façon pragmatique, sans ces énergies, l'Équilibre disparaîtrait.

Que devrions-nous faire des matériaux et technologies du Temps d'Avant contenus dans les hangars ? Cette question n'a toujours pas été réglée et ce, depuis des dizaines d'années. Les faire disparaître pourrait être considéré, dans le futur, comme une erreur stratégique... Aucun des Gouvernements successifs n'a réussi à statuer.

« Y compris pour les armes démoniaques ? » Mon intervention gêne, et la réponse alambiquée est bien loin de la vision binaire de la vie dans le monde de l'Équilibre : « Elles sont là depuis des générations, et pourraient un jour être utilisées pour le bien de la communauté... » Ils éludent.

C'était à peine il y a quelques heures, pourtant j'ai l'impression que cela fait une éternité que la décision fut prise de monter le traquenard.

Plus tard… La tristesse nous accompagne cruellement, Nion ne se remettra jamais de ses blessures. Chiourme nous accompagne dans la salle de vie ; aucune remarque pour signaler qu'elle n'a pas sa place ici. Dîner à base de soupe à la grimace... nous n'avalerons rien ce soir.

Les yeux grands ouverts, de temps en temps une larme perle, hésite, puis lentement descend le long de ma joue. Le sommeil se refuse à moi. À quelques mètres, les corps gigotent sur leur couche, Tikki et Akka se débattent avec l'insomnie. J'ai vraiment besoin de Sogno pour évacuer...

QUELQUE PART AILLEURS :
Pas de communication cette nuit. Il s'est passé quelque chose de grave, les Sages doivent déterminer la suite du programme de manipulation mentale. Sogno est triste...
Khaur va lui manquer.

Tous les membres du Gouvernement, hormis les Compagnons, sont présents. Maingelé face à ses pairs... Il sourit, serein. Il se sait indispensable et garde un atout majeur en main.

La Supravérificatrice, en tant que responsable de l'enquête, fait un compte-rendu détaillé des faits. Nos témoignages ne font que corroborer le récit précis et complet de Suthra. L'assemblée n'est que regards stupéfaits, des « *oh* » dépités, ou des « *non* » dégoûtés.

Maingelé garde pourtant la tête haute, un léger sourire dédaigneux à l'énoncé des éléments à charge. Il va s'en sortir !

La parole est à la défense, sa défense.... Il commence par de longues louanges dithyrambiques destinées à tous les membres importants du Gouvernement, mais tellement élogieuses, tellement insistantes, tellement enthousiastes, qu'elles en deviennent écœurantes à en devenir gluantes. Sa mégalomanie dicte son second couplet. Les superlatifs émaillent chaque phrase, il s'enflamme, il s'envole, il pérore... mais bientôt se rend compte être le seul à s'enthousiasmer, alors il se tait, le silence devient immédiatement pesant, les regards accusateurs et inquisiteurs.

Un chouia plus anxieux, légèrement déstabilisé, il tente de convaincre de sa voix nasillarde :... depuis le départ de Luce et Risveglio, il est seul à connaître les rouages des matrices, des salles opératoires et du laboratoire de recherche. Il a su même réactiver les robots-chercheurs ! Il poursuit, jouant son va-tout, d'un ton hautain qui se veut puissant et autoritaire : « Mais qu'est-ce que quelques vies humaines en comparaison au monde que je créerai pour vous ? Parce que GRAND EST MON PROJET. Alors à présent acclamez-moi ! »

Il sourit, il attend un tonnerre d'applaudissements, c'est une salle hilare qui répond à ses incantations. Le Supraguérisseur, bras ballants, ne comprend pas. Chaque membre a pourtant été individuellement hypnotisé et mentalement manipulé ; son contrôle sur eux tous aurait dû s'activer à l'énoncé des mots-clés. Pourtant ils le narguent et le toisent... Maingelé, pour la première fois de sa vie, doute.

Il ne peut savoir que ses anciens disciples panégyristes ont procédé au *désenvoûtement*[1] du groupe, grâce à la phrase conservée dans un coin de ma mémoire.

Le sol se dérobe sous le Supraguérisseur. Début de panique, il propose alors de donner ses complices, mais il

---

1 Beaucoup utilisé mais jamais adoubé. Promis, juré, ce mot devrait être ajouté au dictionnaire dans les prochaines années. Les puristes le remplaceront par « désenchantement ».

n'a plus rien à vendre, il le sait, il le sent. Perdu pour perdu, il décide de cracher son venin et sa rage mais aussi de mettre le ver dans la pomme :

« Vous, membres du Gouvernement prétendaient pouvoir me juger. Mais qui êtes-vous pour le faire ? Vous mentez en évoquant un pays Ricain qui n'a jamais existé, soi-disant pour souder le peuple, mais en réalité pour le dominer. Vous me reprochez d'avoir voulu mettre l'homme au-dessus de tout, mais de votre côté, vous restez en activité jusqu'à devenir grabataire, là où dans les zones d'habitage vous auriez été exclus de la communauté depuis de nombreuses années. Vous êtes mieux nourris, mieux logés, est-ce là l'Équilibre ? L'Équilibre établit des règles à partir d'informations fournies par les Oracles. Mais ces informations sont au mieux traves-ties et souvent erronées. On me reproche d'avoir favorisé ce que vous nommez les Ricains en accroissant leur nombre et en leur fournissant des matériaux, mais est-ce que les Oracles ont une seule fois évoqué la présence de colonies d'hu-mains installées à Pyrène. Cette présence est avérée depuis longtemps, nous le savons tous ! Enfin, le savent, tous les membres du Gouvernement... Mais vous aviez trop peur que compte tenu de la règle idiote de la densité humaine, il ne soit décidé de réduire la population d'Haeckelie, à l'unité près, du nombre évalué de Ricains. Vous n'êtes que des lâches... Difficile de supprimer quatre ou cinq zones d'habitage, mais aussi probablement, quelques membres omnipotents, mais tout aussi impotents, du Gouvernement !

– Khaur, je ne comprends pas tout ! susurre un Akka submergé de trop de paroles et de politiques.

– Chut ! Attends, je t'expliquerai tout plus tard, laisse-le terminer. »

Maingelé, décidé à fouler du pied les certitudes des membres du Gouvernement, poursuit, malgré le tumulte et la révolte de son auditoire :

« Vous me reprochez de faire des recherches et de vouloir me soigner, mais vous - il désigne du doigt plusieurs individus -, ne veniez-vous pas chercher chez moi quelques filtres et onguents, bien loin des pratiques usuelles ? Vous me parlez équité avec nos Cousins-animaux, mais je ne pense pas qu'ils possèdent des neuro-transmetteurs pour communiquer. Ce sont des technologies du Temps d'Avant, appelées *satellites*, qui les font toujours fonctionner et non pas des méninges humaines. Ne fournit-on pas aux robots techniciens, matériel ou outils pour réparer les engins en panne ? Ne donne-t-on pas, à l'envi, matériaux, produits chimiques ou roches, sollicités par les robots chercheurs ? Et pire encore, vous éludez l'évolution constante, et hors de tout contrôle humain, du cerveau bionanotechnologique qu'est l'Équilibre. Certes, on nous a toujours affirmé que le seul programme de ce computer du Temps d'Avant est établi pour maintenir l'équilibre entre la Nature et les Hommes, cela reste néanmoins une simple machine. Pourquoi aurions-nous plus confiance en lui qu'en une assemblée de sages, telle que la nôtre ? »

Il tente avec ce compliment une ultime pirouette mais sans guère de conviction, il sait son destin scellé. Pourtant il embraye : « Nous les Défroqués pro-Ricains, acceptons un Équilibre, mais différent du vôtre. Nous voulons un Équilibre plus juste, plus respectueux de l'homme. Nous souhaitons une autre voie, nous désirons le schisme, suivez-moi dans cette voie de progrès, cette voie inéluctable...[1] »

Plusieurs participants, outrés, vexés ou simplement passionnés, prennent la parole pour contester ou justifier certaines affirmations ou accusations du futur condamné, mais tout cela manque de réelle implication car chacun connaît déjà la fin. Comme si son discours s'était dès le début adressé au vent, les paroles de Maingelé se sont envolées et dispersées, quasiment déjà oubliées.

Totalement ébranlé par la nième confirmation que ma vie ne s'était construite que sur des mensonges d'État, l'onde télépathique désespérée du futur supplicié : « *Sauve-moi, je sauverai ton œil !* » m'impacte bien plus que je ne le voudrais...

Toute l'équipe au dispensaire. Nion prenant appui contre le mur, est déjà sur pieds ou plutôt sur un pied, devrais-je dire, tant sa jambe gauche *pendouille* misérablement. Sa nudité et sa pâleur accentuent encore la maigreur extrême de son corps. Sa hanche et le haut de sa fesse ne sont plus qu'un trou béant... déroutant !

Son affirmation, « *Un avantage indéniable, la blessure est nette et déjà cautérisée. Cela va déjà beaucoup mieux...* », tient plus de la méthode Coué que d'une quelconque réalité. D'ailleurs le moindre mouvement le fait grimacer de douleur,

---

1 Que de révélations ! Un peu long ? C'était une enquête Bourrelienne, vous étiez prévenus. J'aurais pu aussi décrire longuement la salle de réunion, la tenue vestimentaire de chaque membre et en faire une description physique précise... Certes, il m'aurait fallu une vingtaine de pages supplémentaires, mais de fait, on aurait pu m'appeler « Flaubert ». Ok Ok, je commence à avoir un égo Maingelesque ! Restons simple. Que l'aventure continue...

et ce, malgré l'hypnose et la prise continuelle de psychotropes. Pour exorciser l'angoisse qui est en nous, chacun y va de son trait d'humour :

« Toi, tu trouves le moyen de te défoncer même en dehors de tes soirées psychédéliques.

— Et comment faudra t'habiller à présent ? Avec un pantalon à une patte ?

— Quelle chance, tu auras droit à une canne, celle de Maingelé paraîtra minable en comparaison. »

Submergés par l'émotion et une empathie profonde, angoissés, tentant de réagir par quelques rires forcés, nous nous regroupons autour de notre ami blessé ; nous l'embrassons, le cajolons et ensemble, pleurons.

Nion ne marchera jamais plus...

Le jugement sans appel fut conforme à la loi, pas de place pour le handicap en Haeckelie. Neuro-transmetteur retiré, dénudé, c'est dans le premier fossé à la sortie du Sanctuaire que nous déposons Nion.

Tikki, Akka, Chiourme et moi, avons exigé ce *privilège*. Nous voulions être ceux qui lui diront « *adieu* ». Les deux Mbutis déposent un baiser sur le front de notre ami, couché à même le sol et prononcent, émus, l'Ordo Vivendi : « Tu étais Équilibre et redeviendras Équilibre. » Il hoche la tête avec gratitude. Chiourme, les yeux humides, l'embrasse plusieurs fois sur la joue puis vigoureusement sur la bouche, Nion éclate en sanglots. Lorsque je me baisse pour l'accolade, sa demande fiévreuse : « Tu l'as amené ? »

Sans un mot, je dépose à ses côtés une arme à feu de poing, appelé « *revolver* ». Nion me sourit tristement, je réponds par un long clignement des yeux et plusieurs hochements de tête. Tu vas me manquer. Je rejoins mes amis.

À peine quelques mètres parcourus, un premier *clic* pathétique, puis un autre, et deux autres précipités. Depuis le fossé monte une voix d'outre-tombe : « *Khaur, je te maudis !* »

L'arme n'était pas chargée...

Les paroles de Maingelé m'interpellent encore : « *Lui seul pourrait soigner mon œil.* » Je pourrais, grâce à lui, éviter le sort terrible réservé aux inutiles en Haeckelie. Être rétrogradé et pire condamné à l'exil. Je pense au malheureux Nion dans sa tranchée... Il n'y survivra pas longtemps. Le corps humain n'a jamais eu une grande aptitude à la reptation.

Maingelé a énormément souffert lorsque les Robots-Chirurgiens lui ont retiré son neuro-transmetteur. Il aurait, parait-il, fait une résistance à l'hypnose-anesthésie, nécessaire avant toute opération... On peut douter de la version *officielle*, particulièrement lorsqu'on connaît leur propension à la répétition de telle mésaventure ; ce n'est pas Tikki qui me contredira...

Attaché et nu, l'ex- Supraguérisseur a été condamné à la sanction suprême, Pitance définitive. Que ce soit par les crocs ou les griffes d'un animal, que ce soit de froid ou de soif, et même s'il le fallait, de vieillesse, il mourra. Deux Gardes resteront à proximité jusqu'à sa fin pour s'en assurer.

Cet homme condamné à une mort certaine est le seul à pouvoir sauver mon œil, et probablement ma vie au sein de la communauté.

Le Guérisseur de la zone Quinze est venu rejoindre son *patron*. Très loquace, il a bénéficié d'une certaine clémence.

Condamné à deux jours de Pitance, il peut espérer la magnanimité de Dame Nature. Certes, lui aussi est nu et sans possibilité de remuer le moindre orteil, et les nuits glaciales pourraient l'achever, mais comme il a toujours eu beaucoup de chance...

Alléguant le fait de vouloir fouiller les bois à la recherche, plausible, d'un autre camp Ricain dans les environs, mes amis et moi avons eu l'autorisation de partir quelques jours en Traque. Le Supraviseur de l'OME aurait préféré qu'une autre équipe se charge de cette tâche possiblement dangereuse, mais devant nos regards déterminés, il n'a rien pu nous refuser. Il connaît la profondeur de nos tourments et cette absolue nécessité de se retrouver entre amis afin d'évacuer.

La neige tombe à nouveau, nos pas lourds, très lourds, crissent sur le tapis immaculé, et chacune de nos expirations engendre un petit nuage de vapeur. Plusieurs huttes en bois, les cheminées fument, aucun bruit. Sur le qui-vive, nous avançons lentement. Comme souffreteuse, une porte s'ouvre poussivement tout en grinçant. Un visage inexpressif apparaît. Aucune peur, sûrement du fatalisme :

« Soyez les biens venus », chevrote une voix faiblarde. Nouveau grincement, puis un autre. Des formes, plus tout à fait des humains, mais plutôt des corps sans âge, pliés, plissés, tordus, s'aident mutuellement à se rapprocher ; tous se montrent souriants et accueillants.

Nous déposons à leurs pieds notre lourd chargement. Des vivres, des semences, des plantes médicinales, des couteaux, des pierres à feu, quelques outils et des vêtements chauds. Autant d'offrandes que de larmes dans leurs yeux reconnaissants.

Un arc et des flèches, un fusil du Temps d'Avant avec de nombreuses cartouches, et... le servant de ces armes. Certes, peu mobile mais ô combien courageux, il défendra les vieux, et eux, en parallèle prendront soin de lui.

« Enfin un jeune ! » s'écrie une mamie édentée, le visage semblable à une vieille pomme.

Et tous se mettent à rire gaiement.

« C'est avec plaisir que nous t'accueillons parmi nous ! » affirme un ancêtre aux yeux gris, étrangement jeunes.

– Je suis Compa... euh Nion, juste Nion ! » Ses yeux pétillent, il sent déjà qu'il sera heureux parmi ces gens généreux...

Juste avant notre départ, j'offre à notre ami une canne de marche avec un pommeau en forme de tête de loup à l'oreille ébréchée. Son ancien propriétaire n'en aura plus besoin...

En pleurs, nous tombons dans les bras l'un de l'autre, des adieux ô combien émouvants.

En quittant le hameau des vieux des monts, beaucoup de nos convictions chancellent. Ce que nous venons de partager, ne serait-ce tout simplement ça l'humanité ?

Mes amis me seront éternellement reconnaissants d'avoir pris cette initiative, qui me vaudrait le bûcher, si en d'autres lieux l'information transpirait.

Pendant ce temps-là, la chance a tourné. Les hivers insuffisamment froids ne favorisent guère l'hivernation. Une ourse brun pleine et n'ayant pas constitué suffisamment de réserve, par l'odeur alléchée, au lieu-dit Pitance, viendra pendant trois soirs se sustenter. Les cris d'horreur et de douleur des Guérisseurs suppliciés resteront longtemps dans les oreilles des Gardes qui au loin, faisaient le guet.

Trois autres Gardes ont échoué dans leur mission de ramener le Guérisseur Perblaize au Sanctuaire. Il s'était enfui depuis plusieurs jours. La nouvelle équipe de Traque d'Alternatiba s'est mise sur la piste du fuyard.

IV) LA GUERRE[1]

Les membres du Gouvernement jouent cartes sur table. La visite guidée de Futura, bien loin du stress de notre premier passage, en est un parfait exemple. Chaque pièce est inspectée et commentée. Dans une des pièces, négligée lors de notre premier discret passage, deux robots penchés dans les entrailles électroniques d'un autre : « Autoréparation », précise notre accompagnatrice, devant nos yeux ahuris.

À présent, nous allons assister à la stérilisation chirurgicale d'une jeune fille de douze ans dont la puberté a évolué très rapidement ces dernières semaines. Compte tenu d'une activité sexuelle intense, sa Guide a exigé de ne pas attendre la cérémonie du Renouveau pour agir : il vaut mieux prévenir que guérir...

Nue, yeux clos, la patiente arrive en marchant tout doucement, presque délicatement, accompagnée du Compagnon-Guérisseur. Silence nécessaire. La jeune fille se hisse et se positionne seule sur la table d'opération. Le Guérisseur s'écarte un petit peu et articule la lettre « V » et le nombre « Cent ». Une voix féminine nous fait sursauter : « Demande de confirmation : action V cent ?

— Confirmation, V cent », répète le Compagnon.

Quasi immédiatement, trois tentacules se mettent en branle et descendent vers le corps gracile de l'enfant. Bientôt

---

1 Une épopée humaine sans une guerre, personne n'y aurait cru !

une brume verdâtre, émise par un des bras mobiles, enveloppe la table d'opération.

« Stérilisation du champ opératoire », précise le spécialiste.

Les tentacules se positionnent tout contre le bas-ventre de la jeune fille, deux sifflements légers, une légère succion, une minute plus tard, le Guérisseur annonce : « C'est terminé ! »

Un tuyau au bout d'un des bras aspire la légère brume résiduelle, puis reprend sa position initiale avec les autres, au plafond.

Le Compagnon prend la main de la patiente et nous glisse : « Je vais procéder à son réveil dans le dispensaire puis elle repartira immédiatement dans sa zone d'habitage. Si vous le souhaitez, vous pourrez assister dans quelques semaines à la cérémonie du Passage, les enfants sevrés ayant été conservés après le tri, se verront apposer sur leur épaule le tatouage chimique « E » attestant de leur appartenance à l'Équilibre. Cela se passera dans cette même salle. »

Depuis notre rencontre avec le premier Ricain, j'ai l'impression d'avoir rejoint un nouveau monde instable et trouble, bien loin de l'ancien, sécurisant et familier. Mes amis sont tout aussi désorientés.

Le procès et les révélations de Maingelé ont laissé des traces évidentes. Les Oracles ont reçu la recommandation d'être à présent plus explicites avec l'Équilibre, et comme ils ont décidé de ne rien nous refuser, nous sommes conviés à assister, mes amis et moi, à la première séance post- Maingelé.

La même voix féminine qui nous avait affolés lors de notre visite nocturne : « Bonjour, quelle est la requête ? »

Les robots-assistants toujours présents, le panneau allumé, j'ai l'impression néanmoins de découvrir cette salle.

Les Oracles ont habilement préparé leur demande, qu'ils expriment au mot près, chacun leur tour. Ils respectent les consignes de clarté, mais sans réellement tout exposer.

« Demande de confirmation de la requête : une communauté humaine comportant cinq cents individus a été détectée dans une Zone Interdite. Solutions préconisées ? »

Barricom et les deux autres Oracles répondent à l'unisson : « Nous confirmons la requête : une communauté humaine comportant cinq cents individus a été détectée en Zone Interdite. Solutions préconisées ? »

Il n'a jamais été question ni de Ricains, ni de complot, ni des armes du Temps d'Avant, ni des jeunes enfants détournés... Grâce à des postulats incomplets, l'humain garde les commandes. Si l'Équilibre est bien un guide, il est loin d'être LE Guide Suprême. Aussi, pour rester un dirigeant efficace, il ne faudrait jamais par trop s'éloigner de sa base.

Réponse quasi immédiate : « Loi de la densité de la population humaine. 0,0335 humain au km2, soit 1 humain pour 30 km2. Superficie de l'Haeckelie un million cinq cent mille km2 dont sept cent cinquante mille km2 en Zone Interdite. Soit une population de 50 030 humains. Population actuelle avec nouvelle donnée : 50 530 humains.

Mesure 1 : suppression de 500 humains dans le respect des lois de l'Équilibre.

Mesure 2 : transfert des humains de la Zone Interdite vers les zones d'habitage ou modification des limites des Zones Interdites en respectant le ratio des répartitions édicté par les lois de l'Équilibre. »

Puis le silence, le travail visiblement accompli. L'écran s'éteint.

Nous suivons les Oracles qui se retirent, ils ont eu ce qu'ils étaient visiblement venus chercher : une réponse suffisamment floue pour pouvoir l'interpréter. Pourtant l'Équilibre sera selon eux respecté... Nous ne sommes évidemment pas invités à la réunion de concertation. Suite à l'analyse de cette dernière, les membres du Gouvernement, et plus particulièrement les Tabellions, détermineront les lois.

Huit semaines plus tard...

Il y a beaucoup de monde à la Maison du Gouvernement. Chacune des deux cent vingt zones d'habitage a envoyé un délégué, souvent le Superviseur. Certains voyageurs ont parcouru plus de mille kilomètres à pieds. Un seul représentant manque à l'appel. On apprendra plus tard sa mort de cause naturelle, à peine à quelques encablures de son lieu de départ.

Les supputations vont bon train, mais rien n'a filtré en ce qui concerne l'ordre du jour de cette assemblée, à tout point, extraordinaire. L'atmosphère est pesante, aucune effusion aux retrouvailles de personnes qui se sont pourtant perdues de vue, pour certaines depuis des années. L'heure est grave, tout le monde semble en avoir conscience.

De notre côté, mes amis et moi avons évidemment établi mille scénarios envisageables, le secret est bien gardé. Rien n'a filtré, l'exploration régulière des échanges télépathiques n'a rien donné. Les membres du Gouvernement évitent même d'évoquer entre eux leur décision probablement terrifiante.

Une seule phrase interceptée, Snah, le Supraviseur de l'OME, s'adressant à son homologue Suthra, donne à

penser que je pourrais être plus particulièrement concerné :
« L'important c'est que tu sois convaincu que Khaur, malgré
son jeune âge, soit l'homme de la situation. Je fais confiance
en ton jugement. »

Ce qui ne me rassure nullement...

Wanriga, la Tabellion, prend la parole d'une voix
grandiloquente : « Le gouvernement a voté définitivement le projet présenté par l'Équilibre : les Ricains
sont entrés en force jusqu'au cœur de l'Haeckelie.
*L'ennemi a franchi nos frontières, il a pris nos maisons et nos
champs*

*Pour reprendre le pays de nos frères, il faut vaincre ou mourir
bravement*[1].

*Ensemble, débarrassons-nous-en, ensemble boutons- les loin
de chez nous.*

C'est un Gouvernement de défense de l'Équilibre qui
se présente devant vous, comme chacun de vous n'est plus
représentant de sa zone mais représentant de l'Équilibre,
Je salue l'Équilibre,
L'Équilibre est notre seule voie ;
L'Équilibre est notre seul destin ;
Acclamons l'Équilibre de nos mains. »

L'assemblée, qui n'a rien compris, applaudit mollement,
chacun cherchant dans le regard du voisin l'explication qu'il
n'a pas lui-même. Wanriga, qui se prend probablement pour
René Viviani[2], tend les bras au ciel, serre les poings, ferme les
yeux et hume profondément ces bruyantes acclamations, qui,

---

1 *Un couplet du chant : Adieux Suisses*
2 Homme politique du début du XXème siècle.

à son sens, lui sont destinées. Lorsqu'il ne s'agit pas de pur égocentrisme, nombre de discours ont plus souvent vocation à noyer le poisson qu'à lui oxygéner ses branchies et neurones.

Devant ce fiasco, le Supraviseur Hornika, d'une voix peu énergique, prend une voie plus pragmatique. Il explique simplement les Ricains, il explique le complot, il explique le danger pour notre mode de vie, il explique que l'Équilibre a exigé de tuer tous les Ricains - c'était en effet une interprétation possible - et il explique que nous sommes en guerre...
Une partie de la salle s'enthousiasme, chante, crie et danse ; l'autre moitié, plus réfléchie, analyse les mots et leur implication probable en futurs maux. Personne n'a encore connu la guerre.

Il y aurait, comme toujours, les « *pour* » et les « *contre* » mais aussi les « *sans-avis* », les négociateurs et les agitateurs, les « contre tout », les suiveurs et les râleurs, quelques motivés et pas mal de « *traînes -pieds* », mais les décisions de l'Équilibre ne se contestent pas. Pas de place pour le dialogue en dictature, ce serait une FN de non-recevoir[1].
Dans le brouhaha, la voix efféminée d'Hornika essaie de surnager, bientôt le calme revient. Il poursuit : « Les forces ennemies sont évaluées à une centaine de soldats, car leur communauté comprendrait cinq cents membres peu organisés, peu équipés, peu ou pas armés et terrorisés à l'idée de nous affronter... »

---

1 Faute de frappe probable de l'imprimeur. Vous pensez que je serai amené à dialoguer avec ML lors de mon procès ? Surtout que le FN a changé... ses initiales !

Mes propres conclusions diffèrent totalement. En toute logique, Maingelé évoquait un nombre de huit cents à mille individus puisqu'il annonçait la disparition de quatre ou cinq zones d'habitage. Ce qui implique beaucoup plus de Ricains en âge de se défendre que les « cent » annoncés par Hornika, volontairement optimiste. De plus, les Ricains ont déjà su nous démontrer une grande organisation, leur motivation, leur stratégie, et concernant leur équipement militaire... qu'ont-ils dérobé dans les hangars ?

Depuis la nuit des temps, les chefs guerriers ont toujours eu tendance à minimiser la puissance et la volonté de l'ennemi, et ont pu ainsi envoyer leurs soldats au combat, la fleur au fusil, plein de courage, d'optimisme niais et d'enthousiasme...

Hornika n'a pas stoppé son intervention : « ... chaque zone d'habitage fournira un combattant, ou une combattante, sélectionné parmi les Traqueurs, Pisteurs ou Gardes. Ces deux cent vingt hommes et femmes de troupes seront équipés, selon les règles définies par l'Équilibre, d'arcs, de lances, ou pour les vingt Traqueurs, chefs de groupe, de bâtons électriques. À titre exceptionnel, tous bénéficieront de vêtements -coutou. »

Mon analyse pragmatique : cela pourrait se terminer par un carnage si les Ricains, comme on pourrait raisonnablement le craindre, possédaient des armes du Temps d'Avant.

Hornika : « Un Guérisseur et dix Tambouilleurs accompagneront la troupe, le tout complété par cinquante Transporteurs, pour la logistique et le ravitaillement. Pour le moral des troupes, un Saltimbanque sera nommé, ainsi qu'un Vérificateur pour la santé de l'âme. »

Et moi, en aparté, un Vérificateur, dont nous nous serions tous passés.

Hornika : « Les zones d'habitage seront largement mises à contribution pour fournir la nourriture nécessaire à une telle expédition... et pour mener à bien ce grand projet, nous avons décidé d'y mettre à sa tête... »

Je me refuse à l'écouter car je sais. Les mots volés à Snah il y a quelques semaines, dansent dans ma tête : « ... *que Khaur, malgré son jeune âge, soit l'homme de la situation...* »

Tikki, Akka et Chiourme, enthousiastes, me tapent dans le dos, comme si j'avais gagné au loto (une étrange expression suggérée par mon neuro-transmetteur... c'est quoi le loto ?), mais personnellement je n'y vois qu'un cadeau empoisonné et une responsabilité bien au-delà de mes compétences. Pourquoi l'ombre dans ma vision périphérique devient-elle, juste à ce moment, un peu plus gênante ? Voilà une bonne raison pour refuser cette mission, je suis en train de perdre un œil, moi...

Ô Incantation, la Pierre d'Aruri dans mon poing serré ne me quittera plus.

Heureusement, ces longues semaines de mobilisation, chaque nuit, Sogno me rend visite.

Elle connaît et comprend mes incertitudes et mes doutes grandissants. Par touches successives, chaque nuit elle m'oblige à m'interroger :

Qu'est-ce qui différencie un enfant auquel on a apposé la signature chimique « E » sur l'épaule, à celui qui a été kidnappé par Maingelé puis amené dans la communauté Ricaine, dans la lointaine Pyrène ?

Être né quelque part, pour celui qui est né, c'est toujours un hasard[1].

Toutes les dernières révélations sur l'Équilibre, le Gouvernement et ses mensonges, mais aussi, avouons-le, mon œil blessé, impactent fortement mes réflexions et influencent mes décisions. Sans la présence de la fameuse feuille de palmier obscurcissant mon champ de vision, aurais-je accompagné Nion au village des vieux des monts ?

Et la question récurrente de la place de l'humain dans la nature, franchira-t-elle, les portes du rêve pour encombrer mes journées... ?

Mésoc, notre ami le Saltimbanque est venu quémander une place dans l'expédition. Ses frasques *artistiques* ont, a priori, fait des vagues qui risquent de lui coûter à nouveau très cher. Je suis heureux de le compter parmi nous ; j'ai dû l'imposer, malgré la ferme réprobation de Suthra.

Est-ce pour cela que la Supravérificatrice m'a imposé un peu plus tard dans la journée une douloureuse séance supplémentaire à l'apprentisseur ?

Pendant que je souffrais, je n'ai pu m'empêcher de penser à nouveau à la délicate Saka : qu'est-elle devenue après avoir été évacuée, totalement exsangue ?

Submergé par le doute... dommage qu'il n'existe aucune formation sur l'art de la guerre, notion inconnue en

---

1 Né quelque part, Maxime Leforestier

Haeckelie. Un vieux grimoire datant du Temps d'Avant m'a bien été fourni mais « *Les italiens dans la grande armée*[1] » ne me sera pas, a priori, d'un grand secours. Mes amis, quant à eux, ont totalement confiance en mes capacités... En fait, bien plus que je n'en ai moi-même. Cela me rassérène de les avoir à mes côtés.

Considérant que l'Est de la chaîne montagneuse Pyrène a un climat désertique, a priori, excessivement chaud et sec pour permettre d'accueillir une communauté humaine, les stratèges du Sanctuaire, conseillés par le Traqueur de la zone d'habitage Nitiobrige[2], ont défini que notre conquête partirait de l'Ouest, à partir des collines qui délimitent Pyrène avant de plonger dans la mer Atlante. C'est logique : la conquête de l'Ouest pour lever les mystères de l'Ouest[3].

Au fur et à mesure de notre longue, très longue traversée, de tous les coins de l'Haeckelie, d'autres *Soldats*, puisque tel sera le mot pour les désigner, nous rejoindront.

Outre la canicule, très en avance cette année, la mise en route est difficile ; et ce que l'on nomme, *intendance*, paraît totalement insurmontable tant l'anarchie règne. Nous ressemblons probablement plus à un groupe de va-nu-pieds qu'à une glorieuse armée, mais *dans la troupe y'a pas d'jambes de bois, y'a des nouilles mais ça n'se voit pas*[4].

---

1 Revue historique des armées de Piero Del Negro
2 Origine ? Je ne vais pas tout vous dire. R é f l é c h i s s e z! ou consultez un bon dictionnaire.
3 John Wayne et Robert Conrad, mes héros d'enfance... Ô souvenir, souvenir
4 Couplet d'un chant scout

La campagne devrait durer plusieurs mois, mais au bout de quatre jours de marche chaotique, avec quatre hommes perdus pendant quelques heures dans la nature et la noyade accidentelle d'un Garde inexpérimenté, je comprends qu'une organisation draconienne devra être mise en place. Ce qui prévaut pour une expédition à trois, n'a plus aucun sens avec une troupe de plusieurs dizaines d'individus, aux conditions physiques disparates, et avec de surcroît, des Transporteurs poussant des charrettes à bras de plusieurs dizaines de kilos. Évidemment, aucun animal de bât ou de trait en Haeckelie car, imposer un travail à un animal serait l'asservir. Ainsi, les habitants du Temps d'Avant furent dans l'obligation de se séparer de tous leurs animaux domestiques ou d'élevage, mais aussi d'ouvrir les portes de l'ensemble des zoos avec interdiction d'intervenir de quelque manière que ce soit. La loi de la Nature détermina par la suite leur survie ou leur mort. Certaines espèces se sont multipliées, d'autres n'ont pu s'adapter et ont rapidement périclité.

Accompagné de Chiourme, du Vérificateur, des Tambouilleurs, de Mésoc, ainsi que du Pisteur ou Traqueur, autochtone au secteur traversé, nous ouvrons la route. À la suite, espacés tous les cinquante mètres, des brigades de trente membres, constituées chacune d'une équipe de Traqueurs encadrant des Gardes et Transporteurs. Tikki et Akka ferment la marche, accompagnés de Pisteurs. Leur rôle, éviter l'éparpillement d'éventuels retardataires. Notre marche est organisée autour des points d'accueil que nous trouvons tous les quatre jours. En effet, certaines zones d'habitage ont été chargées d'organiser nos campements et de nous fournir le ravitaillement nécessaire à la poursuite de la grande expédition. C'est d'ailleurs lors de ces arrêts que nous rejoignent les différents renforts.

Chaque jour, douze heures de marche rébarbatives, à peine entrecoupées d'une pause- déjeuner d'une demi-heure, et hors des points d'accueil, le temps d'installer le bivouac du soir, les corps tombent de fatigue à peine le repas du soir avalé. Même les odes chantées de Mésoc ne suscitent le moindre intérêt...

Quelques jours après... Nuitée dans la zone d'habitage Anicium et ses deux étonnants pitons rochers. Au petit matin, annonce d'un jour de repos, les acclamations montent haut dans le ciel. Après avoir probablement été maudit les journées précédentes, je suis devenu, par cette seule décision, le bienfaiteur de l'humanité. Sous une chaleur anormale pour la saison, nous avons déjà parcouru plusieurs centaines de kilomètres. Certains Soldats et Transporteurs sont déjà exténués. Inutile de perdre des combattants ou des bras, nous aurons besoin de tout le monde lorsque Pyrène apparaîtra.

Je craignais moins d'enthousiasme chez nos hôtes... Recevoir un invité une nuitée est une chose, gérer un doublement de sa population pendant deux jours en est une autre. Pourtant, c'est avec une réelle ferveur que les habitants d'Anicium accueillent cette nouvelle.

Les mots du Guide local : « *Grand bonheur et immense fierté de vous héberger un jour de plus dans notre humble communauté* », sont assez explicites. La fête organisée en notre honneur corrobore cette hospitalité naturelle probablement ancestrale[1].

Milieu de journée, malgré un soleil haut et une température élevée, par manque de place dans la salle de vie, les tables sont dressées sur la place centrale. Les habitants s'affairent en chantant, refusant avec le sourire toute aide de notre part. Les victuailles s'amoncellent, les tonneaux apparaissent ainsi que des amphores et pots remplis de liqueurs les plus variées. La fermentation de toutes sortes de fruits ou de céréales a toujours beaucoup inspiré l'imagination humaine.

Cela commence tranquillement par grappiller çà et là, cela papote, cela sourit, et puis le sikaru, le vin de noix, l'eau-de-marc et la gentiane sauvage, font leur effet... Cela parle fort, cela rit, cela pouffe, cela chante puis cela beugle et braille.

Bientôt les flûtes apparaissent, et quelques couples sortent de leur torpeur alcoolique pour entamer ce qu'ils appellent une *bourrée montagnarde* de circonstance[2]. Les danseurs donnent l'impression de glisser sur le sol, les déplacements et combinaisons des différents pas, sans aucun contact avec le partenaire, sont si complexes, qu'aucun membre de notre troupe ne s'essaie à les imiter... Disons plutôt qu'ils ne sentent pas encore suffisamment saouls pour se risquer à le faire. Selon une loi universelle, le sens du ridicule est inversement proportionnel aux grammes d'alcool dans le sang.

Le soleil frappe fort, accélérant potentiellement la décomposition des neurones. La fête champêtre se transforme en champ sans tête... La danse sans contact devient chocs sans danse, les flûtes hurlent, les chants deviennent, au mieux,

1 Quelle intuition cet auteur ! Anicium, ancien nom du Puy-en-Velay
2 Bourré = saoul, en langage populaire

mugissements, au pire, barrissements, et tout ce beau monde se rapproche, les hormones s'affolent, les corps se frottent et s'excitent. Bientôt il reste d'un côté, ceux qui ont décidé de se préserver, et de l'autre, les masses informes de ceux qui ont décidé de se laisser aller. Il va sans dire que le premier groupe fond régulièrement pendant que le second se transforme en un tas de membres, de torses plus ou moins nus, ou de têtes aux yeux rougis et gourmands.

Je remarque un attroupement de plusieurs mâles bien excités sur ma *pauvre* Chiourme qui regrette de n'avoir que deux mains, une bouche et un sexe à leur donner...

Une chenille, uniquement constituée de gars, est bien partie à l'heure, des couples homme-femme, femme-femme ou homme-homme ont déserté la place pour des endroits plus ombragés. Même le prude Tikki s'est laissé séduire par une jolie Garde blonde, bien plus grande que lui, qui l'avait accompagné, déjà conquise, durant ces deux derniers jours de marche.

Pour ma part, partagé entre une certaine envie de les rejoindre et mes responsabilités, je préfère finalement assurer. Les lendemains déchantent ; la soirée en zone d'habitage Quinze est encore dans ma mémoire... De plus, jour après jour, mes minces certitudes concernant cette expédition sont battues en brèche. Qu'est-ce qu'un Ricain sinon un homme sans son tatouage à l'épaule gauche et qui n'a pas eu la chance de recevoir une éducation au sein de l'Équilibre... Alors pourquoi ne pas entrer en contact avec eux, espérer les convertir plutôt que de les éliminer impitoyablement ? Indubitablement, ces propos blasphématoires ne pourraient être exposés en place publique, le Vérificateur aurait vite fait de m'*excommunier*.

Quelque part ailleurs...

Sogno s'adresse au vieil homme : « ... Chaque nuit, j'oc-
cupe facilement son subconscient, jusqu'aux limites mêmes du
conscient... Pour le moment je suis persuadé qu'il ne soupçonne
rien, mais jusqu'à quand ? Le ver dans la pomme reste la bonne
méthode, mais les idées nouvelles diffusent lentement...

— Le temps nous est compté. Ils approchent. Tu es autorisée
par le conseil à prendre tous les risques... » Le patriarche reste
pourtant pensif.

La nuit a été courte pour certains... Un peu par culpabilité
d'avoir offert un jour de repos qui finalement n'en a pas été
un, un peu parce que mes doutes sont encore plus présents
ce matin, un peu parce que j'envie ces têtes défaites n'ayant
juste que leur *gueule de bois* à panser, tout en pensant avec
appréhension aux douze heures de marche à venir, je fais
accélérer les préparatifs. Cela évitera, de surcroît, les longues
effusions des couples nouvellement composés, et qui déjà
devront se quitter.

Juste avant le départ, le Vérificateur d'Anicium me prend
chaleureusement dans ses bras et télépathiquement me glisse :
« Bonne route à toi Khaur. Ta mission est noble mais remplie
de danger. Ne te laisse jamais guider par les voix du doute ou
par la facilité. En ta vigilance et ton abnégation reposent notre
mode de vie, nos croyances, notre esprit. Il n'a jamais été aisé
pour l'homme de s'éloigner de sa prétention, de son orgueil, de
sa volonté de domination ou de pouvoir, ainsi que de son esprit
destructeur voire autodestructeur. N'accepte jamais les idées
accommodantes et perverses qui altèrent le principe généreux,
mais ô combien fragile, du maintien de l'Équilibre ! »

Il semble hésiter, puis d'une voix rocailleuse, le généreux amphitryon lance un énigmatique : « Mèfi ! La bèstia de Gavaudan...[1] »

Via podiensis, nous voilà... Les têtes lourdes, les muscles douloureux, la colonne a du mal à se mettre en branle. Nous avons cheminé, ou plutôt, nous nous sommes traînés, pendant une vingtaine de kilomètres, une Pisteuse issue d'Anicium à mes côtés. Au fur et à mesure de notre avancée, en elle, quelques signes de plus en plus évidents de nervosité. Sur la défensive, elle tourne sans cesse la tête de tous côtés, sursautant exagérément à la fuite d'une antilope et réagissant au moindre bruit. Elle inspecte, circonspecte, la carcasse d'un herbivore tombé sous les griffes d'un Cousin- carnassier, et dans les vallées profondes et encaissées ou bien dans les zones touffues ou boisées, elle bande son arc, prête à tirer... Son inquiétude et ses précautions me font sourire, car le raffut fait par notre troupe doit éloigner tout animal ou Défroqué à trente kilomètres à la ronde.

Le soleil nous a quittés depuis longtemps, les ténèbres prennent place. La douceur est au rendez-vous ce soir, un bivouac léger dans une petite prairie entourée de broussailles et de maquis fera l'affaire. Les corps sont fatigués et ont un grand besoin de récupérer, il est vrai que la nuit précédente a laissé beaucoup de traces. La nourriture ne manque pas, mais c'est essentiellement l'eau qui attire des gosiers déshydratés par l'alcool de la veille.

---

1 *Attention la bête du Gévaudan, en langue occitane*

La Pisteuse anicienne, pour sa part, tourne et vire, visiblement anxieuse... Elle nous cache quelque chose.

Finalement, s'approchant de moi, elle chuchote fiévreusement : « Il faudrait allumer des feux pour la nuit, cela éloigne les moustiques. »

Quelle dichotomie son inquiétude et sa cause « officielle » ! De plus, s'il est vrai que je ne connais pas la région, au vu de l'absence totale de mare ou de fossé humide dans le coin, ce ne sont pas les deux dérisoires torrents traversés dans la journée qui pourraient être la cause de suceurs de sang en grand nombre. Instinctivement, je répète phonétiquement quelques mots approximatifs : « Méfi labestia dégavodan. »

Elle se décompose littéralement... : « Tais-toi ! Il ne faut jamais prononcer son nom. » Puis elle commence à réaliser des mouvements rapides et étranges, portant sa main du front au plexus puis d'une épaule à l'autre, tout en murmurant sans cesse des paroles incompréhensibles.

Cela pourrait porter à rire si elle ne semblait aussi terrifiée. Elle ajoute : « Surtout ne jamais plaisanter avec ça ! Le Vérificateur prétend qu'il y a dans le coin, une distorsion du temps attirant des bêtes maléfiques d'autrefois. C'est pourquoi, il nous a appris ce rite pour éloigner les démons. Nous n'aimons pas nous trouver en ces lieux pendant la nuit. Une équipe de Traque a disparu il y a quelques saisons, on ne l'a jamais retrouvée. On raconte même, qu'il y a bien longtemps, plus de cent vingt personnes auraient été dévorées par un de ces démons avant qu'un preux chevalier n'arrive finalement à s'en débarrasser. »

Voilà autre chose... Je n'avais jamais entendu parler de *démon* en activité, l'Équilibre veille sur nous, mais je ne pourrais visiblement jamais convaincre une Anicienne que les croyances dans lesquelles elle baigne depuis si longtemps, sont, au mieux, exagérées, et probablement, carrément farfelues.

« Que devons-nous faire pour nous protéger ? » lui demandé-je, les yeux dans les yeux.

Elle tente d'y percevoir de la raillerie, elle n'y trouve que de la sincérité. Mais où est passé l'ingénu que j'étais ? Le mensonge peut être nécessité pour vivre en bonne intelligence en société. Mais point trop n'en faut.

« Il faut se regrouper, allumer plusieurs feux tout autour du campement, même les sentinelles doivent se retrouver à proximité immédiate des foyers, et que tous s'éloignent des ténèbres ! »

Dont acte. Les ordres sont donnés en ce sens. Les insultes, les injures et les quolibets concernant ces directives stupides fusent de partout. Tous espéraient profiter d'une douceur relative après une journée de canicule, ils vont subir la chaleur des flammes et la promiscuité des corps. Ils rêvaient pouvoir directement s'effondrer et dormir, ils vont d'abord ramasser du bois et allumer des feux.

Demi- heure après, hormis les chants des cigales et des grillons, le silence s'est imposé. Immanquablement, quelques ronflements récurrents subsistent, telle est la vie en communauté. Rassérénée, la Pisteuse a immédiatement rejoint un monde sans fantôme, elle dort à poings fermés.

Dans le ciel, les étoiles filantes s'en donnent à cœur joie, un croissant de lune attend probablement son Pierrot, comme le chantait si bien Elforestal, notre Saltimbanque d'Alternatiba. La version Mesocquienne, trop anticonformiste assurément, a moins touché ma sensibilité.

Ma vision périphérique haute de l'œil gauche n'est à présent que zone d'ombre. N'aurais-je pas dû jouer la carte Maingelé ? Il est à présent trop tard pour le regretter...

Bonsoir Sogno...

Cris d'effroi dans la nuit. Réveil en sursaut, mon cœur bat la chamade. Beaucoup de soldats, déjà sur pieds, scrutent en vain l'obscurité au-delà de la zone vaguement éclairée par la lumière dansante des feux. Les arcs sont bandés, bâtons électriques ou lances à la main.

« Baissez les armes ! » leur ordonné-je, tout en tentant de réguler *le battement précipité de mes artères*[1]. Nul ennemi en vue. Les flèches pourraient blesser ou tuer un animal ou l'un d'entre nous. *J'écoute avec anxiété, aspirant avidement tous les bruits. Un nouveau long cri d'angoisse, aigu et prolongé, déchire la nuit. Une femme ! Un frisson de terreur vient glacer tous les esprits.* »[2]

Un étrange hurlement rauque et rude, comme un loup enroué enfermé dans une caverne. Sueur froide, tous les poils de mon corps hérissés : « Tikki, Akka avec moi. Que deux Traqueurs, munis de leur bâton électrique, m'accompagnent aussi ! »

Tous sont immédiatement volontaires, deux sont donc choisis au hasard. Les yeux de la Pisteuse Anicienne sont suffisamment expressifs, certes terrifiée, elle veut néanmoins participer. Elle sera donc elle aussi des nôtres. Avant de partir,

1 Les vœux téméraires de Stéphanie Félicité
2 Passage librement inspiré de Guillaume Le conquérant et La légende du corps nu. JC Ferrand

je ne peux m'empêcher de serrer fort dans mon poing la pierre d'Aruri, conservée sempiternellement dans ma poche. Comme si elle pouvait nous être utile en quelque chose !

Arme à la main, nous nous déplaçons lentement, épiant le plus léger frémissement. Plus le moindre crissement, plus le moindre hululement, plus le moindre grésillement, et heureusement plus le moindre hurlement non plus. La Nature s'est tue, comme spectatrice muette d'un terrible drame.

À chacun de nos pas, des brindilles craquent, même nos souffles courts semblent horriblement bruyants. Dix mètres parcourus, bientôt vingt, tous les petits cheveux de mon cou se dressent au fur et à mesure que nous nous éloignons de la lumière protectrice...

L'équipe est soudée, de vrais professionnels, chacun connaît son rôle pour protéger le groupe. Petit à petit, l'instinct de la Traque prend le dessus, le poison de la peur est remplacé par l'adrénaline du chasseur. Nos foulées deviennent plus sûres, plus conquérantes. Soudain, à une quinzaine de mètres devant nous, une lourde masse informe s'enfuit à travers le maquis dans un vacarme indescriptible. Notre poursuite se révèle rapidement vaine et dérisoire tant l'obscurité est grande, mais surtout, compte tenu de la vitesse de déplacement de la *bête*. Bredouilles !

Bientôt, grillons et cigales reprennent du service, indiquant par là même, la fin de l'alerte. Bien groupés, nous patrouillons pendant une heure, explorant les environs immédiats du campement, sans rien remarquer ou entendre.

Le Vérificateur de l'Équilibre, pendant tout ce temps-là, télépathiquement vocifère, piaffe, râle, me reprochant d'avoir quitté le camp et sa sécurité. Il devient insistant : « *C'est inadmissible, toute l'expédition repose sur tes épaules...* » J'obtempère enfin. Son regard accusateur en dit long, mais mon inquiétude va bien au-delà de son blâme.

« C'était elle ! » L'Anicienne hagarde est affirmative.

Tikki, Akka ainsi que les Traqueurs ayant participé à l'équipée nocturne, ne disent rien. Dans leur regard, la perplexité de ceux qui ont été confrontés à l'incompréhensible. Le reste de la troupe se concentre, quasiment à se coller, à présent sans aucune contestation, allumant fiévreusement de nouveaux feux, bien dérisoires compte tenu du peu de matériau inflammable qu'ils trouvent dans la zone de vie la plus éclairée. Les murmures inquiets jusqu'aux voix presque paniquées, les arcs bandés, les mains qui tremblent, les têtes qui deviennent girouette, et ceux qui essaient de rassurer tout en inquiétant plus encore, sans oublier les courageux hâbleurs qui sursautent au moindre mouvement du voisin. La peur est un virus particulièrement contagieux.

De ma voix la plus puissante, tentant de démontrer plus d'assurance qu'elle n'en a réellement : « Nous avons éloigné une meute de loups qui venaient de terrasser une laie et un marcassin. Les cris d'agonie des sangliers ressemblent aux voix humaines. L'alerte est levée, vous pouvez à présent dormir. Ces bestioles sont imposantes, nous allons doubler la garde, même si je reste persuadé que tout danger est écarté. Je veux des binômes constitués d'un Traqueur avec un bâton électrique, associé à un Garde ou un Pisteur muni de lance d'éloignement. Aucun arc ! Je ne veux surtout pas risquer de blesser un animal. »

La portée de mes paroles va bien au-delà de mes espérances... Grâce à moi, les hommes peuvent visualiser un danger connu et reconnu de tous - les loups en l'occurrence -, les voilà presque rassérénés. L'être humain le plus courageux, reste couard face à l'inconnu.

Les Traqueurs de la nuit, mais aussi le Vérificateur, ont compris les raisons de mon mensonge, même si on peut lire quelques reproches et interrogations dans les yeux de la Pisteuse anicienne... Les questions me submergent aussi.

Beaucoup voient dans les premières lueurs de l'aube un véritable soulagement. Mes paroles rassurantes de la nuit n'ont pas tenu bien longtemps face à la réalité des faits. Les paupières sont lourdes, les traits tirés, et, curieusement, pour la première fois depuis notre départ du Sanctuaire, aucun besoin de demander d'accélérer les préparatifs de départ. Toutefois, au moment de la reconstitution des groupes, le beau Pisteur brun, Tristan, et la splendide Garde blonde, Yseut, manquent à l'appel.

On appelle, on fouille, on parcourt les alentours, en vain... Pas la moindre trace. Alors on questionne leurs amis : devenus amants depuis quelques jours, ils se retiraient chaque nuit un peu à l'écart pour construire leur petit nid d'amour.

Soudain un cri : « Venez voir ! »

Nous nous enfonçons dans les fourrés. Une Pisteuse nous indique du doigt un tapis de feuilles et d'herbe sèche sur lequel visiblement des corps se sont couchés. Bizarrement, en plein milieu du lit improvisé, une ronce s'est entortillée autour d'une pierre plate blanche tachée de rouge ocre... Cela ressemble à du sang. Accrochée aux aiguillons acérés, à quelques centimètres dans le prolongement de la tige sarmenteuse de l'arbrisseau, une mèche de cheveux blonds...[1]

Une heure plus tard, recherches toujours infructueuses... Subitement, en provenance du Nord, le bruit de fourrés que l'on dévaste, des branches qui plient ou qui cassent, la végétation subit et souffre, des souffles puissants et inquiétants, le fracas est impressionnant. En plusieurs cercles concentriques, les Traqueuses et Traqueurs devant, avec leur bâton -électrique, les arcs bandés en deuxième ligne, tout au centre, les non combattants munis pour l'occasion de lances ou de simples morceaux de bois. Tremblants pour certains, forts et déterminés pour d'autres, nous sommes prêts à repousser toute charge.

C'est d'abord une énorme tête qui sort du fourré, la bête semble tout aussi étonnée que nous le sommes. Elle soulève sa trompe, lance un long barrissement, puis nous ignore dédaigneusement. Elle poursuit lentement sa route, imitée en cela par six autres mastodontes dont deux plus petits. Aucune inquiétude en eux. Intelligents, ils ont compris depuis des siècles que l'homme ne représentait plus aucun danger. Mon neuro-transmetteur m'annonce qu'il s'agit d'éléphants et suggère même une provenance asiatique, du fait de leurs oreilles réduites.

« Il y en a une cinquantaine dans le coin, affirme l'Anicienne, mais cette nuit, ce n'était pas eux, relance-t-elle, sûre d'elle, voire même provocante.

---

1 La légende de Tristan et Yseut : Tristan se laisse mourir. Iseut la Blonde, arrivée près du corps de Tristan, meurt à son tour de chagrin. Le roi Marc'h prend la mer, ramène les corps des amants et les fait inhumer en Cornouailles, l'un près de l'autre. Une ronce pousse alors et relie leurs tombes.

– C'est évident, puisqu'il s'agissait d'une meute de loups s'attaquant à des sangliers », lui dis-je en associant mes paroles d'un clin d'œil complice insistant.

Après avoir longuement échangé télépathiquement avec le Vérificateur, je prends, une nouvelle fois, une décision lourde de conséquences mais assumée. Ai-je d'ailleurs réellement le choix ?

De ma voix qui se veut la plus convaincante possible, j'annonce un départ imminent, car il est à présent évident que Tristan et Yseut se sont enfuis et ont défroqué. *Le couple a rejeté l'Équilibre, si quelqu'un l'apercevait, il devrait immédiatement le dénoncer. Depuis quelque temps, le Vérificateur ici présent, soupçonnait les amants de fomenter cette fuite.* Bien évidemment, *le désigné témoin* opine vaillamment de la tête pour confirmer mon mensonge. En mon for intérieur, je récite pour eux un Ordo Vivendi, sait-on jamais...

Certains amis des disparus ne sont vraiment pas d'accord avec nos affirmations, mais le regard terrible du représentant du respect des règles de l'Équilibre enlève toute envie de contester ouvertement.

Pour les autres, ils préféreront s'accrocher corps et âme à ce mensonge pour pouvoir ainsi plus facilement oublier cette nuit funeste, et l'éventuel démon qui pourrait les hanter.

La colonne est une nouvelle fois partagée entre ceux qui souhaiteraient poursuivre les recherches et ceux, plus nombreux, qui aimeraient s'éloigner rapidement de l'antre du diable. De mon côté, je doute encore...

Quelques kilomètres plus loin, la sortie du paysage des maquis et des vallées étroites, remplacé par une large prairie herbeuse, minimise le sentiment d'oppression que nous étions probablement nombreux à éprouver.

Une hutte- pony se dresse au milieu du plateau. Étrange et solitaire. La porte est ouverte. Vide ! Le Coursier-messager doit être en mission. Au moment de ressortir du petit chalet, Tikki remarque au milieu d'un tas de bois, au coin de la minuscule cheminée, un objet étrange. « *Une corne de grand koudou* », explique mon neuro-transmetteur. Mon ami Mbuti y voit tout de suite une application. Il aspire profondément et souffle puissamment dans le   shofar[1]. Panique générale, les cheveux et poils se hérissent à nouveau, certains soldats s'enfuient déjà. Ce shofar déroute[2]. Le son émis est étrangement similaire au hurlement entendu cette nuit.

Qu'est-ce que ce nouveau mystère ? Nous n'aurons pas le temps d'enquêter...[3]

Quelques jours plus tard... Si nous nous sommes géographiquement éloignés, nos esprits sont toujours perturbés par cette sinistre nuit.

Chacun équipé du vêtements-coutou, le rythme peut être soutenu malgré la chaleur. Je ne passe que très peu de temps avec mes amis Mbutis, Chiourme ou même Mésoc, étonnamment calme depuis le départ. Le pouvoir et les responsabilités m'éloignent d'eux...

Notre arrivée à Nitiobrige, dernière zone d'habitage avant Pyrène, est prévue en fin d'après-midi. Pour l'instant, nous

---

1 Le chophar fréquemment écrit shofar, est un instrument de musique fabriqué avec une corne de bélier ou de koudou
2 Je sais, trop facile...
3 Ceci est une autre histoire... que vous connaîtrez si mon éditeur préféré accepte de la diffuser !

effectuons un large détour, contournant ainsi une terre contaminée au Temps d'Avant, appelée « *malasit guolffeg* [1]» par le guide autochtone ; elle diffuse pour l'éternité ses rayons mortels.

Nitiobrige : un nouveau jour de repos est décrété, mais étrangement aucune liesse ni envie de fête. À partir de demain, nous affrontons l'inconnu, et nous avons déjà vérifié à nos dépens ce qu'il pouvait réserver... Un dernier renfort - vingt-cinq soldats supplémentaires non traumatisés par la nuit mystérieuse -, oxygène l'esprit de l'ensemble de la troupe, d'autant plus qu'il s'agit là de jeunes femmes et hommes souriants, exubérants, optimistes, et à l'accent chantant.

Les Nitiobrigiens[2] ajoutent à nos réserves en nourriture et eau *réglementaires*, de drôles de fruits fripés et séchés, de couleur quasiment noire. Ils appellent ça des « *pruncuits*». Délicieux ! Les Transporteurs abandonnent là leur charrette à bras, notre chargement sera à présent directement transporté à dos d'homme.

Deux jours sous une chaleur harassante et pourtant deux jours pendant lesquels le moral est revenu au beau fixe. Je ne sais si les soldats qui nous ont rejoint sont de bons combattants, par contre ils sont, de façon évidente, de savoureux *festayres*. Bientôt la troupe s'en va en guerre en entonnant en cœur : « Maule hèsta » ou « l'Encantada »[3].

---

1 Maudit Golfech en occitan (*Guolffeg : ancien nom*)
2 Là tu réfléchis un peu... surtout avec tous ces indices...
3 Fêtes de Mauléon, chanson traditionnelle du Sud-Ouest et l'Encantada (la fée), chanson du groupe béarnais Nadau

Fin d'après-midi. Peu à peu le ciel est gangué de nuages, l'humidité de l'air arrive à son paroxysme. L'orage ne devrait pas tarder à éclater, et ainsi, enfin soulager nos corps en souffrance. Il nous faut pourtant poursuivre notre avancée.

L'atmosphère au sein du groupe des vingt-cinq a changé, ils regardent avec inquiétude un énorme cumulo-nimbus dévorant le ciel. À sa base, commence à se former un cône renversé dont une excroissance, comme si elle tâtonnait, se dirige vers la terre. La colonne nuageuse tourbillonnante touche à présent le sol et commence à se déplacer dans notre direction, arrachant tout sur son passage. Le bruit devient abrutissant. Hypnotisé par le spectacle grandiose et étourdissant, je n'entends pas les cris d'alerte des *festayres* qui n'ont plus envie de festoyer mais surtout de se sauver. L'un d'entre eux m'agrippe le bras et hurle à mon oreille un « cours ! » paniqué.

La tornade tueuse n'est plus qu'à quelques centaines de mètres de nous. Les autres soldats sont déjà loin, j'ai dû m'endormir. Désormais, Usain n'a qu'à bien se tenir. La peur décuple notre vitesse de course, et dix secondes plus tard, nous avons déjà rattrapé le dernier groupe de fuyards. Le rugissement semble pourtant gagner du terrain… le colosse est là, juste derrière nous nous, tellement vivant et terrifiant, prêt à nous engloutir, nous broyer, puis sans même nous digérer, nous rejeter au loin.

« Ô Pierre d'Aruri, aide- nous ! » imploré-je tout en serrant l'objet dans la main.

Miraculeusement, un angle de quatre-vingt-dix degrés plus tard, la tornade a décidé de se désintéresser de notre sort, laissant au sol les stigmates de son passage. Quelques minutes plus tard, elle s'éteint comme elle était née, le vortex semble aspirer l'écharpe grise, et même le nuage résiduel se dissout bientôt dans le ciel, pouvant même laisser un doute sur ce que nous venions de vivre. Le silence devient assourdissant...

« Nous croisons régulièrement ce monstre météorologique des mois d'avril à novembre », affirme Fom, le Traqueur de Nitiobrige.

Heureusement aucun blessé. Abasourdis, nous reprenons la route. Plusieurs heures plus tard, nous arrivons dans la zone dite *des marais*. « Autrefois, une immense forêt de pins couvrait cette région. Le niveau de l'océan est monté, l'eau salée s'est infiltrée partout, souffle un des festayres puis ajoute : nous sommes à dix kilomètres de la côte. À présent, il faudra suivre scrupuleusement nos consignes, il y a de nombreux sables mouvants. »

Les ordres sont donnés et respectés... Obéissance et crainte sont souvent liées.

Des marigots boueux nauséabonds, des petits arbustes rabougris, quelques fourrés desséchés, et partout le sel affleure. Quelques rares oiseaux s'envolent à notre passage et des nuées de moustiques lancent des razzias sur les parties de nos corps à découvert. Sale tann[1] pour la planète des hommes.

L'arrivée sur une large plage de sable blond est un soulagement pour tous, associé à un émerveillement pour ceux

---

1 *Un tanne, un tann, ou encore, un tan, désigne la partie d'un marais maritime la moins fréquemment submergée et aux sols généralement sur-salés, nus ou peu végétalisés. Mais le taon est aussi une grosse mouche suceuse de sang...*

qui n'avaient jamais vu la mer Atlante. Dans le tumulte et l'écume, les vagues se fracassent puissamment : grandiose !

Plein Sud, la marche sur le sable mouillé est facile et rapide, à l'horizon, nous devinons Pyrène, noyé dans les nuages.

Dernier bivouac. J'ai déjà anticipé un plan d'action que je dévoilerai plus tard devant un auditoire probablement attentif... et j'espère participatif.

Le versant sud de Pyrène, au climat méditerranéen, sans ressource en eau et caniculaire, sera évité. La colonne progressera d'une vingtaine de kilomètres par jour. Grâce à la carte d'état-major intégrée dans la mémoire du neuro-transmetteur, j'ai établi un maillage de la région à explorer. Vingt équipes de Traque exploreront, un à un, les différents secteurs attribués. Plan, consignes et lieux des bivouacs leur sont transmis par ondes neuronales, le prochain rendez-vous est prévu dans cinq jours.

Direction Pyrène, sous une pluie battante... Premiers kilomètres, à la végétation particulièrement monotone, l'herbe de la Pampa couvre la quasi-totalité du sol, cette plante invasive ayant la fâcheuse propension à ne laisser aucune place aux autres espèces[1].

---

1 La prolifération de cette plante dans cette région est déjà inquiétante de nos jours. La renouée du Japon, de son côté, prolifère sur les rives des fleuves et cours d'eau de tout le secteur, détruisant par là-même joncs et roseaux autochtones.

Bientôt les collines verdoyantes, sur lesquelles une forêt humide tropicale s'est développée. Des arbres de plus de trente mètres de hauteur, des épiphytes et des plantes grimpantes, ainsi que beaucoup de lianes et de fougères arborescentes gigantesques, gênent notre progression. La *brouillasse* laisse la place à la pluie, qui elle-même fait des politesses à de fortes averses. Dans ce dédale, le taux d'humidité doit friser les cent pour cent : véritablement abominable. Par la force des choses, nous prenons beaucoup de retard.

Éreintés, énervés, éprouvés, découragés, la soirée est déjà bien avancée lorsque nous atteignons, enfin, le lieu du rendez-vous. Il n'y aura pas de cueillette de fruits ou de plantes ce soir. Heureusement, les Tambouilleurs font des miracles, Mésoc, en verve, détend les esprits, et les dernières amphores de sikaru participent à remonter le moral de la troupe.

Sous des abris de fortune, réalisés à l'aide de feuilles géantes, et rassérénés par cette joyeuse soirée, beaucoup s'endorment rapidement.

Bonsoir Sogno...

Sentiment étrange ce matin... Sogno n'était jusqu'alors qu'un nom et un ressenti, pour la première fois, je l'ai en partie conservée dans mes souvenirs. La cascade, le torrent, la prairie et la cabane où elle m'attire chaque nuit... Plus belle encore que ce que je n'imaginais, avec ses longs cheveux noirs, et une voix profonde et grave, d'une sensualité extrême. Il me sera à présent difficile de tomber amoureux d'une autre, la comparaison serait terriblement inéquitable.

Elle m'a exhorté, conjuré, de renoncer à l'expédition. Tout en moi devrait affirmer que ma mission est juste, pourtant... De toute façon, comment pourrais-je y renoncer ? Les membres du Gouvernement auraient vite fait de m'éliminer, puis évidemment de me remplacer. Mais tant de doutes encore en moi... Avec un peu de chance, on ne trouvera aucun Ricain.

Deuxième jour :

Dans ce véritable pot de chambre climatique, les peaux sont fripées, les corps frigorifiés, les pieds décomposés, l'humidité s'est introduite partout ; même la saveur de la nourriture s'en retrouve comme lavée.

Ingénieusement, Tikki et Akka, tout en faisant les pitres, démontrent la générosité de la forêt. Lianes comestibles, champignons goûteux, divers tubercules très nourrissants et des fruits juteux, sont finalement dégustés. C'est finalement avec le sourire aux lèvres que la colonne s'ébranle. Estomac et esprit marchent indubitablement en couple.

Troisième jour :

Au sommet d'une nième colline, un vieux géant s'est abattu, ouvrant par là même une trouée de lumière. De jeunes arbrisseaux se sont immédiatement lancés à la conquête du ciel, puisant leur énergie dans le soleil. Soulagement, il n'a pas plu depuis ce matin et l'humidité de la forêt semble bien moins oppressante. Assis sur le tronc, les fesses pour une fois au sec, notre pause est délectable.

En s'effondrant, les racines du mastodonte ont arraché le sol, créant un large cratère dans lequel un objet bizarre, à moitié enterré, attire mon attention. Une pierre grise discoïdale sur laquelle est gravée une croix formée de quatre larmes...[1] Bizarre ! Même mon neuro-transmetteur reste muet.

Quatrième jour :
Le soleil réchauffe les corps et les âmes. Le panorama change totalement. Les collines arrondies se transforment peu à peu en une vraie barrière montagneuse aux pics acérés. La végétation luxuriante et l'humidité latente ne sont plus que mauvais souvenirs.

Cette nuit, mon côté *Sogno* s'est énervé, s'en prenant avec véhémence à mon côté *obstiné*, lui, sûr de son fait. Même en colère, qu'est-ce qu'elle est belle ! Je suis fier de l'avoir créée de toutes pièces dans mon esprit, Dr Jekyll et Mr Hyde.
Aucune équipe de Traque n'est revenue, il est donc possible que nous fassions fausse route en cherchant des Ricains à Pyrène. Je croise les doigts, cela éviterait ainsi un cruel dilemme aux deux petits calculateurs totalement opposés qui embrouillent ma tête.

Cinquième jour :
Le contraste est saisissant entre la végétation de la barrière montagneuse et celle de la plaine qui s'étire vers le Nord, dès le piémont dépassé. D'un côté, tout est verdoyant avec de nombreuses espèces d'arbres ; de l'autre, et au fur et à mesure où nous nous éloignons du relief, tout devient maquis et broussailles dévastés par le manque d'eau et les températures élevées. Pyrène se dresse comme un rempart à la sécheresse.

---

1 *Stèle que l'on retrouve dans plusieurs régions ou pays du monde. En France, dans le Pays Basque ou dans le Lauragais.*

Dans les vallées, dévalent des gaves aux eaux claires et vives. Oliviers, arbousiers et différents types de chênes, mais aussi des cyprès, des eucalyptus et plusieurs essences de pins se répartissent l'espace en fonction de l'altitude et de l'orientation de la pente. Les hêtres dominent les sommets. Au loin, certains pics, plus minéraux, semblent réellement inaccessibles.

Nous arrivons en fin d'après-midi au lieu prévu pour le regroupement général : un mamelon, à deux ou trois kilomètres de deux lourds massifs qui s'écartent humblement comme pour rendre hommage à une vallée chatoyante, véritable écrin d'un pic majestueux et aérien, à la forme caractéristique.

Cinq équipes sont déjà arrivées avec leurs Traqueurs et Pisteurs, éreintés, crottés et surtout affamés. Pas de temps à perdre à chercher de la nourriture lorsque l'Équilibre est en danger. Grâce à la clairvoyance de mes amis Mbutis, nos réserves alimentaires sont relativement abondantes.

Une à une, les équipes parviennent au camp, malheureusement parfois incomplètes : un Pisteur dévoré par un puma, dès le premier jour de Traque, manque à l'appel.

Outre un état d'inanition sévère pour certains, d'autres souffrent de plaies profondes souvent infectées. Ils ont vraiment fait passer la mission avant leur santé. Pour leur permettre de récupérer, deux jours de repos sont décrétés de façon unilatérale par... moi-même ! Immédiatement, signal télépathique énergique du Vérificateur, probablement pour m'admonester en aparté. Je bloque son appel. Ses yeux en disent long, très long. Nul écart ne me sera à présent toléré.

Constat général : aucune trace d'une population humaine, Ricaine ou Défroqués.

La nuit est tombée, seule l'équipe du Traqueur Fom, manque à l'appel. L'inquiétude est de mise. Devant mes yeux grands ouverts, des étoiles par milliers et du brouillard dans le cerveau.

À l'aube, une Garde signale du mouvement. Ce n'est plus une escouade mais des fantômes faméliques malodorants, aux yeux exorbités par l'épuisement. Ils ont leur visage maculé de boue et de merde, leurs vêtements souillés sont dissimulés sous des branchages et des feuilles. Leurs silhouettes semblent littéralement se fondre dans la pénombre. « *Camouflage judicieux* », ne puis-je m'empêcher de penser.

« *On sait où ils sont !* » glisse Fom par ondes télépathiques, visiblement exténué. Ses tics et mouvements désordonnés lui donnent l'air d'avoir perdu la tête.

À mes yeux interrogatifs, il respire profondément et poursuit : « *Les Ricains, on les a vus, de très près même, grâce à notre camouflage.* » Il est proche de la rupture.

« *Mange et bois, puis repose-toi une heure ou deux, tu viendras me faire ton rapport plus tard,* lui dis-je.

— *Nous mourons de faim ! Par contre, il nous sera difficile de dormir, on chique du digo depuis cinq jours* », répond-il, sourire las.

Il tend les mains, ses doigts tremblent comme des feuilles. Ceci explique leurs yeux exorbités aux pupilles dilatés... Ils sont totalement défoncés !

Trois vautours se précipitent pour la curée, ils ne mangent pas, ils avalent voire engloutissent tout ce que les Tambouilleurs leur présentent... Impressionnant !

Quelques minutes plus tard, tout en mastiquant, le Traqueur Fom, commence son récit, toujours par ondes télépathiques. Il m'explique les difficultés à progresser dans le coin dit « du *pot de chambre*[1] ». Il évoque ensuite les secteurs montagneux, aux dénivelés importants, avec ses cols escarpés qui permettent de basculer dans la vallée suivante.

Hier après -midi, toutes les zones visitées sans succès, ils s'apprêtaient à rejoindre le lieu de ralliement. Ils cheminaient sur la moraine, juste là en face - il l'indique en même temps du doigt le vallonnement situé à environ deux kilomètres -, lorsqu'ils ont remarqué dans la petite plaine alluviale, cent mètres plus bas, un troupeau d'une trentaine de bêtes. Leur couleur blanche - certains de ces animaux avaient la tête noire - détonnait. Le neuro-transmetteur a alors évoqué le nom d'une race de bovidés disparue depuis longtemps : le mouton *Manech*. (Élevée par les hommes du Temps d'Avant, cette espèce domestique, comme de nombreuses autres par ailleurs, ne put s'adapter à la vie sauvage, dès lors qu'elle fut libérée de toute intervention humaine. Cette décision fit grandement polémique à l'époque car, avant la prise en main totale et dictatoriale de l'Équilibre, les contestations étaient toujours possibles... Cela ne durera pas longtemps.)

Il poursuit : « ... *Le drone a survolé tout le secteur. Le troupeau paissait tranquillement, sans se soucier d'un éventuel prédateur... Étonnant ! À l'ombre d'un olivier, un guetteur, probablement un Ricain, sommeillait. Couché à ses pieds, un chien sauvage, oui un chien... nullement inquiet de la présence de l'homme. Nous allions de surprise en surprise. Que faire ? Venir au rapport immédiatement où en apprendre plus. En toute logique, nous avons opté pour la deuxième solution.*

---

1 Pays Basque... décidément cela ne changera jamais.

Le soleil déclinait, le Ricain s'est mis à gesticuler étrangement, le chien est parti en courant vers les moutons. On s'attendait à un massacre.

Surprise ! L'animal a commencé à regrouper les bêtes, obéissant systématiquement aux coups de sifflet de l'homme. Oui Khaur, l'animal sauvage obtempérait servilement. Ce dernier a mené le troupeau vers son maître, puis ensemble, ils ont pris un chemin de terre en direction de la vallée. Évidemment, nous les avons suivis de loin, de très loin même, de crainte d'être repérés. L'autre rive du gave est couverte de bois, le drone est devenu aveugle. Nous avons attendu la tombée de la nuit pour traverser le cours d'eau. Pour contrer l'odorat des chiens, nous nous sommes barbouillés d'excrément de brebis, et nous nous sommes couverts de feuillage pour mieux passer inaperçus. »

Humblement, je dois bien avouer que jamais je n'y aurais pensé. Je complimente le Traqueur : « *C'est une idée réellement géniale Fom !*

— *Fom est un diminutif, mon nom complet est Fombeco* [1] *!* » rétorque-t-il.

La suite de son récit… Petite clairière, une maisonnette en bois, un grand bâtiment attenant vide, et un grand enclos où sont parqués les moutons. Un couple de Ricains, nommés « *bergers* », avec trois jeunes enfants. Mon neuro-transmetteur affiche le mot « *famille* », sans pouvoir réellement en préciser la consistance. Trois chiens *sauvages* domestiqués montent la garde à l'extérieur.

« *Tentez de vous reposer, la journée devrait être dure, et surtout, silence absolu !* »

---

1 Stratégie militaire, règles générales de progression nocturne : Forme -Ombre -Mouvement- Bruit- Éclat- Couleur- Odeur.

Ses deux index dessinent une croix qu'il place sur ses lèvres. Je sais pouvoir faire confiance en son équipe et lui-même. Mésoc laisse traîner une oreille à trois ou quatre mètres de nous ; quel vilain curieux celui-là !

« Ont-ils trouvé quelque chose ? susurre-t-il, l'air de na pas y toucher.

— Toujours rien ! Un des Pisteurs a été malade, ce qui a motivé leur retard. » Je ne m'explique pas le pourquoi de ce mensonge. Probablement pour respecter ce que j'impose aux autres. Il repart tranquillement en sifflotant.

À nouveau face à mes responsabilités et à mon conflit interne, quasi schizophrénique, surtout au moment où le socle sur lequel j'avais bâti toutes mes certitudes, a sa base particulièrement fragilisée. Le doute lié aux nombreuses révélations, petit à petit, me corrompt... Ma vie était telle-ment plus confortable lorsqu'il n'existait que l'Équilibre ou le non-Équilibre.

Rejoindre rapidement Tikki et Akka devient une néces-sité. À leur côté, couché dans l'herbe, une paille dans la bouche, le soleil et une légère brise caressante, un voile de sommeil m'enveloppe et m'apaise. Il est doux avoir des amis.

Sogno, ma mie, mon amour. Arrête de me perturber, je n'ai besoin que de tendresse et de réconfort.... Elle ne m'écoute évi-demment pas. Bientôt, elle s'énerve et finit par me menacer de disparaître définitivement.

Le Vérificateur de l'Équilibre a validé mon plan, même s'il aurait préféré que je ne fasse pas partie de l'escouade. Début de soirée, trente Pisteurs, Traqueurs et Gardes cernent la bergerie. Les chiens nous ont repérés depuis longtemps et aboient sans cesse hargneusement. Cela ne semble perturber en rien les occupants de la maison.

Je fais signe aux douze Soldats chargés de l'approche. Arcs bandés, ils avancent lentement dans la cour. Les molosses deviennent de plus en plus menaçants, cinq Gardes, munis de lance, prêts à les repousser s'ils attaquaient.

Soudain, la porte de la maison s'ouvre violemment, le Ricain, un grand bonhomme d'au moins un mètre quatre-vingt-dix, sort avec un fusil à la main, et le braque en direction de mes hommes. Douze flèches et un fusil... deux, finalement, puisque le canon d'une deuxième arme apparaît à la fenêtre. Réaction : ligne de partage équitable des flèches.

Face-à-face insoutenable, voire surréaliste, chacun redoutant le moindre geste de l'adversaire, le tout dans le vacarme stressant des bêtes montrant les crocs et leur gorge. Seuls les Traqueuses et Traqueurs munis de neuro-transmetteur, ont reconnu des fusils dans ces tubes étranges qui les visent.

Que ce serait-il passé et surtout combien de temps aurait duré cette confrontation psychologique si un des chiens, plus courageux, ou plus jeune fou que les autres, ne s'était décidé à attaquer... ? Nous ne le saurons jamais.

Le cerbère se précipite et mord rageusement l'avant-bras du premier archer. Malheureusement, surpris et tout en douleur, ce dernier lâche sa flèche. Elle siffle au-dessus de la tête du Ricain. Ce dernier, prenant peur ou par pur réflexe, appuie sur la gâchette. Détonation assourdissante... Le Soldat avait de l'émail dentaire planté dans son membre supérieur, il a maintenant en plus du plomb dans la tête. Il tombe à la renverse, mort ! Ordo Vivendi.

Les flèches fusent, un deuxième coup de fusil tonne, la balle blesse à la jambe un deuxième archer féminin. Le Ricain, deux longs dards plantés à l'épaule et à la jambe, est au sol. Il tente de reprendre la visée, les Soldats agissent avec moins de précipitation, aucune des flèches de la deuxième salve ne manquent leur but : deux dans le thorax et l'autre dans le cou. Le sang coule à flots de ses blessures.

Par contre, la cible, à l'intérieur de la maison, a disparu de nos yeux acérés, et de son côté, le chien fou a finalement admis que le bras sans vie tenu dans sa gueule ne poserait jamais plus problème à son maître. Bien mal lui prend de changer d'objectif... Il se jette à présent sur le mollet d'un Garde, terrorisé par la scène de violence extrême qu'il vient de vivre. Le nouvel élu des crocs, hurlant autant de douleur que de peur, assène plusieurs coups de lance à l'animal, avant de lui enfoncer brutalement la pique dans la nuque. La bestiole s'écroule... morte !

Silence pesant. Chacun de nous comprend le crime terrible qui vient d'être commis.

Prenant à son tour conscience de son acte, le jeune Garde devient livide. Nous n'avons pas le temps de nous lamenter, subsiste toujours la crainte du deuxième tireur. Aucune sortie possible par l'autre côté de la maison, tout se passera par l'avant...

Les autres chiens continuent à déchirer les tympans, mais prudemment se sont éloignés. Cela sent la poudre, cela sent la peur, cela sent la mort. Du renfort avance pour compenser les pertes, arcs à nouveau bandés. Avec prudence, les Soldats investissent les abords immédiats de la maison. Un Garde examine le cadavre de l'homme au fusil. Vêtu d'un étrange gilet, a priori fabriqué avec de la laine de mouton, il a les épaules à nu... « C'est bien un Ricain ! » Cette confirmation me rassérène un peu.

Une Traqueuse passe la tête par la fenêtre, lève la main : « La deuxième est morte aussi, c'est une femelle. »

Soudain, une forme se précipite, une arme à la main. Deux flèches la cueillent au vol, les pieds semblent avancer un petit peu alors que le corps a déjà démissionné... Un jeune garçon, serrant fort un bâton, s'effondre sans un bruit. Vêtu du même gilet de laine, même absence de stigmate à l'épaule, il s'agit aussi d'un Ricain... Cela conforte les esprits.

Avec grande prudence, plusieurs Soldats entrent dans la maison. Ils en ressortent tout grimaçant, dégoûtés, confrontés à leur pire abomination… ils tiennent à bout de bras deux nourrissons braillant à pleins poumons.

La Traqueuse me demande par onde télépathique de le rejoindre à l'intérieur, dans une pièce annexe. Horreur absolue ! Trois cuissots de viande séchée sont suspendus à une poutre ; sur une étagère, plusieurs pots en terre cuite remplis à ras bord de matière blanche graisseuse portent les mentions manuscrites : « *Saucisses de cochon confites* » ou encore « *cuisses de canard à la graisse...* » Écœuré, je ne peux que lancer un triste Ordo Vivendi avant de quitter le lieu maudit. D'horribles mangeurs de Cousins-animaux... pauvres bêtes !

Des clapiers remplis de lapins, deux énormes sangliers de couleur rose - des porcs précise le neuro-transmetteur - enfermés dans une soue immonde et puante, ainsi que plusieurs poules et canards, sont découverts aux alentours, probablement destinés aux estomacs des affreux cannibales Ricains. Avant de détruire et mettre le feu à ce repère de tueurs, nous libérons tous les animaux. Totalement désemparés, aucun ne se précipite vers la liberté. Pire encore, à peine sortis de leur enclos, les moutons commencent à se regrouper autour de nous, les chiens, d'abord hésitants, prennent la même décision, à quelques mètres de leurs protégés. Je dois bien avouer que tout cela nous plonge dans une extrême perplexité.

La luminosité faiblit lorsque nous quittons enfin les lieux. Personne n'a envie de rester ici pendant la nuit, vraiment trop peur de se faire dévorer par ces croquemitaines. Constater de visu ce que ces infâmes carnassiers font avec les Cousins-animaux, a impacté profondément tous les esprits.

Un Garde a récupéré l'étrange couvre-chef du Ricain adulte. En forme de galette, il semble tricoté avec de la laine puis feutré[1]. Nous n'avions jamais rien vu de tel.

Marcher, suivis de près par les animaux, certains munis d'étranges petites clochettes à leur cou, devient vite oppressant. Quelques Soldats, tentent bien de les effrayer, mais peine perdue, car les brebis, perplexes un instant, reprennent rapidement leur avancée, museau bas, bêlement haut. Mais voilà... le moment où notre route s'écarte du chemin qui mène à leur pacage habituel, devient pour elles un grand dilemme plus que cornélien, carrément *panurgien*. Après moult hésitations, les ovins choisissent finalement la voie de la raison, enfin, de leur raison propre... les chiens les suivront jusqu'à leur pré fétiche. Nous nous contenterons de cette demi-victoire de la Nature face à l'esclavagisme. Vivre

---

1 Contrairement à une croyance populaire, le béret dit « basque » est de conception, de réalisation et d'origine exclusivement béarnaise. Ce sont les touristes de la fin du 19ème qui ont donné, à tort, l'appellation « basque » au célèbre couvre-chef.

esclave ou mourir libre, telle est la question ? Pour fêter cela, des chants vainqueurs animent notre retour.

Avec la multiplication de personnes dans le secret, vous décuplez les risques de fuite. Mes consignes de confidentialité absolue ont dû être respectées une ou deux minutes environ... Guère plus tard, l'ensemble du camp avait déjà eu un compte-rendu complet de l'expédition.

Rapport fait au Vérificateur du maintien de l'Équilibre. Ce dernier, pragmatique, demande quelle raison saugrenue nous a poussés à ramener les abjects nourrissons Ricains. Je dois bien avouer que je n'ai aucune réponse évidente à lui donner. Deux coups de lance plus tard, le problème n'existait plus, et enfin les cris se sont tus.

Le béret du diable, à base de poil d'animaux domestiqués, sera lui, brûlé. Mais cette invention pourrait donner des idées...

La blessure à la jambe de la soldate est relativement superficielle, la balle est ressortie, dans quelques jours elle devrait pouvoir à nouveau gambader.

Le Vérificateur entendra demain la version du *Garde tueur de chien*, avant de décider de son sort.

La nuit est tombée, sans se faire mal, mes doutes, eux, se sont réveillés dans la douleur. La présence de mes amis à mes côtés n'y change rien ; les images de mort, de sang, de moutons s'en allant sans allant, et, bizarrement, celles des enfants, m'oppressent et m'agressent. Tikki et Akka, silencieux, sont serrés contre moi, Chiourme, espiègle, laisse traîner ses menottes, Mésoc tente quelques odes bancales. Lui aussi semble impacté par les échos de notre expédition funeste. Les sentinelles ont été doublées et sensibilisées au danger, sans réelle nécessité tant l'atmosphère est imprégnée de la certitude d'un avenir ensanglanté.

La rage voire la haine de Sogno est terrible. Je sais, je suis un monstre.
Quelque part ailleurs :
Réunion des sages. Le plan est un fiasco, même devant l'horreur, Khaur n'a pas reculé et a sacrifié sans pitié une famille entière. Il nous faut à présent passer au plan B.

Quelle nuit terrible ! Après les cauchemars, la lutte interne, mortifère pour ma raison - mes côtés *Sogno* et *Équilibre* se détestent mutuellement -, la fièvre s'en est prise à mon corps usé psychologiquement. Langue chargée, frissons et muscles douloureux, s'ajoutent à mes doutes et incertitudes. En plein spleen, ma seule tentation, retourner à Alternatiba.

La grande famille de l'armée d'Haeckelie réunie autour de moi, le Guérisseur avec ses décoctions, le Vérificateur avec ses incantations, plusieurs Soldats avec leur appréhension d'aller au combat sans leur chef, et mes amis, qui se fichent ouvertement de la future bataille, et qui se désintéressent totalement de l'Équilibre car, eux, s'inquiètent pour moi, juste pour moi, Khaur, leur frère, leur confident.
C'est dans leur regard aimant que je puise la force de me relever.

Dans le camp le ménage a été fait... Le jeune Garde tueur de chien a été, sans pitié, condamné à Pitance, et a rejoint les bébés - macchabées en lisière de bois. Heureusement pour le pauvre maladroit, dans ces contrées Ricaines, ours et loups ont appris à avoir peur de l'homme. Par l'odeur alléchée, ils ont failli craquer, mais finalement se sont convaincus que le piège était vraiment trop grossier. Ils sont donc partis quêter ailleurs leur déjeuner. Une nuée de vautours ont bien profité des quelques kilos de chair tendre vite avariée, mais n'ont pas osé s'attaquer à cette étrangeté empaquetée, vraiment trop bruyante et inquiétante. Deux jours après, le Garde sera récupéré saint et sauf... lui !

Nécessité absolue de poursuivre nos investigations. Nous avons besoin de savoir si cette famille Ricaine était isolée ou faisait partie d'un groupe plus important. Toutes nos forces vives vont être mise au service du renseignement, mais aussi du nettoyage, le cas échéant.

Le soleil rayonne haut dans le ciel, une étroite bande de nuages traîne d'Ouest en Est au-dessus de Pyrène, lorsque l'ordre du départ est donné.

Huit équipes de Pisteurs emprunteront les sommets pour explorer pendant deux jours le fond de la vallée. Quatre autres passeront par les moraines pour vérifier deux épaulements latéraux, appelés en ces lieux *plateaux ou « port »*, situés au-dessus et de part et d'autre du verrou glacière, à huit cents mètres d'altitude. Le contact avec l'ennemi n'est pas préconisé.

Le reste de la troupe a été subdivisé en groupes de trente Soldats, des Pisteurs ouvrent la marche.

À proximité du gave, la chose devient claire, de gros poissons doivent se terrer non loin de là, car les drones, déjà handicapés par la végétation, sont devenus tout d'un coup silencieux, des brouilleurs d'ondes probablement. Heureusement nos neuro-transmetteurs continuent à émettre. En effet, la plaine est suffisamment étroite pour nous permettre de rester continuellement en contact avec un et parfois deux autres groupes, et ce malgré le relief et les bois. Quelques fermes ou masures sont découvertes vides de tout occupant, Ricain ou animal-esclave ; elles sont néanmoins démolies. Plusieurs grottes nichées dans les moraines latérales sont visitées, en vain. Sur le sommet d'un piton calcaire, un drôle de totem érigé : une croix. Ordre est évidemment donné de l'abattre. L'objet damné s'effondre dans un gémissement, sa complainte résonne comme un avertissement, tout semble trop facile... Soudain l'évidente révélation.

Tout est chaos, tout est ruine et pleurs, tout est souffrance, tout est tombe et trépas.

Les corbeaux sont déjà là, déchiquetant avec leur bec puissant des chairs déjà mutilées.

Après notre départ, les ennemis ont cerné notre camp et, sans pitié, ont massacré tous nos amis. Les quelques rares combattants présents, blessés ou trop fatigués pour accompagner notre expédition, n'ont rien pu faire contre ce raz-de-marée brutal et mortel. Pour ne pas nous alerter, les Ricains ont utilisé des armes silencieuses, tels les arcs et surtout les redoutables fusils laser, la poudre tonnera plus tard.

L'art de la guerre est une science d'apprentissage, tu paies pour apprendre. Et ce jour, l'addition est salée...

Quarante corps sans vie jonchent le sol, pour certains, des blessures nettes caractéristiques ont provoqué l'ablation d'un membre ou d'une partie du tronc. Transporteurs et Tambouilleurs ont payé le plus lourd tribut à ce combat.

La dizaine de Soldats - aucun survivant - se sont a priori battus avec vaillance. Quelques signes ne mentent pas, le sang a coulé des deux côtés. L'ennemi a dû perdre plusieurs de ses membres mais leurs cadavres ont été enlevés du champ de bataille. Après avoir décimé notre troupe, les Ricains ont mis le feu à tout ce qui pouvait brûler, et évidemment, toutes nos réserves alimentaires ont disparu.

« Khaur vient vite ! » crie la Garde Chiourme. Elle est penchée au-dessus d'un homme dont une partie de la mâchoire inférieure a disparu. Dans les yeux du blessé, l'ombre de la mort se reflète déjà. Dans ce visage ravagé, des lèvres étonnamment intactes, murmurent sans cesse les mêmes mots : « Attention Mésoc, attention Mésoc, att... », puis s'affaisse définitivement. Ordo Vivendi.

Mon côté *Sogno* restera muet à présent, une seule voix dictera mes décisions futures : la vengeance.

Quelques fantômes terrifiés réintègrent petit à petit le camp. Ils ont réussi par chance, ou par vélocité, à éviter la pluie de flèches et de rayons blancs mortels. Aucun Tambouilleur parmi eux. Les prochains repas seront probablement moins goûteux... Conclusion évidente, pour survivre, il vaut parfois mieux avoir des jambes efficaces qu'un palais fabuleux[1].

Grand soulagement, Mésoc arrive, sain et sauf, il ne figurait pas parmi les cadavres... Dès le début de l'attaque, il a rampé, il a tremblé, il a gémi, mais finalement, a survécu. Tout en joie, j'évoque avec lui le mourant s'inquiétant plus

---

1 Comprenne qui pourra... Mais oui, réfléchissez ! *Cuisinier-palais... Riche... palais... La lutte des classes ?*

pour la vie du Saltimbanque que de son propre sort, il devait littéralement le vénérer. Le poète en est tout ému...

Je serre fort mon ami dans les bras, sa survie me réconforte. Je culpabilise d'avoir foncé ainsi sans discernement ni recul. J'aurais pu, j'aurais dû anticiper cette riposte car j'aurais agi exactement de la même façon à leur place. Enfin, cela semble évident à présent...

Conseil de Guerre :

Outre Tikki et Akka, plusieurs Soldats sont sélectionnés pour faire partie de mon *état-major*, terme un brin pompeux emprunté au grimoire du Temps d'Avant, lu avant mon départ. Du brouillard dépressif dans lequel je m'enfonçais à nouveau, la lumière jaillit de toutes ces intelligences, un peu d'optimisme avec.

Notre adversaire est dangereux, bien armé, habile mais aussi bien renseigné. Son attaque est intervenue au meilleur moment, difficile de croire en un tel hasard. Néanmoins, il ne nous a pas attaqués frontalement, il est probablement moins puissant qu'imaginé en constatant, de prime abord, les dégâts de l'attaque.

Certes nos pertes sont importantes mais cela n'affecte que peu notre force de frappe. Changement de stratégie, avant de songer à l'attaque, il faudra d'abord nous protéger, le renseignement sera la clé du succès.

Je deviens exclusivement chef de guerre, à d'autres la responsabilité de l'intendance ou de la protection du cantonnement. Ainsi, le mamelon deviendra un véritable camp retranché construit pour durer et capable cette fois de résister à tout nouvel assaut.

Rapport après rapport, il devient évident que ce secteur semble un important centre névralgique et opérationnel Ricain. Quatre zones d'habitage sont installées au bord du *gave* qui coule au centre de la vallée glaciaire, et au moins deux supplémentaires sur les plateaux latéraux. Plusieurs fermes isolées complètent le tableau. Beaucoup d'hommes et de femmes armés, et partout des milliers d'animaux prisonniers. Les drones sont inopérants. Des travaux de fortification sont en cours dans les deux plus importants villages. Les Ricains se préparent à un siège. Paradoxalement, cela me rassure.

Mon côté Sogno a néanmoins cherché d'infléchir ma position, m'incitant à entrer en contact avec l'ennemi. Les images des corps étendus, massacrés sans pitié, m'ont fait trouver cette idée choquante, même si, a contrario, nous n'avons pas montrer beaucoup plus de compassion avec la famille du berger. Mais évidemment, ce n'est pas la même chose, eux, sont Ricains...

Toutes les vies ne se valent pas, depuis des milliers d'années, tout le monde sait ça.

Quelques escarmouches, les jours suivants... Chacun allant à la pêche aux données, des groupes d'éclaireurs ennemis croisent nécessairement nos équipes de Traqueurs-espions. Si les Ricains sont mieux armés, nos Soldats semblent mieux formés. Souvent, les fusils à poudre ou laser sont encore en bandoulière que les flèches ont déjà ôté la vie. Leurs armes sont détruites, le Vérificateur ayant confirmé l'interdiction formelle de les réutiliser. Nos informations deviennent de plus en plus précises.

Nouvelle bizarrerie, les Ricains, s'ils mangent de la viande, enterrent leurs morts. Cela nous amuse beaucoup quand on imagine le travail actuel des fossoyeurs. Et ce n'est probablement pas fini...

Judicieusement, sourire aux lèvres, Akka a demandé : « Mais à la fin, qui enterrera les fossoyeurs ? » Tout le groupe a explosé de rire.

Sur le gave et ses affluents, plusieurs moulins, avec certains de leurs toits recouverts d'une matière ressemblant à du baotou. Toute la vallée et les moraines latérales, sont dédiées à la culture et à l'élevage de Cousins *domestiqués*.

Nous pouvons à présent considérer que les deux massifs montagneux, véritables piliers à l'entrée de la vallée, sont définitivement sous notre contrôle. Deux groupes de trente Soldats en ont délogé les quelques Ricains qui semblaient en avoir fait un poste de guet. Visiblement l'ennemi a abandonné aussi la plaine alluviale jusqu'au verrou glaciaire, stratégiquement trop complexe à contrôler probablement.

Un jeu d'échecs dans lequel quelques pions sont avancés, mais les pièces majeures restent en retrait... pour le moment.

Six jours plus tard... Quatre-vingts soldats pour l'opération. Uniquement des Traqueurs ou des Pisteurs. Objectif : attaque et destruction totale du village appelé Batèl[1], situé sur le plateau, mi-pente du versant Sud de la montagne massive que nous surnommons entre nous, *Monarque*[2], du fait de son

---

1 Dans les Pyrénées plateau = port (celui-ci serait le port de Castet) et comme en occitan un bateau se dit bàtel...
2 Encore plus subtil... ne serait-ce pas la montagne nommée Rey (roi en français) ?

sommet évoquant la forme d'une couronne à trois fleurons. D'après nos espions, les Ricains ont partiellement déserté les lieux pour un regroupement dans la vallée. Ils y maintiennent simplement leurs activités agricoles. Certes, il s'agit là d'une cible plus psychologique que réellement stratégique, mais l'immobilisme commence à peser sur le moral des troupes. De surcroît, nous avons besoin d'expérimenter nos plans de bataille.

Départ, quasiment en chantant, tant la victoire semble évidente. Certes, un proverbe nous recommande de ne pas vendre la peau de l'ours avant de l'avoir tué, mais tout est biaisé, les Soldats de l'Équilibre n'abattront jamais un seul ours... alors comment imaginer pouvoir en vendre la peau ?

Nous pourrions aussi partir la fleur au fusil, mais là aussi, avec nos arcs ou bâtons électriques, nous sommes mal engagés[1].

Plusieurs Pisteurs sont en repérage, aucune activité suspecte autour du village. Depuis le bois, à une cinquantaine de mètres de la cible, j'hésite encore à lancer l'assaut. Tikki, à mes côtés, lui aussi circonspect, *respire* l'atmosphère.

Même si les Ricains vaquent à leurs occupations habituelles, l'impression d'un décor de théâtre subsiste : cela sonne faux. Leurs pas trop saccadés, leurs têtes trop baissées, leurs salutations trop empruntées, même les animaux domestiques semblent sur la retenue et n'obéissent qu'avec difficulté.

---

1 Vous êtes semés mais je ne vous aiderai pas.

Nos Soldats aimeraient pourtant charger tant la proie paraît accessible. Mes *Grandes Oreilles* n'entendent rien, aucun échange télépathique dans le secteur.

Une heure de surveillance. La logique m'ordonne d'attaquer, mon instinct de m'échapper. Piètre chef de guerre en vérité, incapable de décider. Heureusement, nombre de mes hommes, vigilants observateurs, commencent aussi à ressentir l'étrangeté de la scène. De notre côté, formés à la Traque, recouverts du camouflage *Fombecoesque*, véritablement en osmose avec la nature, ni bruit ni mouvement, aucun échange, aucune envie ; nous devenons branches, nous devenons rochers. Les oiseaux, eux-mêmes, s'y laissent tromper, jusqu'à parfois se poser sur un de ces bien étranges arbres.

Les chiens Ricains, trompés par l'odeur puissante de crottes de mouton qu'exhalent nos vêtements et nos corps, restent silencieux.

Trois heures de surveillance. Mauvais acteurs ! Le jeu de scène tourne à la vilaine parodie. Les Ricains tournent et virent avec leurs animaux qui ne comprennent plus ce que l'on attend d'eux. D'autres, soi-disant cultivateurs, plantent et replantent les mêmes pieds et les mêmes pousses. Le canon d'un fusil dépasse quelques secondes d'un sac qui se voulait de céréales. Un homme, couché sous des fagots, a ressenti le besoin de se redresser pour faire ses misérables petits besoins, avec à l'épaule un fusil laser. Un visage a blanchi, quelques secondes, l'obscurité de l'entrée de la première cabane. Probablement bien d'autres encore, plus patients ou vigilants, restent toujours invisibles.

Dans notre troupe, les métabolismes ont ralenti, les cœurs ont quasiment cesser de battre, et seuls quelques rares clignements de paupière pourraient permettre à un passant, particulièrement attentif, de remarquer notre présence.

Cinq heures. À Batèl, personne ne croit plus en notre attaque. Cela bouge, cela tousse, cela parle. Quelques ordres fusent, mais cela râle et cela gronde. Un Ricain, son chien en laisse, fait un large tour du plateau, passant à une dizaine de mètres de notre position. La bête ne réagit pas, le maître oui... Il bougonne et marmonne dans sa barbe, car d'après lui, l'embuscade est un fiasco.

Quelqu'un lui ordonne de se taire, mais il ne se taira pas. Ce n'est pas en quelques jours que l'on devient soldat. Il rentre rageur dans une des maisonnettes, y récupère arc et carquois ainsi qu'un sac, et sans autre formalité, lui et son chien prennent énergiquement le chemin du retour en direction de la vallée. Trois autres Ricains, alléchés à l'idée de réintégrer leur foyer, s'extraient de différentes caches puis courent le rejoindre, sous les injures et menaces d'un commandant vraiment dépassé. Le ver est dans le fruit, bientôt, il sera cueilli.

Six heures de surveillance. Le commandant se fait interpeler et vilipender. De partout un à un, les terribles Ricains se sont extirpés des endroits, vraiment adroits, où ils s'étaient dissimulés. Le plus gros de la troupe ne veut plus patienter à l'intérieur des bâtiments. À notre grande surprise, trois hommes armés de fusils se dégagent d'un tas de troncs et de branches qui nous paraissait totalement inoffensif. Puis, un ahuri, pas si gland que ça, sort d'un arbre creux[1] à quelques mètres de notre position. Un arsenal était caché à portée de main des *travailleurs* des champs. Si nous avions foncé tête baissée, nous aurions été massacrés.

Conciliabule chez les Ricains. Demi-heure plus tard, une troupe d'une cinquantaine d'hommes, aucune femme, quitte Batèl. D'un simple signe de la main de ma part, un Traqueur et un Pisteur sont chargés de les suivre pour confirmer ainsi leur départ définitif.

Sortis des baraquements dans lesquels ils s'étaient réfugiés le temps du guet-apens, les authentiques éleveurs et cultivateurs du secteur, sont particulièrement nerveux, ils lancent, en direction de la forêt, des regards anxieux. Et si le commandant s'était trompé... Les incertitudes disparaissent vite au profil de l'inquiétude.

Mais le travail en retard lave vite leur esprit. Il y a tant à faire... les bêtes ont faim, les jeunes plants ont besoin d'être arrosés, et bientôt la traite des brebis sera à réaliser.

Notre approche est surréaliste, les yeux des Ricains ont décidé de ne pas voir le danger arriver. Sidération, déni de réalité... ? Aucun des vingt condamnés n'a même simplement posé la main sur la crosse de l'arme à feu posée juste à côté, ou sur l'arc pourtant en bandoulière. Plusieurs sont trépassés, les flèches plantées dans le dos ; d'autres, de face, tout en continuant à travailler[2], comme si de rien n'était. Les plus étonnants furent ceux qui ont carrément démissionné... sans un geste de défense, sans implorer notre pitié, ils ont retiré leur béret, l'ont posé sur leur cœur, et ont accepté ce qu'il

---

1 *Probablement un chêne...*

2 D'où l'expression, se tuer au travail ?

leur arrivait. Ils se sont éteints fièrement, en nous regardant droit dans les yeux, à la bouche un simple « hilh de puta [1]» méprisant.

Fouille rapide de l'ensemble des baraques, il ne faut pas traîner, la prudence reste de mise. Un brouilleur d'ondes intégré à un kciwnef est détruit, et immédiatement la liaison avec les drones est rétablie. Animaux libérés, maisons et granges brûlées, quelques faibles réserves alimentaires pillées, le ciel est rempli de Cousins-vautours qui ont déjà commencé leur ronde macabre. Dans nos rangs, pas même un blessé. La mission est un immense succès, un goût amer dans la bouche m'empêche pourtant de savourer...

Retour au camp sans triomphalisme, ce n'était qu'une petite victoire, mais ô combien symbolique pour l'optimisme ambiant. Comme pour doucher l'enthousiasme de ceux qui espéraient fêter l'événement, de lourds nuages menaçants commencent à bourgeonner. Un éclair zèbre le ciel suivi d'un roulement sourd particulièrement long, lance les hostilités. La barrière montagneuse se hérisse de faisceaux de dards enflammés dans un vrombissement continu, lui-même supplanté par des coups de tonnerre tonitruants. Lumineuse et fracassante réunion éclectique aux sommets de Pyrène...
Venant de toutes les contrées, ils sont tous là et s'en donnent à cœur joie. Que ce soit Zeus, Brontès, Stéropès, Argès, Keraunos, Baal, Belos, Raijin, Tialoc, Taranis et même

---

1 Les bonnes mœurs nous empêchent évidemment de traduire. Mais hilh = fils, en occitan...

Viracocha[1], chacun se fait remarquer et exhibe fièrement ses pouvoirs.

Joueurs, ils dirigent à présent l'orage dans notre direction pour nous inviter à leur fête. Passant de la lumière à la pénombre en quelques secondes, sous un véritable rideau de pluie, notre mamelon devient rapidement source de milliers de ruisseaux boueux et tumultueux, auxquels s'ajoutent quelques grêlons douloureux juste pour faire entrer dans nos têtes, à présent cabossées, l'existence d'une seule patronne : Dame Nature !

Une dernière détonation annonce avec fracas la fin de la partie. Quelques instants plus tard, le soleil est à nouveau au rendez-vous. Les dieux sont rentrés chez eux...

Petite pensée égoïste : quel soulagement de ne plus avoir la responsabilité de l'intendance et de la préparation du camp. Après cet épisode tempétueux tout est à nouveau à réorganiser afin de pouvoir poursuivre notre lutte dans les meilleures conditions.

Les jours suivants, nos observateurs constatent qu'après avoir totalement renoncé à occuper à nouveau le village martyr, les Ricains ont aussi abandonné le plateau Cromlechs[2] situé juste en face, sur le versant opposé de la vallée. L'ennemi a quitté nombre de positions avancées pour se replier vers notre prochain objectif : le bourg Vièla[3].

---

1   Diverses divinités des mythologies mésopotamiennes, grecques, romaines, gauloises, précolombiennes, ou même japonaises ayant un rapport direct ou indirect avec les orages et les éclairs.
2   Encore une énigme, mais beaucoup plus facile... plateau du Bénou.
3   Bielle en béarnais.

Trois brouilleurs d'ondes cachés dans des cavités ont été détruits, aussi, les drones peuvent communiquer leur observation et ce, jusqu'au verrou glaciaire.

Plusieurs escarmouches entre équipes de reconnaissance prouvent que les Ricains apprennent vite et deviennent plus efficients. À Présent, accompagnés de chiens, ils pratiquent à leur tour le camouflage et les embuscades à l'affût. Quelques pertes, nous imposent de devenir toujours plus *invisibles*, Fombeco forme la troupe à ce nouvel art.

La guerre psychologique peut à présent commencer. L'humain a une imagination fertile lorsqu'il s'agit de s'enfoncer dans l'horreur afin de nuire à ses congénères.

Partant du principe que les Ricains sont assez ridicules pour enterrer les morts, il est fort probable qu'ils perdront beaucoup d'énergie à s'occuper de leurs invalides et estropiés. Ordre est donc donné de ne plus achever les ennemis gravement blessés sur le terrain. Certains des Soldats, les plus adroits à l'arc, probablement les plus tordus aussi, auraient même interprété cette directive, en faisant le nécessaire de ne jamais tuer, mais de laisser systématiquement sur place des corps définitivement rampants.

Outre le surcroît d'activité, les cris de souffrance et de désespoir des mutilés, deviennent vite un virus contagieux qui inocule la peur, cette dernière est une fidèle alliée.

L'ennemi a assurément tenté de nous rendre la pareille... nous avons abandonné sans aucune hésitation, à la bonne grâce de l'Équilibre, et surtout aux estomacs sans fond de quelques loups ou ours, un de nos Soldats, rendu aveugle suite à un tir de fusil- laser.

De plus en plus pernicieux... Un soir, un jeune prisonnier Ricain, déjà terrifié, car littéralement tombé dans les bras de deux Soldats en planque, est ramené à notre camp. Devant ses yeux horrifiés, un de ses congénères, embroché du cul à la bouche, est en train de cuire au-dessus du feu. Un apprenti Tambouilleur plante même une pique dans son cuissot afin d'en vérifier la cuisson. Le prisonnier perd connaissance devant tant d'abominations.

Plus tard, il revient à lui, les cannibales, visiblement repus, se sont assoupis. Le Ricain épouvanté, vomit encore, puis se rend compte que, si ses mains sont liées dans le dos, ils ont oublié de lui attacher les pieds. Par *miracle*, il déjoue la vigilance de toutes les sentinelles et tremblant comme une feuille, rejoint ses positions au petit matin.

Nous avons craint un moment, que par trop d'émotivité, le prisonnier ne soit même pas capable de *s'échapper*. L'histoire, probablement romancée, des *invisibles cannibales*, risquent d'entamer le moral des plus optimistes. Il est néanmoins à noter, bien qu'autorisé par les lois de l'Équilibre, personne n'a consommé la viande Ricaine embrochée au fumet pourtant appétissant. Et pour être totalement honnête, il faut bien avouer qu'Akka a longuement hésité. Il en connait déjà la saveur inimitable.

C'est une Sogno dans une colère noire, et pourtant toujours aussi belle, qui m'agresse cette nuit-là : « Ce n'est pas possible, tu es un monstre ! Arrête ces massacres, arrête ces horreurs ! Au fond, je sais que tu es bon et généreux. Les Ricains sont faits de chair et de sang, et possèdent aussi une âme. Même si leurs croyances ou leur façon de vivre diffèrent, ils te ressemblent. Essaie le dialogue, tout est encore possible. »

La colère m'a réveillé, et pourtant Sogno semble toujours être
là, à mes côtés.

De rage, je commence à hurler : « *Les Ricains ne respectent*
rien. Regarde ce qu'ils font dans cette vallée : ils réduisent les
animaux à l'esclavage et comme si cela ne suffisait pas de les
exploiter, de les tondre, de voler le lait de leurs progénitures, ou
de les forcer à travailler, ô comble d'horreur, ils les mangent. Les
animaux sauvages doivent se terrer pour éviter de succomber
sous les balles. Le Ricain est un être nombriliste, dangereux et
nuisible.

Il doit disparaître. »
Sogno tente de contre-attaquer. Elle n'en a pas le temps. Je
me lève et répète sans cesse : « *Tais-toi, tais-toi, tais-toi… !* »
Sous le regard inquiet de mes amis que j'ai réveillés.
« Schizophrène ! » pensent-ils tout bas, sans réellement
pouvoir accepter cette conclusion.

Un plan de guerre ambitieux a été mis sur pied. Sous
les hourras des nombreux Soldats impatients d'aller défier
l'ennemi, une présentation détaillée en est faite.

La quasi-totalité des forces vives sera mise à contribution.
Chacun doit parfaitement intégrer son rôle. Trente soldats
seront chargés de laisser suggérer une attaque massive plein
Nord, alors que le gros de la troupe descendra par le plateau
Batèl et enfoncera le flanc Est des défenses Ricaines. Le plan
comporte un risque majeur : le fait que notre armée puisse
être interceptée dans le défilé menant à la vallée. Il faudra
donc impérativement que l'attaque de diversion soit crédible et puissante, et ainsi qu'un maximum de défenseurs
soient mobilisés. La réussite de la bataille dépendra de ce

commando dont les pertes risquent d'être nombreuses. Au nombre de mains levées, il est évident que les volontaires souhaitant intégrer ce groupe *suicide* ne manqueront pas. L'attaque est prévue en fin d'après-midi.

Les échanges télépathiques sont rares dans le camp car seuls les Traqueurs sont équipés. Une heure après avoir révélé notre plan, mes Grandes Oreilles détectent une onde étrangement régulière et mécanique. J'ai craint un moment que l'espion ne soit en poste sur un sommet à une certaine distance.

Les échanges, concernant manifestement l'attaque du soir, durent quinze minutes, puis s'arrêtent. Le compte-rendu doit être terminé. Dans un bosquet, en retrait du camp, un homme se relève, un casque léger enserre toujours ses tempes : Mésoc !

D'abord décontenancé, il se reprend et nous sourit : « Je vous prépare une pièce de théâtre, vous m'en direz des nouvelles ! »

Il sent le peu de crédibilité de son numéro, tout en lisant le désarroi et la tristesse dans mes yeux. Il poursuit néanmoins, s'accrochant au plus misérable petit espoir : « Dans ce nouveau rôle, j'imite un jeune qui, branché à un apprentisseur, se met à chanter comme un dieu... Ceci explique cela », affirme-t-il en désignant son casque qu'il retire et jette au loin, comme si cela pouvait l'aider à conjurer son mauvais sort. Puis il commence à entonner...

« Du printemps qui fleurit
À l'hiver qui s'en vient
C'est la chaîne, c'est la chaîne de la vie
Des rochers, à la plante rabougrie,
Du frère, au minuscule cousin

C'est la chaîne, c'est la chaîne de la vie. »

Son dernier couplet n'est que sanglots, Mésoc pleure comme un enfant. Un Soldat a récupéré le casque. « Un NTM, neuro-transmetteur mobile », précise le mien, greffé à ma tempe.

Le Vérificateur semble satisfait d'apprendre la culpabilité du Saltimbanque plutôt que celle d'un Traqueur, comme on pouvait raisonnablement le supposer. La portée réduite des neuro-transmetteurs nous interrogeait car elle impliquait un relais à quelques encablures de notre camp. Mais aucun Ricain n'avait été détecté aux alentours. Le matériel utilisé par le traître émet, lui, ses ondes dites *HAM*, à des centaines de kilomètres.

Mésoc change de défense et nous propose désormais son aide pour tendre un piège à ses complices. Puis, un énième contre-pied, il peut à présent les convaincre à se rendre et à accepter les règles de l'Équilibre, cela éviterait tellement de morts, y compris dans nos propres rangs.

Il s'enfonce, il se noie dans sa tentative désespérée de survivre alors qu'il sait... Il sanglote à nouveau.

Je regarde tristement mon ami : « Pourquoi ? »

Il redresse brusquement, me regarde droit dans les yeux.

« Pourquoi Khaur ? Mais parce que je veux que l'homme existe, je veux que tu existes. Tu mérites d'être libre, tu mérites que ton avis soit pris en compte, tu mérites de choisir ton destin et de pouvoir agir sur ta vie. Tu mérites de fonder une famille et de mourir dans la dignité auprès des tiens. Voilà Khaur, voilà pourquoi. »

Cela a le don de mettre le Vérificateur dans une colère noire : « La liberté de l'homme, parlons-en de la liberté de l'homme...

Libre d'être la cause de la 6ème extinction d'espèces depuis les origines de la Terre.

Libre d'avoir causé un réchauffement climatique tel qui a fait fondre les pôles et les glaciers d'altitude.

Libre d'avoir laissé exploser la natalité jusqu'à ne plus laisser de place à la diversité.

Libre d'être si extraordinairement égoïste pour sacrifier 80 % de ses membres au confort des 20 % restants.

Libre d'avoir construit des murs et mis des barbelés pour empêcher ses congénères qui mourraient de faim de les rejoindre.

Libre d'avoir rejeté à la mer ceux qui tentaient de débarquer puisqu'ils n'avaient plus de terre sous leur pied du fait de la hausse du niveau des eaux. »

Le vérificateur s'énerve de plus en plus, bafouille, crachouille, tout en faisant des gestes brusques avec ses mains. S'il continue il va faire une attaque...

Il poursuit, rageur et postillonnant : « Et libres aussi, ces derniers migrants climatiques, obligés de s'armer pour espérer survivre, et évidemment tout le monde a tiré.

Libre de prétendre représenter un dieu et en son nom commettre les pires atrocités.

Libre de se penser supérieur parce que capable de construire des armes ou des ordinateurs.

Libre d'avoir besoin de mille objets futiles pour avoir l'impression d'exister et sans eux, se sentir frustré.

Libre de payer pour tuer un Cousin-lion domestiqué juste pour en faire un trophée.

Libre de massacrer des éléphants et des rhinocéros pour réaliser des objets dérisoires ou faire de la magie noire.

Libre d'ôter la vie aux derniers tigres soi-disant pour s'approprier un peu de virilité. »

Le Vérificateur a les poings fermés, les yeux injectés de sang, il s'emporte, il tempête, il gesticule... en un mot, *disjoncte* littéralement ! « Libre de polluer tous les océans et toutes les rivières jusqu'à les rendre impropre à la survie.

Libre de faire disparaître l'ozone qui protège la vie.

Libre de diffuser des OGM et des nanoparticules sans discernement, provoquant chez toutes les espèces animales et végétales des transformations génétiques, des cancers, de graves pathologies et même de terribles pandémies.

Libre d'imposer à la Nature des siècles de souffrances pour réaliser vos excès. »

Mésoc, saoulé de mots, se recroqueville dans son coin. Le Vérificateur, le regard fou et haineux, toujours aussi agité, semble pris de spasmes. Brutalement, il arrache la lance d'un Garde et la plante rageusement dans l'estomac du Saltimbanque, sans autre forme de procès.

Mésoc regarde la hampe de l'arme profondément enfoncée en lui. Bizarrement dans ses yeux, pas de souffrance, juste de l'étonnement. Lentement la vie s'échappe par la blessure. Pas un gémissement, pas un mot, le silence est surprenant après cette longue et implacable plaidoirie contre l'humanité.

Mésoc meurt, presque paisiblement.

Peu à peu le Vérificateur revient à la réalité. Il comprend sa faute et a vite fait de se condamner lui-même à l'exclusion de sa fonction et à deux jours de Pitance. On ne badine pas avec les règles de l'Équilibre. Un dirigeant s'appliquant à lui-même les règles strictes qu'il impose aux autres, il y a de quoi surprendre, n'est-ce pas ?

Sur les pentes du plateau Bàtel, les trois Pisteurs- éclaireurs sont passés à proximité des Ricains postés en embuscade, sans rien remarquer. Bientôt, la troupe de l'Équilibre apparaît, descendant précautionneusement le défilé.

La première salve de plomb et de lumière, de tonnerre et de cris, arrache la vie à nombre de Soldats avant qu'ils ne comprennent comment. Les déflagrations des armes à feu, les sifflements mortels des rayons laser, les hurlements, les avertissements, les lamentations...

Cela faisait bien longtemps qu'un coin de terre n'avait connu tant d'acharnement à détruire et à tuer.

Le feu nourri, voire compulsif, des nombreux combattants peu aguerris, rend le champ de bataille presque délirant. Chacun a bougé, d'autres se sont cachés, certains ont couru, beaucoup ont crié, les forces se sont mélangées, et l'avantage des Ricains, de fait, s'est un peu étiolé. Dans ce capharnaüm inquiétant, quelques tirs *amis* sont probablement à déplorer. Les *invisibles* tentent de riposter à ce déluge de plomb et d'éclairs tueurs, tout en se dissimulant, mais beaucoup d'entre- eux sont déjà tombés au champ d'honneur. Les tirs deviennent plus sporadiques, les cibles manquent. À présent on joue à cache-cache car les très rares Soldats survivants se sont enfuis en courant.

Ce n'est pas une victoire mais un triomphe... Riant à pleines dents, se congratulant, les Ricains exhibent fièrement leur force en tendant haut, leurs armes vers le ciel, tout en donnant quelques coups de pied rageurs aux macchabées que ne font plus peur à personne à présent. Après avoir craint pour leur vie et celle de leurs proches, sans coup férir, ils ont fait mordre la poussière à leur ennemi. Pourtant quelques doutes commencent à envahir certains esprits chagrins. Êtes-vous convaincus d'en avoir tués cent vingt ?

D'aucuns affirment qu'ils étaient plutôt deux cents, probablement ceux qui se sont terrés dès les premières salves.

D'autres, pour se rassurer, restent positifs. Facilement cent ! Même si une infime partie a réussi à s'échapper.

Chacun raconte avoir *dégommé* plus d'adversaires que son voisin, alors finalement on arrive bien au cent vingt attendus.

Pour corroborer leurs certitudes, dans le lointain quelques coups de feu font écho... Les Ricains éclatent d'un rire moqueur : l'ennemi poursuit le scénario prévu avec son attaque plein Sud pour faire diversion. Ils ne peuvent savoir que leur armée n'existe plus.

Grâce à leur espion, Mésoc, ils ont pu préparer cette embuscade en rassemblant une force composée de cent huit hommes de toute la vallée, équipés du maximum d'armes du Temps d'Avant qu'ils aient pu rassembler. Face au danger, pour une fois, les deux communautés, du *haut* et du *bas,* ont réussi à s'entendre et à vaincre, même s'il a fallu pour cela scinder l'embuscade en deux corps distincts, aucun groupe n'ayant accepté d'être commandé par l'*autre.* Cette dualité a évidemment coûté en efficacité...

Le décompte des cadavres va doucher les optimismes : cinq morts parmi les Ricains et à peine vingt-cinq corps ennemis dénombrés. On a beau chercher dans tous les fourrées, on a beau compter et recompter, rien n'y fait. Par la force des choses, les légendes reprennent le dessus : « *Ils sont bien morts mais leurs corps ont disparu* », pour les moins pessimistes,

« *On les a bien tués, mais ils ont ressuscité* », imaginent les crédules, impactés par la guerre psychologique et leurs peurs ancestrales.

« *On s'est fait mystifier*, pour les plus lucides. *Récupérez vos armes, vite il faut retourner à Vièla, ils sont en danger.* »

Longtemps nous avons rampé pour échapper à la vigilance des guetteurs, et lorsque nous avons été repérés, nous avons lancé l'assaut en enveloppant le village de tous côtés. Sur les champs nus, nous pouvions craindre la foudre, mais les défenseurs étaient finalement peu nombreux et mal armés. Quelques fusils ont déchiqueté des corps, un laser a brûlé des chairs, quelques arcs malhabiles, tenus par des bras fragiles, ont fait ce qu'ils pouvaient, mais seuls quinze de nos Soldats sont restés sur le champ de bataille. Ordo Vivendi.

Dès la zone à découvert dépassée, le combat de rue nous avantage. Surtout que les combattants et combattantes d'opérette qui nous font face, semblent destinés à la boucherie tant ils offrent leur corps, non à la science, mais à nos flèches.

C'est la panique générale. Cela court, cela tremble, cela se croise et s'entrecroise. Il y a des hommes valides qui regrettent de ne pas avoir accompagné leur armée ; des vieux courbés par les années qui, jusqu'à là s'amusaient, mais à présent se mettent à prier ; de très jeunes belligérants qui n'arrivent à bander leur arc mal adapté ; un handicapé sur un chariot qui aura du mal à s'échapper ; des habitantes de Vièla qui crient, et d'autres qui se taisent ; il y a même une femelle Ricaine avec un ventre énorme faisant penser à ces biches prêtes à mettre bas - c'est la première fois que l'on voit de nos yeux une humaine pleine - et cette multitude qui court, gémit, tremble sans se toiser, et à la fin, périra sous nos coups.

Un peu plus loin, une ennemie charge, à la main une fourche, immédiatement deux traits font mouche, misérablement, à plat - ventre la belle se couche.

Certains tendent bizarrement les bras, haut vers le ciel, en gémissant : « Pitié ! » Comme nous ne comprenons pas où peut se cacher le piège, la flèche plantée dans le front est la seule réponse à ce sortilège.

Les Ricains, sortent de partout, continuent à courir et crier ; et nous on vise et on tue sans trier.

Chiourme mime, en riant aux éclats, une joute avec une gracile petite poupée blonde, armée d'un simple émondoir, plus grand qu'elle. Cela se termine comme toujours, l'Archange Gabriel terrasse le diable. Il va sans dire que pour nous, une enfant sans la marque de l'Équilibre est pire qu'un démon, puisqu'elle n'a jamais eu vocation à exister.

Un groupe de très jeunes Ricains, sans doute rassemblés là pour être protégés, s'enfuient d'une grange en direction d'un pré. Une nuée de traits ont vite fait de les figer pour l'éternité.

La prise de Vièla n'a finalement duré que vingt minutes. Plus de cent vingt Ricains, mâles et femelles de tous âges, en ont fait les frais.

Rapidement, nous devons arrêter la fouille des habitations et granges, pour nous préparer, l'armée Ricaine ne devrait pas tarder.

Les Vièlois, puisque tel est leur gentilé, avaient abattu tout autour du village, les arbres et la végétation. Le terrain à découvert devait faciliter la défense, leurs armes destructives et précises leur conféraient un avantage alors décisif. Les cartes sont rebattues, nous tenons la colonie.

La portée de leurs balles est sans commune mesure avec celle de nos flèches. Rester hors de vue pour les obliger à avancer fait partie du plan. Calculé mais risqué, car le siège par nos ennemis nous tenant en joue depuis les forêts alentour, et un renfort par une armée Ricaine venant du haut de la vallée, nous mettraient en grande difficulté. Trois équipes d'observateurs ont été envoyées en amont pour nous en aviser si tel devait être le cas.

Deux cents mètres, à l'orée du bois. Les Ricains sont là, hésitants. Ils espèrent toujours un petit peu que le scénario catastrophe ne se soit pas réalisé. Leurs proches et amis vivent dans le village. Ils font plusieurs tentatives désespérées pour entrer en contact avec les Vièlois par ondes cérébrales ou par des cris vains, mais un mort n'a jamais rien pu réceptionner, hormis peut-être, quelques messages de l'au-delà... Qui sait ?

Aucun consentant pour une mission de reconnaissance. Finalement trois hommes sont désignés *volontaires*.

Il faut bien reconnaître que leurs pas manquent d'allant. Se rassurant sans cesse par le contact des deux autres, ils deviennent plus une masse informe mobile que trois commandos en mission.

Patiemment, nous les laissons approcher, presque avec délectation.

Cent cinquante mètres : Croquignol, Filochard et Ribouldingue[1] aperçoivent les premiers cadavres, cela ne les rassure pas. Ils serrent fort leurs armes, mais se savent incapables de les utiliser. Que faire contre des *fantômes* ? Mais comme rien ne bouge, ils prient pour que nous ayons quitté

---

1 Célèbres escrocs de Bande Dessinée de la première moitié du 20ème siècle.

la scène, notre forfait accompli. Cela les aide à poursuivre leur avancée. Pas une seconde à ce moment-là, ils ne pensent aux malheureux probablement tous trucidés.

Quatre-vingts mètres. C'est certain, les *invisibles* ont quitté le village, enfin, ils essaient de s'en persuader. La menace les freine, mais l'espoir les entraîne... vers une mort certaine.

Cinquante mètres. Ils entendent les sifflements, cherchent d'où vient le vent. Tant ils sont mêlés, Croquignol prend une des flèches destinées à son collègue. Trois pour lui, deux pour Ribouldingue, la seule reçue à l'épaule par Filochard n'est pas mortelle, il peut espérer s'en sortir quasiment indemne.

Panique dans l'armée Ricaine. Effrayés, tous commencent à tirer en direction du village, à tort et à travers, de façon compulsive, n'ayant dans les faits, aucune cible perceptible. Tonnerre, détonations, sifflements, flashs lumineux, dans un tumulte extraordinaire avec pourtant des *invisibles* toujours plus invisibles.

Avec moult difficultés, les deux commandants Ricains, du haut et du bas, arrivent à faire cesser ces tirs inutiles et vains. Bilan : une balle perdue a fracassé le crâne du pauvre Filochard, un mouton a été coupé en deux par un rayon laser et un coq valeureux a, de son côté, perdu la crête mais pas la graisse[1].

En cette soirée, l'odeur âcre de poudre irrite les gorges, alors qu'une légère brume traîne sur la prairie, la fumée des coups de feu n'ayant fait que la renforcer.

Les Ricains savent qu'ils n'ont pas le choix, il faut vaincre ou mourir bravement, leur survie en dépend. Certes, *ceux du haut* préféreraient un regroupement général sur Soste, dans

---

1 Jeu de mots méditerranéen.

la vallée supérieure - enfin, qu'ils pensent supérieure - mais chacun a compris que telle occasion ne se représenterait pas : l'ennemi est pris dans la nasse, et en plus, avec leur armement moderne, ce terrain est réellement à leur avantage.

Les palabres n'en finissent pas, mais fierté, ressentiments et haine l'emportent finalement. Le gros de la troupe va charger pendant que les meilleurs fusils feront un tir de barrage, obligeant ainsi l'ennemi à se terrer. Sur place, ils vont les *défoncer !!!*

Le plan obtient rapidement l'assentiment général, par contre, nombreux sont les tireurs se prétendant d'élite en de telles circonstances. Vingt minutes de plus pour obtenir une parité parfaite entre le nombre de fines gâchettes du haut et du bas, qui se subdiviseront elles-mêmes, entre les fusils à poudre et les *lasers*.

Les élus sont en place, et hochent la tête, l'air rassurant, pour ceux qui ont besoin d'encouragement avant de se lancer à l'assaut. Le moral a toujours été arme de guerre...

Ils sont trente mais compte tenu du vacarme des détonations, démultiplié par l'écho, et les rais de lumière qui zèbrent l'air, on pourrait penser qu'il s'agit là de tout un bataillon d'artillerie. Les Ricains, transcendés par la puissance développée, montent à l'abordage plein d'optimisme et de fierté, en chantant à pleine voix :

« En daban los setanta très !
Nou reculem james !
L'aunou qu'ey u tresor
Qui bau cent cops coum l'or.
Coum l'or

Brabes hilhots de la balee
Lou gran moumen qu'ey arribat
Ajets touts boste amna plee
De courage en t'au coumbat. »[1]

Les rayons laser éclaboussent les murs des bâtiments, les plombs mitraillent chaque coin du village. Leur armée est invincible.

Dans mon poing, la Pierre d'Aruri est compressée, malaxée, malmenée. Le déluge de feu et de faisceaux lumineux est terrifiant, et la horde de Ricains beuglant a de quoi impressionner. J'espère simplement ne pas avoir commis d'erreur. Protégés par les bâtis, les archers sont prêts et n'attendent que le signal. Pour compenser une luminosité à présent défaillante, les flèches sont incendiées.

« Première volées », hurle un guetteur.

La trajectoire parabolique de cinquante dards enflammés éclaire le ciel. Les Ricains ont compris. Certains tentent, de façon dérisoire, de se protéger, une main sur la tête, d'autres relèvent les épaules dans un geste défensif.

Dans les faits, peu sont touchés, car ce type de jet manque cruellement de précision, mais les esprits sont impactés, ils se croyaient à l'abri par le feu nourri de leurs amis.

« Quinze mètres de moins », ordonne le balisticien, puis : « Tirez ! »

Cela pourrait être beau si ce n'était aussi dramatique... Six Ricains mettent un genou à terre, braillant lamentablement, les flèches avec ce type de trajectoire ne tuent pas sur le coup. Les autres sentent que l'objectif est à portée de mains, nos salves ne portent que peu.

---

1 Hymne ossalois

Soudain un silence assourdissant. Les fusils se sont tus et les rayons laser ne déchirent plus l'air... Cinquante *invisibles,* Tikki à leur tête, ont attendu patiemment que la troupe Ricaine charge. Dans le vacarme, les trente malheureux tireurs d'élite n'ont pas entendu nos Soldats se placer à peine dix mètres derrière eux, puis les trucider méticuleusement. À présent avec une précision chirurgicale, les archers commencent à éliminer les soldats du haut et du bas, totalement à découvert en plein milieu du champ.

La charge héroïque se transforme en fuite pathétique, dès l'instant où ils comprennent qu'ils sont pris entre deux feux. La nuée de moineaux s'envolent dans tous les sens, le chacun pour soi est de mise. Nous n'avons évidemment pas l'intention de les laisser s'en tirer à si bon compte. L'humain Ricain saura à présent ce que ressentaient nos Cousins- bisons dans les plaines du Grand Ouest américain, périssant en masse jusqu'à l'extinction, sous le feu imbécile de milliers de *Buffalo Bill.*

Tuez-les tous, l'Équilibre reconnaîtra les siens[1]. Toutes nos troupes se lancent à leurs trousses, pas de quartier. Mieux entraînés, nous n'avons aucun mal à les rattraper, viser et décocher nos flèches, puis repartir pour en excommunier un autre. Certains Gardes ont même laissé tomber leur arc pour les embrocher en pleine course avec leur lance. De nombreux *lapins* jettent leurs armes pour s'alléger. Funeste erreur ! Les rares survivants en cette fin de soirée meurtrière et sanglante, seront ceux qui se débarrasseront d'une rafale efficace, les deux ou trois *chasseurs* maléfiques à leurs basques.

---

1   *Arnaud Amalric aurait prononcé « Tuez-les tous, Dieu reconnaîtra les siens » lors du siège de Béziers contre les cathares.*

La déroute Ricaine. Le plan de bataille *napoléonien* a été un succès retentissant, bien au-delà de mes espérances. Dans les yeux de mes Soldats, fierté et reconnaissance. Avouons-le, j'en suis flatté. Ô vilaine vanité...

Bien sûr, un peu de tristesse d'avoir perdu beaucoup d'hommes, dont Fombeco, chef du groupe massacré sur les pentes du Bàtel, volontaire pour cette mission suicide ; mais par leur sacrifice, ils ont permis cette éclatante victoire. Soixante-trois Soldats de l'Équilibre manqueront à l'appel demain matin. Ordo Vivendi.

À l'ombre des ténèbres mais à la lueur des torches, la fouille du village permet la collecte de nombreux objets étranges et hétéroclites, ainsi qu'une quantité importante de réserves alimentaires qui soulagera nos Tambouilleurs novices.

Caché dans une grange, un jeune Ricain a été débusqué. Plutôt que de l'étriper, les Soldats ont l'idée baroque de le faire prisonnier. On décidera demain de son sort. Un Soldat prend l'initiative de lui attacher un collier et une longe au cou pour le faire avancer. Même traitement pour lui que celui subit jusqu'alors par les chiens du village...

Les animaux sont libérés, le bourg n'est pas incendié, quelques *invisibles* y resteront en observation. De plus, ces bâtiments pourraient se montrer d'une grande utilité si nous décidions de transférer notre camp de base.

Un léger vent du Sud - nommé « *foehn* » - caresse nos peaux, une lune lumineuse et joyeuse éclaire notre retour, beaucoup y voient l'assentiment et la satisfaction de Dame Nature. La victoire est euphorisante.

Morphée aura bien du mal à me prendre dans ses bras cette nuit. Je doute. Tous ces morts, certes en majorité Ricains, méritaient-ils de disparaître ? Je sais que nos ennemis sont la gangrène de l'humanité, si tu ne les éradiquais pas, c'est toi qui mourrais. On m'a mainte fois répété : « *L'Équilibre n'est ni moral ni immoral, il est radieusement, glorieusement, amoral.* »[1]

À ces interrogations perturbantes, s'ajoute l'anxiété pour mon œil gauche. Ma vision périphérique est à présent totalement inexistante, et *la feuille de palmier* commence à empiéter sur la fovéale, ce qui m'a fortement handicapé pendant la bataille. J'ai peur...

Sogno, tu me manques... mais elle ne viendra pas me réconforter, je l'ai tant déçue.

Le Ricain se prénomme Vop, ce qui aurait pu nous inquiéter[2].

Et il est bavard, bavard... et surtout effrayé, il craint d'être invité à participer au futur déjeuner... dans notre assiette ! Il cherche donc à se rendre indispensable, on ne sait jamais.

Il nous mènera dans toutes les bergeries, toutes les fermes, tous les hameaux, et même à Soste. Il nous guidera vers tous les moulins, les champs, les vergers, et nous indiquera même son meilleur coin à cèpes. C'est tout dire...

Une protubérance à la tempe : un neuro-transmetteur.

« *Soulève ta chemise !* » ordonné-je par ondes télépathiques.

---

1 La citation originale de Théodore Monod est : « La nature n'est ni morale ni immorale, elle est radieusement, glorieusement, amorale. »
2 Vop = renard dans certains patois occitans.

– Ça y est, ils veulent savoir si je suis dodu à souhait »,
pense-t-il. Il se met à supplier de la voix éraillée d'adolescent
en pleine mue : « Je suis tout maigre, que des os ! Il faudrait
d'abord me gaver pendant quelque temps pour me rendre
plus goûteux. Je vous l'assure, dans quelques mois je serai
vraiment appétissant. »

Les autres, qui n'ont évidemment pas pu entendre ma
question, restent d'abord perplexes puis explosent de rire.

« *Soulève ton vêtement* », j'insiste...

Tremblotant, il obtempère enfin. Son nombril, quasi
inexistant, ne trompe pas, il est le fruit d'une matrice du
Sanctuaire puis *détourné* de l'Équilibre par un Défroqué,
probablement même Maingelé.

Par contre, l'absence du « *E* » sur l'épaule ainsi que son
éducation, le rendent totalement inapte et impropre à la vie.

Le Vop est intelligent et comme s'il avait lu dans mes
pensées : « Je suis végétarien, je n'ai jamais mangé d'animal.
En plus, dans la vallée, j'étais souvent rejeté comme tous ceux
qui sont nés ailleurs. Les habitants de Soste nous appellent
« *estrangèrs* » avec dédain, il faut dire que là-haut ils sont
particulièrement sectaires, y compris avec ceux de Vièla.
Nos neuro-transmetteurs n'arrangent rien, ils pensent que
nos conversations sont secrètes et qu'elles n'ont qu'un but,
les tromper. Une amélioration notable néanmoins, depuis
que certains de la vallée ont été aussi équipés, mais aussi et
surtout, avec l'arrivée de plusieurs personnages importants
qui ont ramené avec eux, armes et technologies. »

– Connais-tu Luce et Risveglio ? » Une intuition me fait
penser aux deux membres du Gouvernement disparus.

« Oui, ils se sont installés l'année dernière, ils font partie de ces gens très importants particulièrement écoutés. Je peux vous mener jusqu'au hameau dans lequel ils vivent. »

Le pauvre Vop ne sait plus que faire pour retarder l'heure inéluctable de sa mort, surtout qu'il possède bien peu de renseignements militaires réellement utilisables, que ce soit sur le nombre ou sur l'armement de nos ennemis. De surcroît, s'il atteste l'existence d'autres communautés Ricaines dans la Pyrène, il ne peut indiquer où géographiquement.

Un Garde s'approche, prêt à l'empaler avec sa pique. Je ne sais ce qui me convainc de maintenir vivant ce cancer de la nature.

Festin de roi sur le champ d'honneur. Spectacle à la fois effroyable et grandiose. Dans le ciel, des centaines d'ombres lugubres tournoient pour annoncer que le repas est servi. Déjà, dans la plaine, corbeaux, choucas, pies et vautours festoient sur des cadavres qui sont nécessairement là pour ça. Et ce n'est notre passage qui empêche les charognards d'enfoncer profondément leur cou pelé et leur tête dans les corps éventrés pour en extirper les viscères. Telle abondance est rare.

De leur côté, les moutons libérés la veille, paissent tranquillement, bien loin de ces problèmes très terre à terre. Plusieurs chiens, désemparés par ce bouleversement, aboient çà et là pour quémander des ordres, et surtout leur gamelle. La liberté ne convient visiblement pas à tous...

À quelques encablures, deux espions Ricains bien cachés dans des fourrées, pleurent leurs défunts amis dont l'âme, après tel traitement, aura du mal à rejoindre le paradis. Pourtant, par quel artifice, serait-il plus noble d'être incinéré ou mangé par des insectes et des bactéries que par ces fossoyeurs célestes ?

Dans le monde de l'Équilibre, pas de distinction, Dame Nature fait une juste répartition.

Toute l'intendance a suivi à Vièla, désigné nouveau camp de base, à partir duquel nous terminerons le travail. Plusieurs sections, composées de dix Soldats chacune, fouilleront la vallée, avec mission de s'orienter vers notre dernière cible importante : Soste.

Il est probable que les fermes isolées indiquées par notre *bavard* auront toutes déjà été abandonnées, il reste à le vérifier, puis de toute façon, les détruire.

Toujours la corde au cou, sans songer une seule seconde à un mariage, Vop guide la troupe. Luce et Risveglio vivraient cachés dans un hameau, à quelques hectomètres seulement du camp. Encerclement en règle. Quelques Soldats sont laissés en bas du petit val transversal que nous contournons pour prendre à revers d'éventuels fuyards.

Bientôt nous nous retrouvons dans une clairière ensoleillée, cernée de bois et de forêts. Le bruit d'une cascade au loin, le léger chuintement d'un ruisseau à nos pieds, une herbe verte et grasse, Des traits d'argent zèbrent l'eau claire. On poursuit notre route, le bruit de la cascade s'estompe, l'horizon s'élargit. Devant nous, la petite maison dans la prairie ou plutôt un chalet aux rondins grossiers. Un peu plus loin, une quinzaine d'habitations en arc de cercle. Flash, stimulation, réaction, érection... Conditionnement *pavlovien* à la vue du panorama dans lequel j'ai tant de fois désiré Sogno. Me voilà bien gêné à mon entre-jambes. Bien sûr qu'il existe ailleurs d'autres sites semblables, bien sûr que je n'avais jusqu'alors visualisé ce tableau qu'en rêve sans souvenance précise au réveil, bien sûr qu'il est possible que je fasse une association erronée avec d'autres images ou événements plus anciens, la fameuse sensation du *déjà vu* créée par le lobe temporal. Pourtant, aucun détail ne m'est inconnu, c'est bien dans ce vallon que toutes ces nuits j'ai retrouvé Sogno, c'est une certitude absolue, déconcertante, déroutante et... terrifiante.

Seule modification notable à mes souvenirs, récents au demeurant : trônent au centre du hameau, deux « *antennes paraboliques* » - ainsi nommées par mon neuro-transmetteur -, couvertes de baotou et dirigées vers le ciel.

Nullement le temps de m'interroger, une onde ample et claire envahit mon cerveau : « Bonjour Khaur, nous t'attendions. » Le message provient de l'intérieur d'une des cabanes.

Notre section s'est regroupée et encercle à présent totalement les quelques bâtisses. L'une après l'autre, chacune est explorée. Dans l'une d'elles, sur une table, visiblement mis en évidence à mon intention, un livre : « *La véritable histoire de Stowhlen, le premier Traqueur.* »

Tikki, à mes côtés, devine mon trouble, mais ne dit rien. Bouleversé, deux respirations profondes, puis méticuleusement, je me mets à déchirer une à une les pages en petits morceaux, sous les yeux étonnés des Soldats qui m'entourent. Les livres en Haeckelie sont habituellement mieux considérés... mais dans ce cas d'espèce, il s'agit d'un acte de salut public tant l'ouvrage est impie.

Dans la dernière habitation, six vieux attablés attendent tranquillement mon arrivée, a priori sereins. C'est entre deux haies d'Haeckeliens, interloqués par la vue d'une telle brochette d'ancêtres décrépis, que je fais mon entrée dans la pièce.

« *Nous ne sommes pas armés, fais sortir tes hommes !* » ordonne autoritairement, un homme aux cheveux gris, une fossette bien marquée au menton et un regard étrangement chaleureux. Malgré la situation dramatique, aucune crainte ni désarroi en lui. Curieux et dubitatif, j'obtempère.

Deux femmes et trois hommes complètent l'assemblée.

Le vieil homme, Risveglio, débute son plaidoyer :

« *L'homme du Temps Jadis, par égoïsme et par bêtise, au nom de concepts totalement irrationnels appelés capitalisme ou libre consommation, a assuré son propre développement au détriment du biotope, détruisant faune et flore, surexploitant les ressources naturelles jusqu'à les faire disparaître. Attitude jusqu'au-boutiste qui mettait en péril sa propre survie...* » Pendant de longues minutes ce n'est qu'une cascade de reproches et charges contre l'attitude des hommes du Temps d'Avant, que je ne peux que saluer. Le vieil homme termine sa plaidoirie par ce que fut la sentence : « *La seule solution possible fut la mise en place d'une dictature pour rétablir la situation. Un mégacomputer, l'Équilibre, a été programmé, afin d'aider les hommes à prendre de bonnes décisions.* »

Ces informations corroborent les miennes, j'acquiesce donc bien volontiers, sans trop comprendre où il souhaite m'amener.

Une des femmes me regarde droit dans les yeux, ses lèvres fripées dessinent un sourire stupide. Toujours par ondes télépathiques, le vieux continue à développer : « *... Les choses ont changé, la Nature a repris ses droits et les Hommes ont compris leurs erreurs passées. Il est temps à présent de sortir du joug d'un programme imbécile et mal adapté. L'Homme doit* *évoluer. Une large assemblée, constituée de plusieurs membres du Gouvernement et de sages, en accord avec ce constat, a tenté de faire changer les choses de l'intérieur. Nous avons réussi à ouvrir et décrypter des documents informatiques qui nous ont fourni les clés de nombreuses connaissances du Temps d'Avant. Par exemple, avec mon amie Luce* - la femme-qui-sourit bêtement fait un petit signe ridicule de la main -, *nous avons génétiquement modifié, il y a quelques années, une espèce de blé pour la rendre beaucoup plus productive, les cultivateurs d'Haeckelie s'en réjouissent encore. Par la science de l'eugénisme, nous avons créé des Pisteurs au physique plus adapté aux conditions difficiles, plus petits, plus résistants et plus forts* - je songe à mes amis Mbutis - *et nous avons fourni à certains Vérificateurs un cerveau plus méthodique. Des humains d'une beauté parfaite et à l'intelligence unique ont pu être conçues et dupliquées. Nous avons sélectionné des hommes et des femmes avec haut potentiel et leur avons greffé un neuro-transmetteur de nouvelle génération dont nous avions retrouvé quelques exemplaires.* »

Devant ma perplexité le vieil homme confirme : « *Oui, Khaur, tu fais partie des heureux bénéficiaires d'un NT2 avec plus de potentiel et de fonctionnalités, ce qui nous a d'ailleurs permis de suivre ton évolution et de toujours rester en contact avec toi jusqu'à ces derniers jours.*

De façon générale, nous pourrions offrir plus de confort aux Hommes, leur fournir des moyens de locomotion ou des outils plus fonctionnels, les protéger des maladies par des vaccins voire par des modifications génétiques, mais aussi les préserver des animaux dangereux par les armes... »

Je ne peux m'empêcher de penser : « *Décidément, l'humain ne changera jamais !* » Je suis totalement dépité...

Il poursuit avec emphase : « *Nos idées progressistes avançaient mais pas suffisamment vite à notre sens. Nous n'arrivions pas à faire bouger les lignes au sein des différents Gouvernements. Aussi, pour compléter cette action, nous avons décidé d'aider une communauté humaine, restée depuis des siècles en marge de l'Équilibre. Un appui, d'abord par de la technologie et des armes, mais aussi en réalisant un brassage de population pour éviter la consanguinité qui menaçait. Tous les dirigeants connaissent l'existence de cette population, mais la société de l'Équilibre est, comme toutes les communautés, hypocrite, et a toujours préféré l'occulter. La peur et la haine de l'étranger sont les ciments de nombreuses civilisations. Les Ricains faisaient donc parfaitement l'affaire pour fédérer les peuples d'Haeckelie et des autres régions.*

Notre objectif : cette communauté devait croître au sein d'une nature préservée qui, de son côté, ne devait pas empiéter sur son l'activité. Tu comprends Khaur, un équilibre différent, un équilibre où nature et Homme auraient chacun leur place, mais avec un Homme qui pourrait à nouveau devenir humain, qui pourrait aimer, qui pourrait élever ses propres enfants, conçus naturellement sans l'aide de machines, oui, un Homme qui vivrait en famille avec son conjoint. Ô, Khaur, une vraie famille avec des liens éternels et forts. L'amour est beau Khaur, l'amour est grand. Plus que tout, nous désirions, Luce et moi, partager notre amour au grand jour. »

Et la femme-qui-sourit-bêtement accentue encore sa grimace avec pour seul effet de découvrir d'horribles dents jaunies par le temps. Écœurant !

« *D'autres membres de l'Équilibre nous ont accompagnés, en provenance de différents pays dont évidemment celui d'Haeckelie, par conviction et foi en ce nouvel avenir plein d'espérance. Seuls les plus âgés sont réunis ici, les autres ont craint que tu ne sois pas capable de nous comprendre et ont rejoint pour cette raison le haut de la vallée.* »

Les autres vieux opinent du chef.

Risveglio parle, se justifie, tente d'expliquer et de convaincre. De mon côté, je pense que je n'obtiendrai aucun renseignement stratégique de sa part, car là est mon seul intérêt à l'écoute du vieux débris.

La femme-qui-sourit-bêtement, d'un signal télépathique strict, stoppe le monologue, voire la rhétorique de son *amoureux*, dont l'envolée lyrique, déjà entendue, ennuyait tout le monde. Puis, préférant la parole aux ondes, d'une voix empreinte d'émotion, toute en trémolos, ce qui la rend encore plus vieille qu'elle ne doit l'être, chevrote :

« Khaur, ô Khaur, si Risveglio est aussi emprunté et troublé, s'il tourne ainsi maladroitement autour du pot, c'est qu'il n'ose t'avouer que lorsque nous étions au laboratoire du Sanctuaire, nous avons voulu concrétiser notre amour en réalisant la chose la plus normale, la plus banale, la plus... humaine. Nous avons récupéré nos spermes et ovocytes toujours conservés en chambre de cryoconservation, puis nous les avons fécondés, mis en matrice et avons enfin réalisé notre rêve... avoir un enfant, notre enfant, le fruit de notre amour.

Régulièrement, pendant la nuit, nous nous glissions dans la salle des matrices pour le regarder évoluer. Plus tard, dans la salle des Nourrices, nous passions lui toucher ses belles joues, le câliner ou lui parler ; lui répondait par des risettes et babillages que nous bénissions. Nous l'avons veillé comme devraient le faire tous les parents de la Terre, nous l'avons aimé tout en étant frustrés de ne pouvoir le tenir plus souvent dans nos bras. Nous étions heureux ! Il a grandi, nous n'avons jamais cessé de garder un œil sur lui. »

Elle me regarde droit dans les yeux, quelques larmes jouent des montagnes russes en dégoulinant sur ses joues fripées. Elle tend ses bras maigres dont la peau usée pendouille misérablement, puis elle se dirige vers moi en sanglotant ces quelques mots : « Cet enfant, c'est toi Khaur, tu es notre fils ! »

Je referme délicatement la porte derrière moi ; les Soldats entourant le chalet m'interrogent du regard afin de connaître mes ordres.

« Tuez-les tous ! Ce sont des Défroqués agissant contre l'Équilibre. »

Le concept de parenté n'est pas inné ; les vieux, baignés dans le sentimentalisme des familles Ricaines, l'ont semble-t-il oublié... Ils n'auront d'ailleurs pas le temps d'oublier autre chose, je les préserve ainsi d'Alzheimer...

Notre nouveau campement avec des réserves abondantes en nourriture, un paysage unique et grandiose, un climat plutôt tempéré, nous offrent des conditions exceptionnelles.

Ces derniers jours se résument en quelques escarmouches, des fermes ou des hameaux détruits, des animaux libérés, et un nombre de morts chez les Ricains qui augmente régulièrement, mais nous sommes encore loin d'une éradication complète dans cette vallée ou dans ses nombreux épaulements contigus. Ainsi, pas de laïus à Laüs...[1] dix macchabées !

Soste est encerclée, mais j'hésite à donner l'assaut final par manque d'informations précises sur les forces en présence, les drones restent désespérément silencieux. Les armes *modernes* pourraient nous décimer, et j'ai besoin de conserver

---

1 Joli petit épaulement nommé plateau de Laüs, à l'ouest de l'entrée de la vallée d'Ossau

des troupes valides pour la suite de la mission. Pyrène est encore si vaste et si peuplé...

Vop est toujours parmi nous, il tente par tous les moyens de gagner quelques heures supplémentaires de survie. C'est un gars intelligent et souriant, malgré les circonstances, il en deviendrait presque attachant. Dommage qu'il soit Ricain. Il a déjà été soulagé d'apprendre que nous ne le mangerons pas, il nous a même remerciés pour cela.

Dans plusieurs secteurs, et en particulier sur les pans abrupts de la montagne Monarque, existe une vigne plantée en escalier et de nombreux jardins dans la plaine donnent des légumes et plantes, totalement inconnus. Nous avons découvert à quelques hectomètres de notre bivouac, un tunnel pour *chemin de fer* - dixit mon neuro-transmetteur -, construit au Temps d'Avant, et transformé par les autochtones en une cave remplie de tonneaux de vin et de tommes d'écœurante pâte au lait de brebis coagulée, en plein affinage. Sur les barriques sont gravés ces quelques mots énigmatiques : « Bi dou rey, rey dous bis »[1]. Les fromages sur lesquels figure un blason représentant un ours et un étrange bovin disparu de nos jours, sont évidemment jetés, le vin deviendra l'élixir magique de nos soirées.

Les fêtes dégénèrent souvent en beuveries et frasques sexuelles, voire en orgies. Chiourme reste la plus douée de tous et toutes pour enchanter les fantasmes des hommes... et parfois des femmes aussi. Nous allons finir par aimer la guerre.

---

1 Devise de la ville de Jurançon : Vin du Roi, rois des vins, rappel au baptême d'Henri IV fait avec une goutte de ce vin

Ce soir, mon esprit est préoccupé. J'aurais dû poursuivre notre avantage, dès la bataille de Vièla terminée et foncer sur Soste, avant que les Ricains ne se regroupent. Mon œil ne s'arrange pas, suis-je encore apte à commander ? À en avoir mal, je serre la pierre d'Aruri dans ma main, elle m'a toujours protégé, j'en suis intimement persuadé. Cette *sorcellerie* est clairement contraire à l'enseignement donné par l'Équilibre, mais je m'endors souvent, l'objet *magique* dans la main.

« *Bonsoir Khaur.*

— Bonsoir Sogno. Tu me manquais... Est-ce que je dors ? Suis-je réveillé ? Je n'arrive plus à le déterminer.

— Tu me manquais aussi. J'étais très en colère, mais mon amour est le plus fort.

— Je t'aime beaucoup Sogno, tu obsèdes mon esprit, tu as envoûté mon âme.

— Viens me retrouver Khaur, viens vite, j'ai tellement envie de toi ! »

Rêve, réalité, me voilà totalement désorienté, ma réponse n'est néanmoins que conviction et envie : « *Oui ! J'arrive mon cœur. Où es-tu ?* »

La nuit est étrangement claire. Une érection titanesque. Je traverse le hameau d'une quinzaine d'habitations en arc de cercle, non détruit après notre passage, au grand étonnement de mes Soldats. Bientôt, le bruit de la cascade, le léger chuintement d'un ruisseau, une herbe grasse, Sogno est là, assise, elle m'attend.

Elle m'attire à elle et commence à m'embrasser fougueusement. Nous ne faisons pas réellement l'amour, nous ne faisons pas réellement la guerre, les vêtements arrachés, les dents s'entrechoquent puis mordent, nos langues se mêlent puis lèchent, nos ongles griffent, nos doigts pincent, Sogno m'attire au sol, se laisse tomber sur moi, attrape mon sexe et le serre avec force, déjà trempée, elle s'empale à brûle-pourpoint puis me chevauche, ses coups de reins rageurs et rapides, quasi- animal, me font chalouper.

Sans ménagement, j'agrippe à pleine main ses fesses pour accompagner ses mouvements démentiels. Son feulement se mêle à mon cri de douleur lorsqu'elle déchire mon oreille avec ses crocs.

À ce rythme et avec un tel niveau d'excitation, la jouissance ne peut être que rapide mais ô combien puissante. Mon cerveau se met en transe, mon corps se contracte totalement pour une éjaculation profonde et vertigineuse...

À bout de souffle, totalement submergé de sensations étranges et de spasmes, la réalité a du mal à reprendre le contrôle de mes sens.

Sogno, déjà debout, tente de glisser son corps dans ses vêtements en lambeau. Elle me regarde tristement et tendrement susurre : « Désolé mon amour ».

Puis elle s'éclipse, son corps gracile se fond dans l'obscurité.

Je me redresse précipitamment... trop tard ! Deux fusils braqués sur moi. Des Ricains, encore secoués par le spectacle. Ils trouvaient déjà Sogno particulièrement belle, mais là ils ne la regarderont jamais plus de la même façon.

« Bonsoir Khaur ! » Un troisième homme les accompagne. Un géant massif, cheveux blancs, barbe fleurie, le sourire aux lèvres mi- admiratif, mi- moqueur : Perblaize, l'ancien Guérisseur-hypnotiseur d'Alternatiba.

« Tes dernières minutes auront au moins été agréables voire extraordinaires. Je t'aime beaucoup Khaur, et c'est à cause de cet amour que j'ai souhaité venir te faire personnellement mes adieux... avant que tu ne disparaisses. Tu as vraiment fait trop de mal à la cause. En vain, car de notre côté, nous reconstruirons tout ailleurs, nous bâtirons une civilisation qui détrônera un jour l'ineptie qu'est devenue l'Équilibre. Tu aurais pu, tu aurais dû choisir notre voie. C'est dommage Khaur.

– Pourquoi Perblaize, pourquoi ?

– L'Équilibre n'a pas d'âme et enlève de ce fait toute humanité à l'homme. Mais malheureusement, tu n'as pas été capable de le comprendre. Adieu Khaur. »

Je le sens profondément peiné.

Ma pierre d'Aruri serrée dans mon poing, à quelques secondes de ma mort, je songe aux vieux des Monts, mais aussi à Nion, à Chiourme et surtout à mes amis, Tikki et Akka, les Mbutis, dans mon cœur depuis si longtemps. Je suis prêt à redevenir Équilibre.

Des sifflements dans la nuit, deux chocs puissants... simultanément les deux Ricains s'effondrent, chacun une flèche dans le dos. Perblaize comprend qu'il est temps de disparaître, mais sa morphologie ne lui permet que peu d'agilité. Un flash électrique, le géant s'effondre maladroitement. Miracle divin lié à mon talisman calcaire ?

Deux femmes et un homme sortent de la pénombre. Hirsutes, maigres, visiblement épuisés. À leurs attitudes, je devine des Traqueurs. Les signes de reconnaissance échangés confirment leur appartenance à l'Équilibre.

« Nous poursuivions ce Défroqué depuis notre zone d'habitage. Nous sommes en chasse depuis plusieurs mois. Je crois que nous tombons à pic », explique la Traqueuse, visiblement fière de leur intervention. Il y a de quoi...

L'équipe de Traque, nos remplaçants à Alternatiba, a fait preuve d'obstination, de courage et d'aplomb mais aussi de désobéissance puisqu'elle ne devait en aucun cas entrer dans la zone interdite. On oubliera ce *détail* dans le rapport final, car cette indiscipline m'a sauvé la vie.

Avec une certaine hésitation, je les interroge : « Où est passé la femme brune qui les accompagnait ?

– Quelle femme ? Nous n'avons vu que ces trois individus », affirment-ils.

Étrange...

Les loups ont déchiqueté de leurs crocs, Perblaize. Il entamait sa cinquième nuit de Pitance. Les Cousins- animaux ont dû sentir qu'une nouvelle ère avait débuté, les paisibles moutons furent les premiers en en faire les frais...

Soste est rapidement tombée, il ne restait plus qu'une vingtaine de défenseurs totalement désabusés et terrifiés, ainsi que quelques vieux et des blessés attendant simplement le coup de grâce. Je n'ai perdu que six Soldats pendant cette attaque.

On se prépare à une longue et délicate nouvelle Traque, un défenseur du village, nous ayant confirmé le départ du reste de la communauté vers la vallée de l'Estrem Ourout[1], selon ses dires, un secteur bien plus peuplé. Avant de mourir, il a glissé dans le poing de Vop un objet mystérieux en lui répétant deux fois le mot : « Venjança ! »[2] Lorsque la main s'est

---

1 Mon ange comprendra... ou pas !
2 Vengeance, en occitan

ouverte, grise veinée de blanc, une nouvelle pierre d'Aruri est apparue...

Durant cette guerre, environ trois cent quarante Ricains et Défroqués ont succombé. Pour combler nos propres pertes, des Coursiers ont été envoyé quémander des renforts au Sanctuaire. Maingelé disait vrai, les ennemis de l'Équilibre sont bien plus nombreux que l'espéraient les membres du Gouvernement, mais nous vaincrons car seul l'Équilibre peut exister.

Outre les trois Traqueurs d'Alternatiba réquisitionnés, nous comptons un Soldat de l'Équilibre supplémentaire...

Dans une grange, j'ai repéré un vieux fer particulièrement rouillé, utilisé autrefois par les autochtones pour marquer le bétail. Son empreinte formait quasiment un « *E* », enfin, en étant complaisant. Malgré la douleur extrême, Vop souriait à pleines dents, lorsque, chauffé à blanc, j'ai appliqué le métal sur son épaule gauche.

Pour l'instant cette cicatrice approximative fera l'affaire, en espérant qu'à notre retour, les Vérificateurs de l'Équilibre valident mon adoubement.

Sogno a disparu, mais je sais que je la retrouverai. Je l'aime...